Танец Ветра
Песня Земли
Лик Огня

НОРА РОБЕРТС

Лик Огня

УДК 82(1-87)
ББК 84(7США)
Р 58

Nora Roberts

FACE THE FIRE

Перевод с английского *Е. Каца*

Оформление обложки *Е. Савченко*

Робертс Н.

Р 58 Лик Огня : роман / Нора Робертс ; пер. с англ. Е. А. Каца. — М. : Эксмо, 2009. — 384 с.

ISBN 978-5-699-34794-0

Впервые на русском!

Майя Девлин хорошо понимает, что значит любить всем сердцем, а потом узнать, что возлюбленный тебя бросил. Много лет назад они с Сэмом Логаном испытывали взаимные чувства. Но когда однажды Сэм бежал с острова «Три Сестры», оставив Майе горькие воспоминания, она решила жить без любви...

Сэм, ставший новым владельцем единственной гостиницы острова, возвращается с надеждой вновь завоевать любовь Майи. Столкнувшись с ледяным равнодушием, он чувствует себя сбитым с толку. Разгневанная и обиженная Майя отказывается признать, что любовь еще живет в ее сердце. Но ей понадобятся помощь и магическая сила Логана, чтобы противостоять великой опасности, грозящей острову. Срок трехсотлетнего проклятия подходит к концу. Они должны сделать шаг навстречу судьбе и вступить в битву с тьмой плечом к плечу...

УДК 82(1-87)
ББК 84(7США)

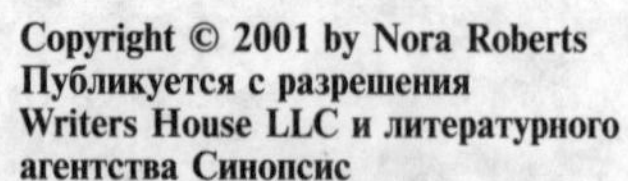

ISBN 978-5-699-34794-0

Моим любимым,
прежним и нынешним

Любовь! Огонь! Он выпил поцелуем
Всю мою душу; солнце выпивает
Так из цветка прозрачную росу.

Альфред Теннисон

Пролог

Остров Трех Сестер
Сентябрь 1702

Ее сердце было разбито. Зазубренные осколки этого сердца резали в кровь ее душу каждый час, каждый миг, и потому ее жизнь превратилась в ад. Даже дети — те, которых она выносила, и те, которых ей оставили покойные сестры, не приносили ей утешения.

А она, к собственному стыду, не могла принести утешения им.

Она собиралась бросить детей так же, как это сделал их отец. Ее муж, ее возлюбленный, ее душа, вернулся в море, и в тот день часть ее сердца, в которой жили надежда, любовь и магия, умерла.

Сейчас он не смог бы вспомнить счастливые годы, которые они прожили вместе. Не смог бы вспомнить ни ее, ни сыновей, ни дочерей, ни жизнь, которую они вели на острове.

Такова была его природа. Такова была ее судьба.

«И судьба моих сестер», — думала она, стоя на любимой скале над неспокойным морем. Им тоже было суждено полюбить и умереть. Та, которая была Воздухом, полюбила красивое лицо и нежные слова, за которыми скрывалось чудовище. Чудовище, которое пролило ее кровь. Он убил ее за то, чем она была, а она не воспользовалась своей силой, чтобы остановить его.

Та, которая была Землей, горевала, бушевала и камень за камнем строила стену своей ненависти, пока стена не стала непробиваемой. Она использовала свою силу для мести, отвергла свое Ремесло и породнилась с тьмой.

Тьма поглотила ее, и та, которая была Огнем, осталась один на один со своей болью. Она больше не могла бороться с этой болью и не могла найти иной цели в жизни.

Тьма шептала ей по ночам, но ее коварный голос был полон лжи. Она знала это, и все же искушение было слишком велико.

Круг был разорван, а выстоять в одиночку она не могла.

Она чувствовала, как тьма подбиралась ближе, скользя по земле, покрытой мерзким туманом. Ее смерть насытит эту тьму — тем более что жизнь ей самой стала в тягость.

Она подняла руки, и вызванный ею ветер взметнул ее огненные волосы. Эта сила у нее еще осталась. Море заревело, а земля под ногами дрогнула.

Воздух, Земля, Огонь... и Вода, которая подарила ей великую любовь, а потом забрала обратно.

Они подчинялись ей в последний раз.

Ее дети будут в безопасности, она об этом позаботилась. Их воспитает нянька. Она будет учить их, а дар передастся им по наследству.

Тьма лизала ее кожу. И поцелуи эти были ледяными.

Она шаталась, стоя на краю; воля боролась с волей так же, как она сама боролась с вызванной ею бурей, становившейся все сильнее.

«Этот остров, который мы с сестрами создали с

помощью заклинаний для спасения от тех, кто гнался за нами и хотел убить, погибнет, — думала она. — Все погибнет».

«Ты одна, — бормотала тьма. — Тебе больно. Покончи с одиночеством. Покончи с болью».

Она бы так и сделала, но не могла решиться бросить детей и тех, которых эти дети должны были произвести на свет. Дар еще не покинул ее — так же, как ум и сила, необходимые для его защиты.

— Твоей власти над островом нет и не будет еще триста лет.

Из ее вытянутых пальцев ударил свет и образовал круг в круге.

— Ты не достанешь моих детей, они избегнут твоих когтей. А когда срок моих чар подойдет к концу, встанут три новых лицом к лицу. Смелость, доверие, любовь без границ — вот три урока, за них держись. Воля трубит в золотую трубу, сестры встречают свою судьбу. Если хотя бы одна упадет, остров исчезнет в пучине вод. Но сестры разгонят сгустившийся мрак. Вот моя воля. Да будет так.

Когда она прыгнула со скалы в море, тьма метнулась, чтобы схватить ее, но не успела. Остров, на котором спали ее дети, окутался серебряной сетью силы.

1

Остров Трех Сестер
Май 2002

Его нога не ступала на этот остров больше десяти лет. Больше десяти лет он видел эту рощу, россыпь домиков, изогнутый берег и бухту лишь мысленно. Как и эти романтичные скалы с белым копьем островного маяка, рядом с которым стоял каменный дом.

Он не должен был удивляться нахлынувшим на него чувствам. Сэм Логан вообще редко удивлялся. Однако удовольствие, которое он испытывал, следя за тем, что здесь изменилось, а что осталось прежним, изумило его до глубины души.

Он вернулся домой, но только сию минуту понял, что это для него значило.

Сэм припарковал машину неподалеку от пристани, потому что хотел пройтись пешком, ощутить соленый запах весеннего воздуха, услышать голоса, доносившиеся с яхт, увидеть жизнь, кипевшую на этом клочке суши неподалеку от побережья Массачусетса.

И потому что хотел выиграть время и лучше подготовиться к встрече с женщиной, к которой вернулся; Сэм сам признавал это.

Логан не ждал теплого приема. Честно говоря, он вообще не знал, чего ждать от Майи.

Когда-то он это знал. Знал каждое выражение ее

лица, каждую интонацию ее голоса. Когда-то Майя стояла на пристани, встречая его; ее ярко-рыжие волосы развевались по ветру, а дымчатые глаза сияли от радости и обещания.

Когда-то она со смехом бежала в его объятия.

Те дни давно миновали, напомнил он себе, поднимаясь к Хай-стрит, где находились офисы и целая мозаика симпатичных лавочек. Он сам положил им конец, сознательно сбежав с этого острова. И от Майи.

За эти годы девочка, которую он бросил, стала женщиной. Деловой женщиной, слегка улыбнувшись, подумал он. Ничего странного. Майя всегда отличалась хваткой и умением везде видеть собственную выгоду. Если понадобится, он воспользуется этим, чтобы восстановить с ней отношения.

Для победы все средства хороши.

Он свернул на Хай-стрит и задержался, чтобы как следует рассмотреть «Мэджик-Инн». Это готическое каменное здание было единственной гостиницей на острове и принадлежало ему. Теперь, когда отец отошел от дел, у него было несколько идей, как улучшить дело.

Но бизнес мог подождать; в данный момент личные дела были важнее.

Он продолжил пешую прогулку, радуясь тому, что автомобильный поток здесь хотя и не был слишком оживленным, но все же не прерывался. Выходит, бизнес на острове действительно шел неплохо; отчеты его не обманывали.

Сэм размашисто шагал по тротуару. Он был высоким мужчиной, под метр девяносто; правда, за последние годы его стройное, крепко сбитое тело успело привыкнуть к костюмам от портного и отвыкнуть от черных джинсов, которые были на нем сейчас. Полы длинного черного плаща, как раз подходившего для начала мая, развевались по ветру.

Его волосы — тоже черные и растрепавшиеся за время поездки на пароме с материка — мягкими волнами падали на плечи. Выражение худого лица с высокими скулами и решительным подбородком смягчали красивые полные губы. Во всем его облике сквозила романтичность героя из средневековых новелл.

Сэм пристально рассматривал место, которое когда-то было его домом и должно было стать им вновь. Его глаза, обрамленные темными ресницами, были того же голубовато-зеленого цвета, что и окружавшее остров море.

При необходимости он использует свою внешность — так же, как обаяние или беспощадность. Логан уже решил, что для победы над Майей воспользуется всем, что есть в его распоряжении.

Он стоял на противоположной стороне улицы и изучал вывеску кафе «Бук». Он догадывался, что Майя найдет какое-нибудь заброшенное здание и превратит его во что-то красивое, элегантное и приносящее прибыль. В витрине красовались подборка книг и желтовато-коричневое кресло, окруженное горшками с весенними цветами. «Две ее любимые вещи, — подумал он. — Книги и цветы». С их помощью создавалось впечатление, что настала пора отдохнуть от работы в саду и насладиться результатами своего труда в уютном кресле с книгой в руках.

В этот момент в магазин вошла пара туристов; он еще не настолько оторвался от местной жизни, чтобы не отличить туристов от островитян.

Сэм стоял в задумчивости, пока не понял, что даром тратит время. На свете нет ничего страшнее, чем Майя Девлин в гневе. Она напустится на него сразу же, как только увидит.

И кто сможет ее осудить?

Он с улыбкой подумал, что на свете нет ничего соблазнительнее. Будет... забавно вновь скрестить с ней шпаги. А потом смирить ее гнев.

Он пересек улицу и открыл дверь кафе «Бук».

За конторкой сидела Лулу. Он узнал бы ее везде. Эта маленькая женщина с лицом гнома, наполовину скрытым большими очками в серебряной оправе, практически воспитала Майю. Девлины больше интересовались друг другом и путешествиями, чем дочерью, а потому наняли для присмотра за ребенком Лулу, бывшую участницу движения «Дети-цветы».

Воспользовавшись тем, что Лулу пробивала покупателю чек, он осмотрел магазин. Прикрепленные к потолку лампочки создавали эффект звездного неба. Уютное местечко перед камином с отдраенной до блеска решеткой также украшали горшки с цветами. Их аромат витал в воздухе; а из стереоколонок доносились негромкие звуки флейты.

На блестящих черных полках стояли книги. «Набор впечатляющий», — думал он, расхаживая по залу. Такой же эклектичный, как и вкусы его владелицы. В чем в чем, а в узости кругозора обвинить Майю было нельзя.

При виде полок с ритуальными свечами, картами Таро, руническими надписями и статуэтками фей, друидов и драконов у него приподнялись уголки рта. Еще один привлекательный набор, отражающий вторую часть интересов Майи. Этого тоже следовало ожидать.

Сэм взял с полки кристалл розового кварца и на счастье сжал его в ладони. Не успел он положить его на место, как почувствовал дуновение воздуха за своей спиной. Слегка улыбнувшись, он повернулся лицом к Лулу.

— Я всегда знала, что ты вернешься. Как фальшивая монета.

Препятствие номер один: дракон у ворот.

— Привет, Лу.

— Не заговаривай мне зубы, Сэм Логан! — фыркнула она, смерив его презрительным взглядом. — Ну что, ты хочешь что-нибудь купить или мне вызвать шерифа и сказать, чтобы он вышвырнул тебя отсюда?

Сэм положил камень обратно на полку.

— Как поживает Зак?

— Спроси его сам. Лично я не собираюсь тратить на тебя время. — Хотя Сэм был выше чуть ли не на полметра, Лулу шагнула вперед, ткнула его пальцем в грудь и заставила снова почувствовать себя двенадцатилетним мальчиком. — Что тебе здесь понадобилось?

— Увидеть дом. И Майю.

— Почему бы тебе не сделать одолжение всем местным жителям и не вернуться туда, где ты шатался все эти годы? В Нью-Йорк, Париж и так далее. На Сестрах без тебя прекрасно обходились.

— Вижу, — ничуть не обидевшись, он еще раз оглядел зал. По его убеждению, дракону следовало хранить верность принцессе. Насколько он помнил, Лулу подходила для этой роли идеально. — Красивое место. А кафе, наверное, еще лучше. Я слышал, что им руководит новая жена Зака.

— Правильно слышал. А теперь послушай меня. Убирайся отсюда.

Глаза Сэма стали колючими и чуть более зелеными, чем обычно.

— Я пришел повидаться с Майей.

— Она занята. Я передам ей, что ты заходил.

— Нет, не передашь, — спокойно ответил он. — Но она узнает об этом в любом случае.

В этот миг Сэм услышал стук каблучков по дереву.

Конечно, по лестнице могла спускаться дюжина женщин в туфлях на высоких каблуках, но предчувствие не обмануло Логана. Его сердце дернулось в груди и упало вниз. Едва Сэм успел нырнуть за стеллаж, как она появилась на нижней ступеньке.

Хватило одного взгляда, чтобы его душа заныла от боли.

Принцесса стала королевой.

Майя всегда была самой красивой из женщин, которых ему доводилось видеть. Превращение из девочки в женщину только добавило ее красоте глубины. Ее волосы не изменились: он хорошо помнил этот водопад огненных кудрей, обрамлявших нежное лицо. Кожу, полупрозрачную, как роса. Маленький прямой нос и полные губы. Но лучше всего он помнил мягкость и вкус этих губ. И миндалевидные глаза, с холодным бесстрастием остановившиеся на нем.

Майя шагнула к нему с улыбкой, которая тоже была холодной как лед.

Темно-золотистое узкое платье подчеркивало ее фигуру и длинные стройные ноги. Туфли того же песочного оттенка создавали впечатление, будто она излучает тепло. Но когда Майя подняла бровь и вопросительно посмотрела на него, Сэм никакого тепла не почувствовал.

— Сэм Логан, если не ошибаюсь? С возвращением.

Ее голос стал ниже. Заметно ниже, чем был когда-то. Теперь он был знойным, дымным, шелковистым и сам прокрадывался в душу, пока Сэм хлопал глазами, изумленный ее вежливой улыбкой и невозмутимым приветствием.

— Спасибо, — в тон ответил он. — Приятно вернуться домой. Потрясающе выглядишь.

— Делаем что можем.

Майя откинула волосы. В ее ушах поблескивали

цитриновые серьги. Все мелкие детали ее облика — от колец на пальцах до окружавшего ее нежного аромата — сами собой врезались ему в память. Какое-то мгновение Сэм пытался прочитать выражение ее лица, но этот язык был ему незнаком и вызывал досаду.

— Мне нравится твой магазин, — с деланым непринуждением сказал он. — Во всяком случае, то, что я видел.

— Что ж, раз так, придется устроить тебе экскурсию... Лулу, у тебя покупатели.

— Знаю, — буркнула Лулу. — Сейчас разгар рабочего дня, верно? У тебя нет времени показывать ему магазин.

— Лулу... — Майя слегка нагнула голову, что означало предупреждение. — У меня всегда есть несколько минут для старого друга. Сэм, пойдем наверх. Я покажу тебе кафе. — Она повернулась и положила руку на перила. — Может быть, ты слышал, что наш общий друг, Зак Тодд, женился этой зимой? Нелл — не только моя близкая подруга, но и потрясающий повар.

На площадке Сэм слегка отстал от Майи, раздосадованный тем, что не смог сохранить душевное равновесие. Аромат ее духов оказался слишком возбуждающим.

Второй этаж был таким же приветливым, как и первый, но ему добавляли привлекательности кафе, бойко торговавшее в дальнем конце помещения, и витавшие в воздухе ароматы специй, кофе и горячего шоколада.

На сверкавшей чистотой витрине красовался ошеломляющий набор кондитерских изделий и салатов. Из огромного чайника струился душистый дымок; хорошенькая блондинка наливала бульон ожидавшему покупателю.

В окнах задней стены виднелось море.

— Потрясающе, — это он мог сказать не кривя душой. — Просто потрясающе, Майя. Наверно, ты очень гордишься сделанным.

— А почему бы и нет?

Вызов, прозвучавший в ее голосе, заставил Сэма поднять глаза. Но она только улыбнулась и откинула со лба волосы, сверкнув кольцами.

— Ты голоден?

— Сильнее, чем думал.

В ее серо-дымчатых глазах вновь мелькнул вызов, но она быстро отвернулась и повела его к прилавку.

— Нелл, я привела тебе мужчину с хорошим аппетитом.

— Если так, то он пришел в самое подходящее место. — Нелл улыбнулась, отчего на ее щеках образовались обворожительные ямочки, и дружелюбно посмотрела на Сэма. — Сегодня на первое куриный бульон с карри. Салат с креветками «дьяволо». Фирменный сандвич — жареная свинина и помидоры на оливковом хлебе... Плюс наши постоянные вегетарианские блюда, — добавила она, постучав пальцем по лежавшему на прилавке меню.

«Жена Зака», — подумал Сэм. Значит, его старинный друг все же сделал решительный шаг. Тут было над чем подумать. Почему-то эта новость заставила его испытать укол ревности.

— Богатый выбор.

— Стараемся.

— Когда выбираешь блюдо, приготовленное Нелл, ошибиться невозможно, — с улыбкой сказала Майя. — Ненадолго оставляю тебя на ее попечение. У меня есть работа... Да, Нелл, позволь представить тебе Сэма Логана, старого друга Зака. Приятного аппетита, — сказала она и ушла.

Сэм следил за тем, как на прелестном лице Нелл

отразилось сначала удивление, а потом холодное неудовольствие.

— Что будете есть? — Приветливая улыбка исчезла с ее лица.

— Пока выпью только чашку кофе. Как поживает Зак?

— Спасибо, замечательно.

«Еще один страж у ворот, — подумал Сэм. — Не менее грозный, чем дракон, несмотря на привлекательную внешность».

— А Рипли? Я слышал, месяц назад она вышла замуж.

— Тоже замечательно. Она очень счастлива. — Нелл поджала губы и наполнила стоявшую на прилавке чашку. — За счет заведения. Я уверена, что Майя не захочет брать с вас деньги. Да она в этом и не нуждается. Вы можете поесть в «Мэджик-Инн». Там отличная кухня. Впрочем, вы сами это знаете.

— Да, знаю. — «Котенок хорошенький, но коготки слишком острые», — подумал Сэм. — Миссис Тодд, вы считаете, что Майя нуждается в вашей защите?

— Я считаю, что Майя сама может справиться с чем угодно, — ее улыбка сверкнула лезвием ножа.

Сэм взял чашку.

— Вот и я так думаю, — любезно ответил он и пошел в том направлении, куда ушла Майя.

Ублюдок! Оказавшись за закрытой дверью своего кабинета, Майя дала волю гневу, от которого затряслись и запрыгали стоявшие на полках книги и безделушки. Значит, у него хватило наглости, бесчувственности и глупости, чтобы явиться к ней в магазин!

Стоять и улыбаться ей с таким видом, словно он ждет, что она завопит от радости и бросится в его объятия. И удивляться тому, что она этого не делает!

Ублюдок!

Она стиснула кулаки, и по окну кабинета поползла тонкая трещинка.

Майя знала, что он здесь. Почувствовала это в ту же секунду, как только Сэм ступил на берег. Ощутила его присутствие, сидя за компьютером, на котором оформляла заказ. Боль, потрясение, радость и гнев были такими внезапными и сильными, что у нее закружилась голова. Одно ошеломляющее чувство сменялось другим, пока Майя наконец не ощутила слабость и дрожь.

И тут она поняла, что Сэм вернулся.

Одиннадцать лет. Он ушел от нее, оставив после себя боль, беспомощность и безнадежность. Майя до сих пор со стыдом вспоминала изумление и горе, которые она испытывала несколько недель после его отъезда.

Но на пепле надежд, сожженных Сэмом, она сумела построить новую жизнь. Нашла цель и была довольна собой.

А теперь он вернулся.

Оставалось благодарить судьбу за дар предвидения, позволивший ей взять себя в руки. Если бы она увидела его раньше, чем успела подготовиться, это было бы очень унизительно. Холодное и небрежное приветствие, сбившее его с толку, доставило ей легкое удовлетворение.

Майя напомнила себе, что стала более сильной. Она больше не девочка, положившая когда-то к его ногам свое сердце, окровавленное и разбитое. И теперь в ее жизни есть более важные вещи. Намного более важные, чем этот человек.

«Любовь может быть большой ложью», — думала она. А терпеть ложь она не собиралась. У нее есть дом, свое дело и подруги. Она вновь замкнула круг, а это самое главное.

Этого достаточно, чтобы выжить.

Когда раздался стук в дверь, она быстро опустилась в кресло, стоявшее за письменным столом.

— Да, войдите.

Сэм вошел в кабинет. Майя оторвалась от экрана монитора, взглянула на него и слегка нахмурилась.

— Неужели в меню для тебя не нашлось ничего привлекательного?

— С меня достаточно и этого. — Сэм снял с кружки крышку и положил ее на стол. — Нелл очень предана тебе.

— По-моему, без преданности дружбы не бывает.

Он кивнул и сделал глоток.

— И кофе у нее отличный.

— А без этого не бывает заведующего кафе. — Она нетерпеливо постучала пальцем по столу. — Сэм, извини, я не хочу быть невежливой. Добро пожаловать в кафе и в магазин, но у меня есть работа.

Сэм внимательно смотрел на Майю, но ее лицо продолжало выражать лишь легкую досаду.

— Раз так, не буду тебя задерживать. Дай мне ключи, и я пойду устраиваться.

Майя удивленно подняла брови:

— Ключи?

— От коттеджа. Твоего коттеджа.

— *Моего* коттеджа? Почему я должна давать тебе ключи от желтого коттеджа?

— Согласно договору о найме. — Сэм, довольный тем, что сумел пробиться сквозь щит ее вежливости, достал из кармана бумаги. Майя схватила документы и пробежала их глазами. — «Селтик Сёркл» — одна из моих компаний, — объяснил он, когда Майя хмуро посмотрела на подписи. — А Генри Даунинг — один из моих поверенных. Он снял этот коттедж для меня.

Рука Майи задрожала. Более того, она почувствовала в ладони легкий зуд. Пришлось положить ее на стол ладонью вниз.

— Зачем?

— Поверенные для того и существуют, чтобы выполнять мои поручения, — пожав плечами, ответил Сэм. — Кроме того, я сомневался, что ты согласишься сдать мне коттедж. Но зато был уверен, что после заключения договора ты выполнишь условия сделки.

Она сделала глубокий вдох.

— Я имела в виду, зачем тебе понадобился коттедж. В твоем распоряжении целая гостиница.

— Я не люблю жить в гостиницах вообще, а там, где работаю, особенно. Мне нужны спокойствие и уединение. Если я поселюсь в гостинице, ни того ни другого не будет. Майя, ты сдала бы мне коттедж, если бы я не действовал через адвоката?

Она поджала губы.

— Конечно. Но повысила бы цену. Причем значительно.

Он рассмеялся и сделал глоток кофе.

— Дело есть дело. Так и должно быть. Поскольку родители продали наш дом новому мужу Рипли, я не могу там поселиться. Все верно. Чему быть, того не миновать.

— Да уж... — Больше сказать было нечего. Майя выдвинула ящик стола и достала ключи. — Домик маленький и неказистый, но пока ты на острове, с неудобствами придется мириться.

— Ничего, привыкну. Не поужинаешь со мной сегодня вечером? Мы могли бы наверстать упущенное.

— Нет, спасибо.

Сэм не собирался торопиться с приглашением. Слова вырвались сами собой, и это его раздосадовало.

— Ладно, тогда в следующий раз. — Он встал и сунул в карман ключи и договор. — Майя, я рад, что снова вижу тебя.

Не успела она опомниться, как он накрыл ладонью ее руку. Что-то щелкнуло, и воздух зашипел.

— Ах... — Хватка Сэма стала крепче.

— Убери руку, — негромко сказала Майя, глядя ему прямо в глаза. — Ты не имеешь права прикасаться ко мне.

— При чем тут права? Когда-то для нас это было потребностью.

Чтобы унять дрожь, Майе пришлось собрать в кулак всю свою волю.

— Никаких «нас» давно нет. Я в тебе больше не нуждаюсь.

Она попала в цель. Сердце Сэма сжалось от острой боли.

— Но ты есть. И я в тебе нуждаюсь. Речь идет о чем-то большем, чем оскорбленные старые чувства.

— Оскорбленные старые чувства? — повторила она так, словно это была фраза на незнакомом ей языке. — В любом случае не прикасайся ко мне без разрешения. Ты его не получал.

— Нам предстоит серьезный разговор.

— По-твоему, нам есть что сказать друг другу? — Майя больше не могла сдерживать рвавшийся наружу гнев. — В данный момент мне больше не о чем с тобой разговаривать. Я хочу, чтобы ты ушел. Ключи и договор у тебя. Коттедж твой. Очень умно с твоей стороны, Сэм. Ты всегда был умен. Даже в детстве. Но это мой кабинет и мой магазин. — «И мой остров», — чуть не сказала она, но вовремя спохватилась. — И времени на тебя у меня нет.

Хватка Сэма ослабла, и она вырвала руку. Шипение прекратилось.

— Не порть свой визит сценой. Надеюсь, коттедж

тебе понравится. Если возникнут какие-нибудь трудности, дашь мне знать.

— Понравится. И знать тоже дам. — Сэм пошел к двери. — Да, Майя, забыл сказать... Это не визит. Я вернулся насовсем.

Увидев, что Майя побледнела, он испытал злорадное удовлетворение и закрыл за собой дверь.

Спускаясь по лестнице, он выругал себя за мстительность и бестактность. Он вышел из магазина, ощущая на себе стальной взгляд Лулу. Настроение у него было паршивое.

Сэм не стал возвращаться к пристани, где была припаркована его машина. К коттеджу, где ему предстояло прожить некоторое время, он тоже не пошел, а отправился в полицейский участок.

Оставалось надеяться, что Зак Тодд — ныне шериф Тодд — сейчас там. Слава богу, хотя бы один человек на этом острове искренне обрадуется его возвращению.

Если он ошибется и тут, дальше ехать будет некуда. Холодный весенний ветер заставил Сэма съежиться. Ничего хорошего или многообещающего в этом ветре не было.

Она отмахнулась от него как от мухи. Точнее, как от комара. Не с гневом, а с досадой. И все же тот щелчок в воздухе кое-что значил. Несомненно. Но если на свете и имелся человек, способный спорить с судьбой, то таким человеком была Майя.

«Ведьма. Гордая и упрямая», — со вздохом подумал он. Именно это и влекло его к ней. Гордости и силе сопротивляться трудно. Если только он не ошибся, теперь и того и другого у нее было больше, чем в девятнадцать лет.

Это означало, что его задача усложняется, причем многократно.

Он шумно выдохнул и толкнул дверь участка.

Человек, который сидел, положив ноги на письменный стол и прижав к уху телефонную трубку, почти не изменился. Он был здесь на своем месте. Русые волосы были такими же выгоревшими и нестрижеными, глаза такими же пронзительно-зелеными.

При виде Сэма они широко раскрылись.

— Ладно, я свяжусь с вами. Отправлю документы по факсу до конца дня. Да. Верно. Мне пора идти. — Зак убрал ноги со стола, положил трубку, встал и с улыбкой посмотрел на Сэма. — Ну, сукин сын! Настоящий мистер Нью-Йорк.

— А ты — вылитый мистер Шериф.

Зак в три прыжка преодолел разделявшее их расстояние и облапил его как медведь.

Сэм ощутил облегчение. Значит, детская дружба еще кое-чего стоит.

Годы, отделявшие мальчика от мужчины, исчезли бесследно.

— Рад тебя видеть, — он не мог найти подходящих слов.

— И я тебя. — Зак слегка отстранился и радостно улыбнулся. — Что ж, вижу, от сидения за письменным столом ты не потолстел и не полысел.

Сэм посмотрел на стол Зака, заваленный документами.

— И ты тоже, мистер Шериф.

— Да. Поэтому веди себя как следует и помни, кто на этом острове хозяин. Кстати, какого дьявола тебе здесь понадобилось? Кофе хочешь?

— Если так ты называешь жидкость в своем кофейнике, то я пас. У меня здесь дело. Причем надолго.

Зак поджал губы, наполняя свою кружку.

— Гостиница?

— В том числе. Я выкупил ее у родителей. Теперь она моя.

— Выкупил? — Зак пожал плечами и уселся на край письменного стола.

— Моя семья всегда отличалась от твоей, — сухо ответил Сэм. — Это бизнес. К которому мой отец потерял интерес. А я нет. Кстати, как поживают твои старики?

— Лучше всех. Ты не застал их совсем чуть-чуть. Они приезжали на свадьбу Рипли и прожили на острове почти месяц. Я уже было решил, что они вернулись насовсем, но тут они сели в свой трейлер и отправились в Новую Шотландию.

— Жаль, что я с ними разминулся. Я слышал, Рип — не единственная, кто вступил в законный брак.

— Ага. — Зак поднял руку с обручальным кольцом. — Я надеялся, что ты приедешь на свадьбу.

— К сожалению, не смог. — Сэм действительно жалел об этом. Как и о многом другом. — Рад за тебя, Зак. Честно.

— Знаю. А когда ты увидишь ее, то обрадуешься еще больше.

— С твоей женой я уже познакомился. — Сэм усмехнулся. — Судя по запаху твоего пойла, кофе она варит лучше, чем ты.

— Это варила Рипли.

— Неважно. Спасибо и на том, что твоя жена не вылила кофе мне на голову.

— С чего бы это? Ох... — Зак шумно выдохнул. — Да, конечно. Майя. — Он потер подбородок. — Нелл, Майя и Рипли. Дело в том, что...

Он осекся, потому что неожиданно с шумом распахнулась дверь. На пороге стояла Рипли Тодд-Бук, дрожавшая от бейсбольной шапочки до пальцев ног, обутых в поцарапанные ботинки. Ее глаза, такие же зеленые, как у брата, метали искры.

— Лучше поздно, чем никогда, — объявила она, шагнув вперед. — Я ждала этого одиннадцать лет.

Когда Рипли размахнулась, Зак бросился к ней и едва успел схватить за руки. Он хорошо знал ее кросс с правой.

— Уймись, — велел он. — Сейчас же.

— Все еще не смягчилась? — Сэм сунул руки в карманы. Если она попробует заехать ему кулаком в физиономию, то убедится, что в скорости он ей не уступает.

— Ничуть. — Зак поднял брыкавшуюся сестру в воздух. Шапочка слетела с ее головы, и длинные темные волосы упали на ее сердитое лицо. — Сэм, дай мне несколько минут, ладно? Рипли, прекрати! — приказал он. — На тебе значок, забыла?

— Раз так, я его сниму, а потом врежу ему. — Рипли отбросила с глаз волосы, и они потянулись к Сэму как щупальца. — Он этого заслуживает.

— Может быть, — согласился Сэм. — Но не от тебя.

— Проклятие, Майя — слишком леди, чтобы надрать тебе задницу. А я — нет.

Сэм улыбнулся.

— Этим ты мне и нравилась. Я снял желтый коттедж, — сказал он Заку, довольно следя за округлившимися глазами ошеломленной Рипли. — Заходи, когда будет время. Выпьем по кружке пива.

Когда Сэм прошел мимо Рипли к выходу, она даже не попыталась пнуть его ногой, настолько была шокирована его словами. Логан вышел наружу и снова обвел взглядом поселок.

Все в порядке. Пусть три женщины, образовавшие тесный круг, встретили его в штыки, зато друг принял радушно.

«К добру или к худу, но я дома», — подумал он.

2

Дорога в ад вымощена намерениями, размышлял Сэм. Причем совсем необязательно благими.

Он намеревался размашисто войти в жизнь Майи, столкнуться с ее гневом, с ее презрением, с ее слезами. Она имела на это право; он был бы последним, кто стал бы это отрицать.

Он принял бы ее злость, шквал ее обвинений и осуждение. Намеревался дать ей возможность вылить на него обиду, накопившуюся за эти годы. И, конечно, хотел смыть эту обиду и вновь завоевать Майю.

По его расчетам, все это должно было занять в лучшем случае несколько часов, в худшем — несколько дней.

Они были связаны с детства. Что такое одиннадцать лет по сравнению с узами крови, сердца и силы?

Но столкновение с холодным безразличием не входило в его планы. «Она сердится на меня, — думал Сэм, припарковывая машину перед коттеджем. — Но этот гнев скрыт под толстым ледяным панцирем. Чтобы прорубить его, понадобится нечто большее, чем улыбки, объяснения, обещания и даже извинения».

Лулу устроила ему выговор, Нелл обдала холодом, а Рипли оскалила зубы. Майя ничего этого не сделала, но ее реакция оказала на Сэма куда более сильное влияние, чем все остальное.

Ее презрительный взгляд причинил Сэму настоящую боль. Тем более что при виде Майи в нем ожили воспоминания, подлившие масла в огонь вожделения, тоски и любви.

Он любил ее безумно. Яростно. И в этом была суть проблемы. Сэм сидел в машине, думал и постукивал пальцами по рулю. Он отказывался верить, что безразличен Майе. Их соединяло многое, слишком многое, чтобы от всего этого ничего не осталось.

Если бы он действительно был ей безразличен, между ними не проскочила бы искра, возникшая в тот момент, когда их руки соединились. «Я буду держаться за это, — думал Сэм, стискивая руль. — Что бы ни случилось, но за эту искру я буду держаться».

Решительный мужчина может из крошечной искры раздуть адское пламя.

Но вернуть ее, сделать то, что нужно, вытерпеть то, что следует вытерпеть, будет нелегко. Его губы дрогнули. Сэм всегда любил трудные задачи.

Придется не только растопить накопившийся в Майе лед. Нужно будет победить охраняющего ее дракона. Лулу — достойный противник. А по бокам от Майи стоят еще две женщины: Нелл Тодд с ее тихим неодобрением и пылающая злобой Рипли.

Если мужчина собирается сражаться с четырьмя женщинами, ему нужен план. И очень прочные доспехи. Иначе не успеет он оглянуться, как его сотрут в порошок.

Так что поработать придется. Сэм вышел из машины и открыл багажник. Время еще есть. Не так много, как он рассчитывал, но все же есть.

Он достал из багажника два чемодана и пошел к двери. Но потом остановился и впервые как следует осмотрел дом, в котором ему предстояло прожить несколько недель.

Что ж, очень мило. На фотографиях коттедж выглядел хуже. Сэм помнил его белым и довольно заброшенным. Желтая краска добавляла домику тепла, а клумбы, на которых распускались весенние цветы, — жизнерадостности. Конечно, все это — дело рук Майи. Она всегда обладала хорошим вкусом и умением в деталях представить себе будущую картину.

И точным знанием того, чего она хочет.

Еще одна сложная проблема...

Коттедж, маленький и изящный, стоял на угловом участке, за которым начиналась роща, и был расположен так близко к морю, что сквозь листву деревьев доносился шум прибоя. У него было два больших преимущества: уединенное расположение и в то же время близость к поселку.

«Отличное вложение денег», — подумал Сэм. Майя тоже наверняка знала это.

Что ж, умная девочка превратилась в умную женщину... Он поставил чемоданы на крыльцо и достал ключи.

Когда Сэм вошел в дом, его поразило царившее там тепло, открытость и гостеприимство. «Входи и живи», — казалось, говорили стены. Здесь не было ни неприятных ощущений, ни сгустков энергии, оставленных предыдущими съемщиками.

Логан не сомневался, что это тоже заслуга Майи. Она всегда была очень тщательной ведьмой.

Оставив чемоданы на крыльце, он устроил себе небольшую экскурсию по дому. Жилая комната была тесноватой, но прекрасно меблированной, а в камине уже лежали наколотые дрова. Полы блестели, а окна обрамляли тонкие кружевные занавески. «Обстановка женская, — подумал он. — Но ничего, как-нибудь справлюсь».

Он обнаружил две спальни — одну очень уютную, вторую... Впрочем, вторая ему ни к чему. Вылизанная до блеска, жизнерадостная ванная с узкой душевой кабинкой, в которой высокому мужчине поместиться будет трудновато, все же ему понравилась.

Кухня, располагавшаяся в задней части дома, интереса у Сэма не вызвала. Он не готовил и не собирался учиться кулинарии. Открыв заднюю дверь, Логан обнаружил новые клумбы, овощные грядки и крошечную поляну, выходившую прямо на весеннюю рощу.

Здесь были слышны шум моря и свист ветра, а если прислушаться, то можно было уловить гул мотора машины, подъезжавшей к поселку, птичье пение и заливистый собачий лай.

Сэм понял, что он один. Это понимание позволило ему наконец слегка расслабить плечи. Оказывается, он не осознавал, до какой степени нуждался в одиночестве. Именно в одиночестве, а не в удобствах, которые он мог позволить себе в последние годы.

Впрочем, ему сейчас будет не до одиночества. Его распорядок дня такого не допускал. Нужно было добиваться поставленных перед собой целей, а при таком стремлении одиночество является роскошью.

Сэм не понимал, что в одиночестве и безмятежности он нуждался почти так же, как в Майе. Когда-то у него было и то и другое. Но он отказался и от покоя, и от Майи. А теперь остров, с которого он в юности так поспешно сбежал, был готов возвратить их ему.

Сэм с удовольствием прогулялся бы в роще, спустился на берег. Или съездил бы к своему старому дому, посмотрел на скалы, грот и пещеру, где они с Майей... Сэм отогнал от себя эти воспоминания. Сейчас не время для сантиментов.

Нужно было решать практические вопросы. Телефоны, факсы, компьютеры. Маленькую спальню можно было превратить во второй кабинет, хотя большую часть рабочего времени он собирался проводить в гостинице. Нужно было купить продукты. Но как только он появится в поселковом магазине, весть о его возвращении распространится по острову, словно степной пожар.

Что ж, чему быть, того не миновать.

Он вышел, забрал чемоданы, вернулся и начал устраиваться.

«Подруги, которые хотят тебе добра, — это благословение, — думала Майя. — И проклятие тоже». В данный момент в ее кабинете находились две из них.

— Я думаю, что тебе следовало дать ему пинка под зад, — заявила Рипли. — Впрочем, я так думала еще десять лет назад.

«Одиннадцать», — мысленно поправила ее Майя. Одиннадцать лет, но кто их считал?

— Много чести! — покрутила носом Нелл. — Тебе следует его игнорировать.

— Однако же ты не игнорировала своего подлого кровососа. — Рипли оскалила зубы. — Содрала с него шкуру и растоптала в дрожащую кашу!

— Прелестная картинка. — Сидевшая за письменным столом Майя откинулась на спинку кресла и смерила подруг взглядом. — Я не собираюсь ни пинать Сэма под зад, ни игнорировать его. Он снял у меня коттедж на шесть месяцев, и отныне я его домохозяйка.

— Отключи ему горячую воду, — предложила Рипли.

Майя поджала губы.

— Очень по-детски. Может быть, это доставило бы мне удовольствие, но делать глупости я не собираюсь. Кстати, если уж отключать воду, то совсем. Почему только горячую? Но, — продолжила она, когда Рипли расхохоталась, — Сэм — мой квартиросъемщик, а это означает, что он имеет право пользоваться всеми удобствами, которые упомянуты в договоре. Это бизнес, и ничего больше.

— Какого дьявола ему вообще понадобилось что-то снимать на Сестрах? Тем более на шесть месяцев? — продолжала бушевать Рипли.

— Похоже, он приехал, чтобы лично руководить «Мэджик-Инн».

«Ему ведь всегда это нравилось», — про себя добавила Майя. Во всяком случае, ей так казалось. Но он бросил гостиницу так же, как бросил ее.

— Мы оба взрослые, деловые люди, оба островитяне. И хотя развернуться здесь особенно негде, я думаю, что мы сможем заниматься каждый своим бизнесом, жить собственной жизнью и сосуществовать, не причиняя друг другу лишних хлопот.

Рипли фыркнула:

— Пой, ласточка, пой!

— Я не позволю ему снова вторгнуться в мою жизнь, — повысила голос Майя. — И не позволю себе расстраиваться из-за того, что он здесь. Я всегда знала, что он вернется.

Не успела Рипли открыть рот, как Нелл бросила на нее предостерегающий взгляд.

— Конечно, ты права. Скоро начнется сезон, и вы оба будете слишком заняты, чтобы сталкиваться друг с другом. Приходи вечером ко мне в гости, ладно? Я хочу попробовать новый рецепт, и мне нужно твое мнение.

— Испробуешь свой рецепт на Заке. Сестренка, я не нуждаюсь в том, чтобы меня успокаивали и вытирали нос.

— Тогда, может, нам просто сходить куда-нибудь втроем, выпить и перемыть косточки всем мужикам в целом? — предложила Рипли. — Это всегда так приятно.

— Звучит заманчиво, но я действительно не смогу. У меня накопилась куча домашних дел... не считая дел на работе.

— Она хочет, чтобы мы ушли, — сказала Рипли, обращаясь к Нелл.

— Вижу, — вздохнула Нелл. «Трудно помочь человеку, если не знаешь, как это сделать», — подумала она. — Ладно. Но если тебе что-нибудь понадобится...

— Знаю. У меня все в порядке. И будет в порядке.

Майя выпроводила их, потом села за стол и опустила руки на колени. Уговаривать себя поработать или хотя бы делать вид, что этот день ничем не отличается от других, означало бы признать свое поражение.

Ей хотелось злиться, плакать, плюнуть в физиономию судьбе или даже дать ей кулаком по морде.

Но ничего такого она не сделает. Это тоже будет проявлением слабости и глупости. Она пойдет домой. Майя встала, взяла сумочку, перебросила через руку принесенный с собой легкий жакет и, проходя мимо окна, увидела его.

Он вышел из лоснящегося черного «Феррари»; ветер трепал полы его плаща. Он всегда любил блестящие игрушки. Сменил джинсы на темный костюм и подстригся, хотя ветер все равно умудрялся играть с его волосами. Так же, как это когда-то делали ее пальцы.

Сэм нес кейс и шел к «Мэджик-Инн» с видом человека, который точно знает, куда он идет и что собирается делать.

Вдруг он обернулся и посмотрел прямо на нее. Их взгляды встретились, и Майя ощутила толчок. Тот самый толчок, от которого у нее когда-то подгибались колени.

Но на этот раз она устояла и даже не вздрогнула. Выдержав гордую паузу, Майя отошла от окна и скрылась из виду.

Дом успокоил ее. Как всегда. Практичный, большой приземистый каменный дом на утесе был слишком велик для одной женщины. Но подходил ей идеально. Даже в детстве дом больше принадлежал ей, чем родителям. Ее никогда не пугало эхо, случайные сквозняки и даже усилия, требовавшиеся для ухода за таким количеством комнат.

Дом построили ее предки, а теперь он принадлежал ей одной.

После перехода собственности в ее руки она здесь почти ничего не изменила. Обновила кое-какую мебель, поменяла обивку, слегка переделала кухню и ванные. Но ощущение осталось прежним. Дом ждал ее и тепло обнимал при встрече.

Когда-то она представляла себе, что живет здесь с семьей. О господи, как ей хотелось детей! Но за прошедшие годы Майя поняла, что ей суждено, а чего нет, и смирилась с этим.

Иногда она считала своим ребенком сад. Она создала его, всегда находила время сажать растения, кормить и ухаживать за ними. А они приносили ей радость.

А когда этой тихой радости становилось недостаточно, ей дарили свою страсть романтические скалы и тайные уголки леса.

«У меня есть все необходимое», — говорила себе Майя.

Но сегодня вечером она не стала возиться с цветами, не пошла к скалам, нависшим над морем, и не отправилась на прогулку в лес. Вместо этого она поднялась по узкой лестнице и оказалась в маленьком помещении на вершине башни.

В детстве эта комната была ее убежищем. Здесь она никогда не чувствовала себя одинокой. За исключением тех случаев, когда одиночество ей требовалось. Здесь она училась, тренировалась и укрепляла свою силу.

Стены были круглыми, окна — высокими, узкими и сводчатыми. Пробивавшиеся сквозь них лучи предвечернего солнца заливали бледным золотом старые темные половицы. Вдоль одной стены тянулись полки, на которых лежали ее инструменты. Горшки с травами, хрустальные кувшины. Книги заклинаний, принадлежавшие тем, кто жил здесь раньше, и те, которые она написала сама.

В старом бюро хранились другие памятные предметы. Жезл, который она вырезала из клена, собственноручно срубленного ею в Самайн[1], день ее собственного шестнадцатилетия. Старая метла, ее лучшая чаша, бледно-голубой хрустальный шар, свечи, масла, благовония, магическое зеркало.

Все это и многое другое, нужное ей для работы или просто напоминавшее о чем-то важном.

Майя взяла то, что ей было нужно, и сбросила с себя платье. Когда это было возможно, она предпочитала работать обнаженной.

Она создала круг, воззвав к своей стихии — огню. Свечи, зажженные ею с помощью дыхания, были синими — для успокоения, мудрости и защиты.

За последние десять лет она совершала этот ритуал всего несколько раз. Когда ощущала сердечную слабость или теряла цель в жизни. Если бы она этого не делала, то узнала бы о возвращении Сэма еще до того, как он высадился на остров. Высокой ценой пришлось заплатить за годы относительного спокойствия.

Но она снова закроется от него стеной. Скроет от него свои мысли и чувства. И скроет его мысли и чувства от самой себя.

Они не прикоснутся друг к другу. Даже мысленно.

— Я храню свои разум и сердце, — начала она, зажигая курения и сыпля траву в воду. — И во сне не откроется дверца. Что отдала я по доброй воле, то забираю, не чувствуя боли. Перегорела любовь и прошла,

---

[1] Кельтский Новый год, празднуемый 31 октября.

прежних влюбленных судьба развела. Воля твердая сильна, пусть исполнится она.

Майя подняла сложенные ладони, ожидая прихода безмятежности и наступления уверенности в себе, указывавших на завершение ритуала. Но тут вода, посыпанная травой, лениво поднялась и дразнящей волной перелилась через ободок чаши.

Майя стиснула кулаки, пытаясь справиться с гневом, собрала силы и начала бороться с чужой магией.

— Мой круг открыт только для меня. Мне надоела твоя возня. Знаю, дело твоих это рук. Впредь не смей вторгаться в мой круг.

Она щелкнула пальцами, и пламя свеч взметнулось до потолка. Дым расползся в стороны и закрыл всю поверхность воды.

Но и это не принесло ей спокойствия. Гнев попрежнему клокотал внутри. Да как он смеет тягаться с ней? Тем более в ее собственном доме?

Значит, он не изменился. Сэмюэл Логан всегда был дерзким колдуном. «А вода — его стихия», — подумала Майя, ненавидя себя за первую пролитую слезу.

Она лежала в своем круге, окутанная пеленой дыма, и плакала. Горько плакала.

На острове новости распространяются быстро. На следующее утро в поселке было только и разговоров что о Сэме Логане.

Одни утверждали, что он собирается продать «Мэджик-Инн» подрядчикам с материка, другие — что он хочет создать на основе гостиницы фешенебельный курорт, третьи — что он уволит весь штат, а четвертые — что он повысит служащим жалованье.

В одном были согласны все: жителям не терпелось узнать, почему он снял маленький коттедж Майи Девлин. Что бы это значило? Мнения на этот счет высказывались самые разные.

Сгоравшие от любопытства островитяне находили причины по нескольку раз наведываться в кафе «Бук» или в вестибюль гостиницы. Ни у кого не хватало духу прямо спросить Сэма или Майю о происходящем, но всем хотелось чего-то будоражащего.

Особенно после долгой и скучной зимы.

— По-прежнему красив как смертный грех, но стал вдвое опаснее, — делилась впечатлениями Эстер Бирмингем с Глэдис Мейси в «Айленд-Маркете», продавая ей запас продуктов на неделю. — Явился сюда и поздоровался со мной так, словно мы расстались неделю назад.

— А что он купил? — сгорала от любопытства Глэдис.

— Кофе, молоко, сухие каши. Цельный пшеничный хлеб и брусок масла. Немного фруктов. Прошел мимо отборных бананов и заплатил бешеные деньги за свежую клубнику. Купил какой-то сногсшибательный сыр и крекеры, несколько бутылок воды... Да, и упаковку апельсинового сока.

— Судя по всему, готовить и убирать он не собирается. — Глэдис наклонилась к Эстер и вполголоса сказала: — Я столкнулась с Хэнком из винного магазина. Он сказал, что к нему заскочил Сэм Логан и выложил пять сотен за вино, пиво и бутылку шотландского солодового виски.

— Пять сотен! — шепотом повторила Эстер. — Думаешь, в Нью-Йорке он начал пить?

— Дело не в количестве бутылок, а в цене! — прошипела в ответ Глэдис. — Две бутылки французского шампанского и две того дорогого красного вина... Сама знаешь, кто его любит.

— Кто?

Глэдис подняла глаза к небу.

— О господи, Эстер, неужели не ясно? Майя Девлин.

— Я слышала, что она выгнала его из книжного магазина.

— Ничего подобного. Он сам пришел и сам ушел. Я знаю это точно, потому что, когда он был там, в кафе сидела Лайза Байглоу со своей родственницей из Портленда. Потом она прибежала к моей невестке в автосервис и все ей рассказала.

— Ну... — Первая история нравилась Эстер больше. — Как ты думаешь, Майя будет ему мстить?

— Ты сама прекрасно знаешь, что Майя никогда никому не мстит. Как тебе такое пришло в голову? — Глэдис хитро улыбнулась. — Но интересно будет посмотреть, что она станет делать. Ладно. Я отвезу продукты домой, а потом зайду в магазин, куплю дамский роман и выпью чашку кофе.

— Позвони мне, если что-нибудь произойдет, ладно?

Увозя нагруженную доверху тележку, Глэдис обернулась и снова улыбнулась:

— Обязательно произойдет. И к гадалке не ходи!

Сэм прекрасно знал, что о нем болтают. И огорчился бы, если бы этих разговоров не было. Ведь именно этого он и ждал. Так же, как ждал недовольства и недоумения руководящих работников гостиницы на совещании, которое он созвал утром на следующий день.

Часть страхов улеглась, когда выяснилось, что массовых увольнений не ожидается. А недовольство частично усилилось, когда выяснилось, что Сэм не только собирается лично руководить гостиницей, но и хочет провести некоторые изменения.

— В сезон мы работаем практически на полную мощность. Но после окончания сезона используется не больше тридцати процентов номеров.

Менеджер по продажам заерзал в кресле.

— Зимой на острове любой бизнес замирает. Так было всегда.

— Это не оправдание, — холодно ответил Сэм. — Моя цель состоит в том, чтобы после окончания сезона гостиница использовалась как минимум на шестьдесят пять процентов. Мы добьемся этого, предлагая потребителю выгодные условия на уик-энды и короткие недельные отпуска. К концу недели я пришлю каждому из вас свои соображения по этому поводу. Далее, — продолжил он, просмотрев свои заметки. — Часть номеров требует обновления и переоформления. Мы займемся этим на следующей неделе. Начнем с третьего этажа. — Он обратился к менеджеру по бронированию. — Этим займетесь вы.

Не ожидая ответа, Сэм перевернул страницу блокнота.

— Количество приходящих на завтрак и ленч за последние десять месяцев заметно снизилось. Данные показывают, что наших постоянных клиентов перехватило кафе «Бук».

— Сэр... — робко начала молодая брюнетка, поправляя очки в темной оправе.

— Да? Прошу прощения, как вас зовут?

— Стелла Фарли. Я управляющая рестораном. Мистер Логан, скажу вам честно: мы никогда не сможем конкурировать с кафе «Бук» и Нелл Тодд. Если бы я могла...

Она осеклась, когда Сэм поднял палец.

— Мне не нравится слово «никогда».

Стелла вспыхнула.

— Прошу прощения, но эти десять месяцев я провела на острове, а вы — нет.

Наступило молчание; казалось, все дружно затаили дыхание. Выждав секунду, Сэм кивнул:

— Замечание верное. И чему же вы научились за эти десять месяцев, мисс Фарли?

— Если мы хотим вернуть старых клиентов и привлечь новых, то должны предоставить им достойную альтернативу. Кафе предлагает большой выбор закусок. Там царит непринужденная обстановка, да и кухня у них отменная. Нам нужно дать потребителю что-то другое. Элегантность, торжественность, романтичность, изысканную атмосферу деловых ленчей и празднования памятных дат. Прошлой осенью я отправила вашему отцу отчет и свои предложения, но он...

— Теперь вы имеете дело не с моим отцом, а со мной. — Это было сказано легко, непринужденно и без обиды. — Сегодня же пришлите мне копию.

— Да, сэр.

Логан сделал паузу.

— Если кто-нибудь еще в прошлом году делал предложения моему отцу, пусть пришлет мне копию к концу недели. Я хочу, чтобы все поняли: отныне гостиницей владею я. Владею и руковожу. Мое слово будет последним, но я жду от вас помощи. В ближайшие дни вы получите от меня деловые письма, касающиеся планов реорганизации дел в подвластных вам структурах. На составление ответа у вас будет сорок восемь часов. Всем спасибо.

Менеджеры встали из-за стола и потянулись к двери, переговариваясь на ходу.

В кабинете осталась лишь одна женщина. На ней были простой темно-синий костюм и туфли-лодочки. Ей было около шестидесяти, из которых больше сорока лет она проработала в гостинице. Женщина сняла очки, опустила стенографический блокнот и положила руки на стол.

— Это все, мистер Логан?

Он поднял бровь.

— Раньше вы называли меня Сэмом.

— Раньше вы не были моим боссом.

— Миссис Фарли... — Сэм хлопнул себя по лбу. — Так это была ваша дочь? Стелла? Боже...

— Не упоминайте имя Господа всуе, — чопорно сказала она.

— Прошу прощения. До меня просто не дошло... Примите мои поздравления, — с улыбкой добавил он. — Стелла была единственной, у кого хватило смелости и мозгов, чтобы сказать что-то стоящее.

— Я учила ее умению постоять за себя. Они боятся вас, — сказала миссис Фарли. Босс он ей или нет, но она знает Сэма с младенчества. Если дочери можно высказывать свое мнение, то ей и подавно.

— Большинство людей, собравшихся в этом кабинете, в глаза не видело никого из Логанов. Этой гостиницей десять лет руководили нанятые управляющие. А теперь ты падаешь на них как снег на голову и начинаешь баламутить воду. Ты всегда был баламутом.

— Это моя гостиница, и она нуждается в переменах.

— Я не спорю. Логаны недостаточно интересовались ею.

— Мой отец...

— Ты — не твой отец, — напомнила ему миссис Фарли. — Зачем ссылаться на него, если ты сам сказал то же самое?

Сэм кивнул.

— Ладно, тогда скажем так: раз уж я здесь, то буду вплотную заниматься гостиницей и оправдываться не стану.

— Вот и хорошо. — Она снова открыла стенографический блокнот. — Тогда добро пожаловать.

— Спасибо. Итак... — Он встал и подошел к окну. — Начнем с цветов.

Он проработал четырнадцать часов подряд, прервавшись только на короткий ленч, который ему принесли прямо в кабинет. В планы Сэма входило поддерживать местный бизнес, поэтому он встретился со здешним подрядчиком и лично объяснил ему, чего хочет. Он также велел секретарше купить самое современное оборудование для своего кабинета, а затем договорился о встрече с директором турагентства.

Он проверял отчеты, изучал предложения и отбирал полезные идеи. Сэм уже знал, что для реализации его планов понадобится много денег и времени. Но он вернулся сюда надолго.

«Не все так думают», — вспомнил он, когда наконец закончил дела и начал массировать себе шею. Например, Майя уверена в обратном.

«Хорошо, что у меня много работы», — подумал он. — Это помогает не думать о Майе».

Но мысли о ней не давали ему покоя. Он то и дело вспоминал, как почувствовал ее силу накануне. На мгновение Сэм дал себе волю расслабиться и тут же увидел ее. Обнаженная, она стояла на коленях у себя в башне, ее тело омывал бледно-золотой свет, а рыжие волосы лились на плечи как водопад.

Ее родимое пятно — крошечная пентаграмма на бедре — мерцало.

Логан не сомневался, что именно приступ желания позволил Майе так быстро и легко оборвать связь между ними.

Неважно. Он не имел права вторгаться в ее сознание таким способом. Это было грубо, неправильно, и он сразу же пожалел об этом.

Конечно, следовало извиниться. Существовали правила поведения, нарушение которых нельзя было оправдать ни интимностью, ни враждебностью.

Не откладывай на завтра то, что можно сделать сегодня... Сэм собрал самые неотложные документы и сунул их в кейс. Он поговорит с Майей, купит что-нибудь на вынос и закончит работу дома, после ужина.

Если не сумеет уговорить Майю пообедать с ним в честь заключения мира. Тогда работа подождет.

Он вышел из гостиницы в тот же миг, когда Майя открыла дверь магазина, расположенного напротив. Какое-то мгновение они оба застыли на месте, явно застигнутые врасплох. Потом Майя резко повернулась и пошла к нарядному маленькому автомобилю с откидным верхом.

Сэму пришлось перебежать улицу, чтобы помешать ей сесть в машину.

— Майя, на минутку.

— Иди ты...

— Ты сможешь послать меня туда после того, как я попрошу у тебя прощения. — Он захлопнул уже открытую Майей дверь. — Я вел себя отвратительно. Этому нет оправдания.

Удивление не заставило ее смягчиться.

— По-моему, раньше ты не торопился просить прощения. — Она слегка пожала плечами. — Ладно. Извинения приняты. А теперь уходи.

— Дай мне пять минут.

— Нет.

— Пять минут, Майя. Я весь день работал как прóклятый и теперь нуждаюсь в прогулке и свежем воздухе.

Она не стала бороться с ним. Это было бы неприлично. Особенно на виду у людей, притворявшихся, что они не наблюдают за этой сценой.

— Тебе никто не мешает. Воздуха вокруг сколько угодно.

— Я должен тебе кое-что объяснить. Короткая прогулка до берега, — вполголоса попросил он. — Если ты прогонишь меня, то дашь им новый повод для сплетен. А мне — повод для раздумий. Но дружеская беседа на людях никому не причинит вреда.

— Ладно. — Она положила ключи от машины в маленький карман длинного серого платья. — Пять минут.

Они пошли по Хай-стрит в сторону моря. Майя держалась в шаге от него.

— Как прошел твой первый рабочий день?

— Начало было неплохое. Ты помнишь Стеллу Фарли?

— Конечно. Я ее часто вижу. Она — член книжного клуба при магазине.

— Да... — Еще одно напоминание о том, что она жила здесь, а он нет. — У нее есть неплохие идеи насчет того, как вернуть ресторану клиентов, которых ты увела.

— Серьезно? — весело спросила Майя. — Что ж, желаю удачи.

Когда они свернули к берегу, Майя почувствовала, что за ними следят. У края песка она сняла туфли.

— Я понесу.

— Спасибо, не надо.

Возле самого берега море было теплого голубого оттенка, но ближе к горизонту оно зловеще темнело. Песок был усыпан ракушками, оставшимися после прилива. Чайки кружились в воздухе, крича и ссорясь друг с другом.

— Я чувствовал тебя, — начал он. — Вчера. Чувствовал, как мы реагировали друг на друга. Это не извинение, а причина.

— Я уже сказала, что приняла твои извинения.

— Майя... — Сэм протянул руку, но она отпрянула, и он коснулся только ее рукава.

— Я не хочу, чтобы ты прикасался ко мне.

— Когда-то мы были друзьями.

Она остановилась и смерила его холодным взглядом:

— В самом деле?

— Ты сама это знаешь. Мы были больше чем любовниками, больше чем... Это была не только страсть. Мы были дороги друг другу. Мы делились самыми сокровенными мыслями.

— Теперь мои мысли принадлежат только мне. А в друзьях я не нуждаюсь.

— И в любовниках тоже? Ты так и не вышла замуж.

Майя повернулась к нему. Ее лицо выражало уверенность в собственной красоте.

— Если бы я нуждалась в любовнике или муже, то они бы у меня были.

— Не сомневаюсь, — пробормотал Сэм. — Ты — самое необычное создание на свете. Я постоянно думал о тебе.

— Прекрати, — предупредила она. — Прекрати сейчас же.

— К дьяволу, я говорю то, что обязан сказать! Я думал о тебе! — Он бросил кейс, схватил ее за руки и дал волю своей досаде. — Я думал о нас. То, что случилось между нами, не уничтожает того, чем мы были друг для друга.

— Ты сам это уничтожил. И теперь тебе придется жить с этим так же, как жила я.

— Дело касается не только нас. — Он усилил хватку, почувствовал ее дрожь и понял, что Майя может вырваться в любой момент, даже не прибегая к магии. — Ты знаешь это не хуже моего.

— Повторяю, никаких «нас» больше нет. Думаешь, после стольких лет, за которые я многому научилась и многое сделала, я позволю судьбе вновь играть со мной, как море с щепкой? Никто и никогда больше не сможет использовать меня. Ни ты, ни проклятие трехвековой давности.

Из ясного неба ударила молния и вонзилась в песок у его ног. Сэм не шелохнулся, хотя его сердце шарахнулось в груди.

— Ты всегда прекрасно владела своей стихией.

— Не забывай этого. И знай: я с тобой покончила.

— Ничего подобного. Я нужен тебе, чтобы снять проклятие. Ты готова рискнуть всем и всеми ради собственной гордости?

— Гордости? — Майя побледнела, и ее тело перестало дрожать. — Самоуверенный болван, ты думаешь, что это гордость? Ты разбил мне сердце.

Ее голос дрогнул, и это заставило Сэма опустить руки.

— И не просто разбил, а растоптал в пыль. Я любила тебя. Я пошла бы за тобой на край света. Я сделала бы для тебя все. Я горевала по тебе так, что чуть не умерла.

— Майя... — Потрясенный ее признанием, Сэм хотел коснуться ее волос, но она ударила его по руке.

— Но я не умерла. Я выжила. Я довольна тем, кем стала, и не хочу возвращения прошлого. Если ты думаешь по-другому, то даром тратишь свое время. Я никогда не вернусь к тебе. А то, что ты бросил, было самым лучшим в твоей жизни.

Она отвернулась и ушла, оставив Сэма смотреть на море и думать о том, что она права как никогда.

3

— *Что* ты сделал?

Зак сунул голову в холодильник и начал рыться там в поисках пива. Он знал этот тон. Нелл пользовалась им редко, но метко.

Тодд долго копался в холодильнике и повернулся к жене только тогда, когда удостоверился, что он спокоен и полностью владеет собой.

Она стояла перед плитой, на которой готовилось что-то потрясающее. В кулаке Нелл была зажата деревянная ложка, а сами кулаки упирались в бедра. Зак подумал, что в гневе Нелл выглядит очень сексуально.

Но говорить ей это в данный момент не следовало.

— Пригласил на обед Сэма. — Он улыбнулся и сорвал крышку с бутылки. — Ты же знаешь, как я люблю хвастаться великолепной стряпней своей красавицы-жены.

Увидев, что она прищурилась, Зак надолго припал к бутылке.

— А в чем дело? Кажется, ты никогда не протестовала против компании за обедом.

— Я не против компании. Я против подонков.

— Нелл, в подростковом возрасте Сэм был изрядным непоседой, но не подонком. Кроме того, он один из моих самых старых друзей.

— А *моей* подруге он разбил сердце. И твоей, кстати, тоже. Бросил ее, удрал в Нью-Йорк и десять лет занимался там бог знает чем. А потом... потом... — наливаясь праведным гневом, продолжила она, — прокрался на остров, думая, что все должны его встречать с распростертыми объятиями!

Нелл бросила ложку на стойку.

— Лично я не собираюсь заказывать по поводу его возвращения духовой оркестр!

— А как насчет одного трубача?

— Не смешно! — Она круто повернулась и пошла к задней двери.

Но Зак сумел оказаться там раньше.

— Конечно. Извини, Нелл. — Он провел рукой по ее волосам. — Послушай, мне жаль, что у Сэма с Майей так вышло. Я жалел об этом тогда, жалею и теперь. Но дело в том, что мы выросли с Сэмом и были друзьями. Близкими друзьями.

— В том-то и дело, что *были*!

— И остались. — Зак крепко держал жену за руки. — Майя дорога мне, и он тоже. Я не хочу принимать чью-то сторону. Во всяком случае, у себя в доме. Но больше всего я не хочу, чтобы мы с тобой ссорились из-за этого. Мне не следовало приглашать его, не обсудив это с тобой. Я съезжу и объясню ему, что обед отменяется.

Нелл подавила вздох, но не смогла справиться с улыбкой, появившейся на губах.

— Ты делаешь это нарочно. Чтобы я почувствовала себя глупой и маленькой.

— А что, у меня получилось? — с улыбкой спросил Тодд.

— Да, будь я проклята! — Она слегка толкнула его локтем. — Не стой на дороге. Если у нас будет компания, нет смысла сжигать обед.

Но вместо того чтобы отодвинуться, Зак обнял ее.

— Спасибо.

— Скажешь спасибо, если после обеда он не покроется бородавками или не схватит крапивницу.

— Ладно. Ну что, накрыть на стол?

— А как ты собираешься это сделать?

— Ну... может, поставить свечи?

— Да. Черные. — Она фыркнула и пошла проверять рис. — Чтобы отразить отрицательную энергию.

Зак перевел дух.

— Похоже, вечер будет что надо.

* * *

Сэм принес бутылку хорошего вина и букет ярко-желтых нарциссов, однако Нелл это не смягчило. Она была вежлива, но холодна и накрыла стол на удобном переднем крыльце, подав к вину канапе, которые приготовила в последний момент.

Сэм не знал, что это означало. Возможно, что дальше ему ходу в этот дом нет.

— Надеюсь, я не причинил вам хлопот, — сказал он. — Нет ничего хуже незваного гостя.

— О нет, что вы, — любезно ответила Нелл. — Я уверена, что вы не привыкли приходить на обед без приглашения, так что все в порядке.

Она повернулась и скрылась в доме, и Сэм шумно выдохнул. Теперь сомнений не оставалось: здесь его лишь терпели.

— Ничего себе прием...

— Майя очень много для нее значит. По ряду причин.

Сэм молча кивнул и подошел к перилам крыльца. Черный лабрадор Люси перевернулась на спину, подставляя ему светлый живот, и от полноты чувств заколотила хвостом по полу. Сэм нагнулся и слегка почесал ее.

Логан знал причину яростной преданности Нелл. Он много лет следил за всем, что происходило на острове. Он знал, что Нелл прибыла на остров Трех Сестер, спасаясь от агрессивного мужа. Она инсценировала собственную смерть — надо признаться, проявив при этом недюжинную смелость, — сменила имя и внешность и попыталась начать здесь новую жизнь.

Он видел в выпусках новостей Ивена Ремингтона, который сейчас находился в закрытой психиатрической лечебнице тюремного типа.

Знал, что Майя поручила Нелл руководство кафе при магазине и дала ей жилье. И подозревал, что она научила Нелл пользоваться своим даром.

Он с первого взгляда понял, что Нелл — одна из трех.

— Твоей жене пришлось нелегко.

— Очень нелегко. Она рисковала жизнью, чтобы спастись. Когда Нелл приехала сюда, Майя дала ей возможность пустить здесь корни. Я тоже должен благодарить Майю за это. И не только за это, — добавил Зак. — Ты наверняка слышал о Ремингтоне.

— Крупный голливудский брокер, насильник и психопат. — Сэм выпрямился. — Я знаю, что он отрезал от тебя кусок, пытаясь добраться до Нелл.

— Ага. — Зак рассеянно потер плечо, в которое угодил нож Ремингтона. — Он выследил Нелл, набросился на нее еще до моего прихода, а потом вырубил меня. На время. Нелл побежала в рощу, зная, что он погонится за ней и не успеет прикончить меня. — Это воспоминание заставило его помрачнеть. — Когда я догнал их, там уже были Рипли и Майя. Они знали, что Нелл попала в беду.

— Да, Майя должна была знать.

— Этот сукин сын приставил нож к ее горлу. — Даже сейчас воспоминание об этом вызывало у него гнев. — Он бы убил ее. Может, я успел бы выстрелить, может, нет, но он убил бы ее в любом случае. Она сама его вырубила. Собрала то, что было у нее внутри, вспомнила, кто она такая, и с помощью Майи и Рипли сделала так, что его зло обернулось против него самого... Я видел, как это было, — после паузы пробормотал Зак. — Все происходило в маленькой роще у коттеджа, в котором ты сейчас живешь. Неизвестно откуда появился огненный круг. А потом этот Ремингтон повалился на землю и завопил.

— В ней есть смелость и вера.

— Да, — подтвердил Зак. — В ней есть все.

— Тебе повезло. — Правда, при мысли о том, что женщина может быть для мужчины всем, Сэма слегка покоробило. — То, что она любит тебя, видно за милю. Даже тогда, когда она злится. — Сэм слабо улыбнулся. — На то, что ты пригласил за свой стол Иуду.

Зак резко поднял глаза на Сэма.

— Почему ты это сделал? Почему уехал?

Сэм покачал головой.

— По многим причинам. Над некоторыми я размышляю до сих пор. Когда пойму их все до одной, объясню Майе.

— Ты хочешь окончательно испортить ей жизнь?

Сэм посмотрел в свой бокал.

— По-моему, я всегда только этим и занимался.

За обедом Зак изо всех сил пытался поддерживать непринужденную дружескую беседу. По его подсчетам, за час, проведенный за столом, он наговорил больше, чем за всю предыдущую неделю. Время от времени он красноречиво посматривал на Нелл, но та отказывалась понимать намек.

— Теперь я понимаю, как кафе «Бук» удалось откусить кусок от нашего бизнеса, — сказал Сэм. — Миссис Тодд, в кулинарии вы — настоящий гений. Больше всего на свете я жалею, что после высадки на остров вы пришли не в гостиницу, а в кафе «Бук».

— Я пришла туда, куда должна была прийти.

— Вы верите в это? В судьбу?

— Абсолютно. — Она встала и начала убирать со стола.

— Как и я. — Сэм тоже встал и взял свою тарелку. Когда Нелл повернулась спиной, он слегка кивнул Заку, подавая сигнал: «Оставь нас».

Зак, взмокший от усталости, вызванной необходимостью играть роль болтуна, с облегчением поднялся из-за стола.

— Мне нужно прогулять Люси, — сказал он, беря с полки поводок, и протиснулся к двери, ощутив спиной испепеляющий взгляд Нелл.

— Почему бы и вам не прогуляться с Заком? А я тем временем сварила бы нам кофе.

Сэм рассеянно опустил руку, решив приласкать серого кота, который вылез из-под стола и терся о его ноги. Кот зашипел.

— Я просто хотел погладить тебя, — укоризненно сказал Сэм, едва успев отдернуть руку и заметив, что Нелл одобрительно кивнула коту, которого звали Диего.

— Он не хочет, чтобы его гладили.

— Это вы не хотите, чтобы его гладили, — поправил ее Сэм. — Нелл, поймите, Зак — мой лучший друг.

Нелл отвернулась и начала загружать посудомоечную машину.

— У вас странное представление о дружбе.

— Каким бы оно ни было, это факт. Он много значит для нас обоих. Поэтому я надеюсь, что мы сможем заключить перемирие. Хотя бы ради него.

— Я с вами не воюю.

Сэм снова посмотрел на кота. Диего сел неподалеку от хозяйки и начал умываться, глядя на Логана с презрением.

— Но ведете себя так, словно воюете.

— Верно. — Она захлопнула дверцу посудомоечной машины и обернулась. — Вы обошлись с Майей так, что мне хочется подвесить вас за ноги и развести под вами огонь, чтобы вы жарились долго и мучительно. Мне хочется...

— Представляю себе.

— Если так, то вы понимаете, что очаровывать меня бесполезно.

— Когда вам было двадцать лет, вы всегда делали правильный выбор? Лучший выбор? Самый мудрый выбор?

Она включила горячую воду и яростно выдавила из бутылки моющее средство.

— Во всяком случае, я никому не причиняла боль намеренно.

— А когда причиняли — пусть даже ненамеренно, — сколько времени вас за это наказывали? — Не услышав ответа, Сэм встал, подошел к Нелл и выключил горячую воду.

Нелл выругалась и хотела открутить кран, но Сэм положил ладонь на ее руку.

Между их пальцами проскочила ослепительная голубая искра.

Нелл застыла на месте; гнев уступил место шоку. Не отнимая руки, она повернулась и посмотрела Сэму в глаза.

— Почему вы мне ничего не сказали? — требовательно спросила она.

— Не знаю. — Когда холодный свет превратился в теплое сияние, Логан улыбнулся. — Привет, сестра.

Сбитая с толку, Нелл покачала головой:

— Есть только три, которые создают круг.

— Три, которые происходят от трех. А стихий четыре. Ваша стихия — воздух. Вы происходите от той, которой не хватило вашей смелости. А моя стихия — вода. Вы верите в судьбу и в Ремесло. Мы соединились. Вы не можете изменить это.

— Не можем. — Она медленно высвободила руку. — Отойди от меня.

— Ты веришь в судьбу, в Ремесло, но не в прощение.

— Я верю в прощение. Когда оно заслужено.

Он сделал шаг назад и убрал руки в карманы.

— Сегодня я пришел сюда, чтобы переубедить тебя. Соскрести несколько слоев твоего предубеждения и неприязни. Частично это объяснялось гордостью. Не слишком приятно, когда тебя не жалует жена твоего лучшего друга.

Он взял бутылку и налил немного вина в бокал, который Нелл только что вымыла.

— А частично — стратегией. — Сэм сделал глоток. — Я прекрасно знаю, что вы с Рипли стоите за Майю горой.

— Я не хочу, чтобы ей снова причинили боль.

— И уверена, что я непременно так и сделаю. — Он поставил бокал на стойку. — Я пришел в ваш дом и почувствовал, что вы с Заком заодно. Что вы ладите. Я сидел за вашим столом, и вы кормили меня, хотя предпочли бы повесить за ноги. Я хотел очаровать вас, но получилось, что вы очаровали меня.

Логан обвел взглядом кухню. Тут всегда было тепло и уютно. Когда-то его в любое время здесь ждал радушный прием.

— Я восхищаюсь тем, как вы распорядились своей жизнью. И завидую вашей уверенности в завтрашнем дне и семейному счастью. Зак очень много для меня значит.

Он оглянулся на молчавшую Нелл.

— Я понимаю, тебе трудно в это поверить, но факт

есть факт. Я не собираюсь делать ничего такого, что могло бы осложнить ваши отношения. Пока он гуляет с Люси, я уйду через заднюю дверь.

Нелл вытирала руки.

— Я еще не сварила кофе.

Не сводя с нее глаз, Сэм повернулся к двери.

И тут Нелл поняла, за что Майя его полюбила. Не за опасную красоту. В его глазах были сила и боль.

— Я тебя не прощаю, — сказала она. — Но если Зак считает тебя своим другом, в тебе должно быть что-то хорошее. Где-то глубоко внутри. Садись. На десерт будут бисквиты с вином и взбитыми сливками.

«Она покорила меня», — думал Сэм, возвращаясь в коттедж пешком. Эта хорошенькая голубоглазая блондинка, которая сначала была убийственно вежливой, затем поразительно откровенной, а потом в течение одного вечера прекрасно поняла, что к чему, вызывала у него восхищение.

Сэму редко хотелось заслужить чье-то уважение, но Нелл Тодд была этого достойна.

Он шел по берегу пешком, как в детстве. Когда был непоседливым мальчишкой. И повернул к дому тоже как в детстве. Без всякого удовольствия.

Как можно было объяснить, что дом на скалах он любил, но никогда не считал его своим? Когда отец продал дом, Сэм об этом ничуть не пожалел.

Когда-то грот и пещера значили для него очень много. Но сам дом был всего лишь нагромождением дерева и стекла. Тут не было ни намека на тепло. Одни требования. Требования быть Логаном, преуспевать и превосходить остальных.

Что ж, он научился и тому, и другому, и третьему, но чего это ему стоило?

Сэм снова подумал об атмосфере, царившей в доме Тоддов. Он всегда считал, что у каждого дома есть свой характер. У Тоддов было тепло и уютно. Некоторые люди просто созданы для брака, думал он. Конечно, если брак заключается по любви, а не для удобства или приобретения положения в обществе.

Но он считал, что этот дар редок. Очень редок.

В его доме места любви не было. Так же, как не было места рукоприкладству, грубости или пренебрежению. Его родители были партнерами, но никак не парой. И их брак был таким же холодным и успешным, как удачная сделка.

Сэм до сих пор помнил, как был изумлен, очарован и слегка смущен в детстве, видя, с какой любовью относятся друг к другу родители Зака.

Теперь он думал о том, как они ездят в своем доме на колесах и, по слухам, наслаждаются жизнью. Одна мысль об этом привела бы его родителей в ужас.

«Неужели вся наша жизнь зависит от наших родителей? — думал он. — Неужели счастливое детство Зака подготовило его к созданию собственной счастливой семьи? Или это всего лишь игра случая? Может быть, в конечном счете все зависит от нас самих? Каждый сделанный нами выбор определяет следующий?»

Сэм остановился и стал следить за белым лучом, освещавшим воду. Маяк Майи на скалах Майи. Сколько раз он стоял, смотрел на этот луч и думал о ней?

Желая ее.

Он не мог вспомнить, когда это началось. Временами ему казалось, что он родился с этим желанием. При мысли о том, что тяга к Майе возникла еще до его рождения, у Сэма захватывало дух.

Сколько ночей он изнывал от тоски по ней? Он изнывал от этой тоски даже тогда, когда овладевал ею.

Для него любовь была штормом, полным безграничного наслаждения и невыразимого ужаса.

А для нее все было просто.

Стоя у самой полосы прибоя, он послал свои мысли над черной водой к лучу света. К скалам, к каменному дому. К ней.

И стена, которой она окружила себя, отразила эти мысли обратно.

— Ты должна впустить меня, — пробормотал он. — Рано или поздно.

Сэм тряхнул головой, отгоняя от себя навязчивые мысли, и пошел к коттеджу. Уединение, которое так понравилось ему в первый день, грозило стать одиночеством. Он резко свернул с дорожки, направляясь не в дом, а в рощу.

Пока Майя не поговорит с ним, придется узнавать нужное другими способами.

На черном небе сияли россыпь звезд и узкий серп луны. Сэм настроился на ночь. Журчание ручья говорило, что на его берегах спят полевые цветы. В кустах шуршали какие-то мелкие животные, слышалось заунывное уханье совы. Кому-то предстояло стать ее кормом.

Он ощущал запах земли, воды и знал, что ночью пойдет дождь.

И чувствовал силу.

Он шел через темную рощу так уверенно, словно в яркий солнечный день прогуливался по Мэйн-стрит. Его кожа ощущала покалывание, говорившее о присутствии магии.

Он видел круг там, где была всего лишь земля, занесенная прошлогодней листвой.

«Три сильны, когда они вместе», — подумал Логан. То же самое он испытал на берегу и знал, что там тоже был образован круг. Но этот круг был создан первым, и поэтому он должен был увидеть сначала его.

— Все было бы проще, если бы они сказали мне это сами, — вслух пробормотал он. — Но зато не так интересно. Ладно...

Сэм поднял руки вверх. Его ладони напоминали чаши, готовые к тому, чтобы их наполнили.

— Покажите мне. Я взываю к троим, чьею силой я храним. Магическим зеркалом станет ночь, укрепляющая мою мощь. Покажите мне этот круг, чтобы я мог включиться в игру. Дайте мне силы видеть сквозь мрак. Вот моя воля. Да будет так.

Темнота стала прозрачнее и заколебалась, как легкий занавес на ветру. Свет. Страх кролика, попавшего в западню. Ненависть, острая, как оскаленные клыки. И любовь, окутанная смелостью.

Он видел то, что рассказал ему Зак, видел Нелл, бежавшую сквозь лес, и понимал ее мысли. Страх за Зака, отчаяние и стремление не только самой спастись от преследования, но и спасти мужчину, которого она любила.

Когда Сэм увидел, как Ремингтон прыгнул на Нелл и приставил нож к ее горлу, у него сжались кулаки.

Его захлестнули эмоции. Тут была Майя в черном платье, усыпанном серебряными звездами, и Рипли с пистолетом в руках. Окровавленный Зак, тоже целившийся в Ремингтона.

Ночь была наполнена безумием и ужасом.

И тут начала действовать магия.

Она исходила от Нелл, которая сумела побороть свои страхи и засветилась. От Майи, глаза которой полыхали ярче серебряных звезд, украшавших ее платье. И от Рипли, медленно опустившей пистолет и неохотно подавшей руку Майе.

А затем вспыхнул голубой круг.

Это произошло так неожиданно, что Сэм отпрянул на два шага назад и только потом взял себя в руки. Но его власть над видением уже ослабла; оно заколебалось и побледнело.

— Круг восстановлен. — Он поднял голову, следя за облаками, почти полностью закрывшими собой звезды. — Майя, ты должна впустить меня, иначе все будет напрасно.

Поздно ночью она приснилась ему. Безо всяких усилий с его стороны. Заставив вернуться в то время, когда любовь была для нее слаще всего на свете.

Она была семнадцатилетней, длинноногой, с огненной гривой и глазами теплыми, как летний туман. Как всегда, ее красота потрясла его. Ударила кулаком в сердце.

Она вошла в грот и улыбнулась. На ней были шорты цвета хаки и ярко-синяя рубашка, оставлявшая обнаженными руки и узкую полоску живота. Запах соли и моря не мешал ему ощущать дразнящий, головокружительный аромат ее тела.

— Не хочешь поплавать? — Она засмеялась и брызнула в него водой. — Грустный Сэм, почему ты такой мрачный?

— Я не мрачный.

Но она была права. Родители надулись на Сэма из-за того, что он предпочел работать летом на острове, а не в Нью-Йорке. И он подозревал, что решение остаться с Майей было ошибкой. Ужасной ошибкой.

Но мысль провести два месяца вдали от ее губ была невыносимой.

Однако он начинал думать об этом. Думать каждый раз, когда возвращался с Трех Сестер в колледж, расположенный на материке. Думать, что нужно устроить себе проверку. Найти какой-нибудь предлог не приехать на очередной уик-энд во время семестра.

Всякий раз, когда он плыл с материка на пароме, они звали его. Остров и Майя. А теперь он отказывался от такой заманчивой возможности обрести свободу, о которой он все чаще мечтал. Ему нужно было подумать еще раз. Пораскинуть мозгами.

Но когда Майя оказывалась рядом, было невозможно думать о ком-то или чем-то другом.

— Если ты не мрачный, докажи это! — Она хитро улыбнулась; вода журчала вокруг ее лодыжек и едва не доставала до коленей. — Давай поиграем.

— Я слишком взрослый для игр.

— А я нет! — Она скользнула в воду как русалка. А когда через несколько минут вынырнула, вода струилась с ее волос, а промокшая блузка соблазнительно облепила грудь. Он думал, что сойдет с ума. — Да, я совсем забыла. Тебе почти девятнадцать. Плескаться в воде ниже твоего достоинства.

Она снова нырнула в темно-голубую воду грота. Когда он схватил ее за лодыжку, Майя начала брыкаться и наконец со смехом выбралась на уступ.

Ее смех, как всегда, околдовал его.

— Ну, сейчас ты у меня узнаешь, что такое достоинство! — крикнул он и, обхватив ее за талию, столкнул в воду.

Все это было невинно. Солнце, вода, начало лета, зыбкая грань между детством и началом взрослой жизни.

Но долго так продолжаться не могло.

Они брызгались, хохотали и ныряли как дельфины. А потом обнялись, как всегда. Поцелуй начался под водой. Когда они вынырнули на поверхность, их губы не разомкнулись. Взаимная тяга была такой сильной, что Майя дрожала, прижимаясь к нему. Ее губы, теплые и влажные, раздвигались так доверчиво, что это потрясало Сэма до глубины души.

— Майя... — Умирая от желания, он зарылся лицом в ее мокрые волосы. — Мы должны остановиться. Давай прогуляемся. — Но даже в этот миг его руки продолжали ласкать ее. Он ничего не мог с собой поделать.

— Сегодня ночью я видела сон, — прильнув к нему, негромко сказала Майя. — О тебе. Все мои сны только о тебе. А когда я проснулась, то знала, что произойдет сегодня. — Она откинула голову, и Сэм чуть не утонул в ее огромных серых глазах. — Я хочу быть с тобой, и больше ни с кем. Хочу стать твоей, и больше ничьей.

У него зазвенело в ушах. Он пытался подумать о том, правильно это или нет, пытался подумать о завтрашнем дне, но мог жить только сегодняшним.

— Майя, ты уверена?..

— Сэм... — Она осыпала поцелуями его лицо. — Я всегда была в этом уверена.

Она отодвинулась, но только для того, чтобы взять его за руку. Именно она вытащила его из воды и повела в пещеру, прорубленную в скалах.

Пещера была сухой, прохладной и достаточно высокой, чтобы стоять в ней во весь рост. Он увидел покрывало, расстеленное у дальней стены, и свечи на полу и удивленно посмотрел на нее.

— Я же говорила тебе, что знала. Это наше место. — Не отводя от него глаз, она потянулась к маленьким пуговицам своей рубашки. И он увидел, что ее пальцы дрожат.

— Тебе холодно.

— Немножко.

Он шагнул к ней.

— И страшно.

Она улыбнулась и пожала плечами:

— Немножко. Но это ненадолго.

— Я буду обращаться с тобой бережно.

Майя опустила руки, чтобы он смог закончить расстегивать ее рубашку.

— Знаю. Я люблю тебя, Сэм.

Он прильнул к ее губам и медленно снял с нее блузку.

— А я тебя.

Легкий холодок под ложечкой тут же исчез.

— Знаю.

Раньше он прикасался к ней, и она к нему тоже. Но эти невинные и дразнящие ласки ничего не значили. На этот раз все было иначе. Когда они начали раздевать друг друга, свечи загорелись сами собой. Стоило им лечь на покрывало, как вход в пещеру закрыла тонкая пелена, отделившая их от всего мира.

Их нежные и горячие губы слились. Сладкий трепет и волнение не помешали Майе понять, что он сдерживается. Дрожавшие руки Сэма сжимали ее так, словно он боялся, что она исчезнет.

— Я не уйду от тебя, — пробормотала Майя и ахнула, когда его губы, внезапно ставшие жадными, нашли ее грудь.

Она выгнулась под ним. Ее руки гладили его, тело стало таким же податливым, как вода, которой оно пахло. Ее влажные волосы разметались по покрывалу, глаза закрылись. Он задрожал от прилива силы.

И заставил ее взлететь. Ее протяжный гортанный крик пронзил его насквозь и заставил почувствовать себя непобедимым. Когда она открылась, отдавая ему свою невинность, Сэма затрясло.

В его ушах звенела кровь, он сгорал от желания, но старался быть нежным. И вдруг увидел в ее глазах страх.

— Только на минутку. — Он стал покрывать ее лицо лихорадочными поцелуями. — Только на минутку. — А потом сдался своему телу и овладел ею.

Руки Майи сжались в кулаки, и она с трудом подавила крик. Но тут на смену боли пришло тепло.

— Ох... — вздохнула она и поцеловала его в шею. — Конечно. Конечно...

А потом задвигалась под ним. Поднималась, принимая его в себя, и опускалась, следуя за ним. Когда тепло перешло в жар, их тела стали скользкими от пота. Они кончили одновременно и стиснули друг друга в объятиях.

Когда засыпающая Майя застыла в кольце его рук, пламя свеч стало золотым. Вдруг она подняла голову и посмотрела на него.

— Именно здесь она нашла его.

Сэм провел пальцами по ее плечам. Он не мог остановиться. Сознание затянула голубая дымка, и он забыл все, о чем думал на берегу.

— М-мм?

— Та, которая была Огнем. От которой я веду свое происхождение. Именно здесь она нашла своего морского котика в человеческом облике и влюбилась в него спящего.

— Откуда ты знаешь?

Она хотела сказать, что знала это всегда, но только покачала головой.

— Она спрятала его шкуру, чтобы удержать его. Ради любви. Все хорошо, что делается ради любви.

Сэм, погрузившийся в нирвану, уткнулся губами в ее шею. Он хотел быть здесь, с ней. Не хотел ничего и никого другого. И знал, что никогда не захочет. Но понимание этого не тревожило его, а утешало.

— Все хорошо, что делается ради любви, — как эхо повторил он.

— Но она не смогла удержать его, — тихо продолжала Майя. — Через несколько лет, после того как у них родились дети, после того как она потеряла сестер и подруг, он нашел свою шкуру. И не смог остановиться. Такова была его природа. Ничто не могло заставить его остаться, даже любовь. Он покинул ее, вернулся в море и забыл о ее существовании. Забыл свой дом и своих детей.

— Ты грустишь, думая об этом. — Он прижал ее к себе. — Не надо грустить.

— Не уходи. — Она уткнулась лицом в его плечо. — Не бросай меня. Если это случится, я умру так же, как умерла она, одинокая и с разбитым сердцем.

— Не уйду. — Он сжал ее крепче, но у него неприятно засосало под ложечкой. — Мое место здесь. Посмотри. — Он повернулся, и они оказались лежащими лицом к стене. — Он поднял палец и положил его на камень. Из кончика пальца ударил свет и выжег на камне слова.

Когда Майя прочитала надпись на гэльском, в ее глазах появились слезы.

«Мое сердце — твое сердце. Отныне и навсегда».

Она тоже подняла палец, и на камне под словами возник кельтский узел. Обещание вечного единства.

— А мое — твое.

Майя, спавшая одна в доме на скалах, повернулась, уткнулась в подушку и пробормотала во сне его имя.

4

Под утро пошел дождь, упорный, как барабанная дробь. Пронизывающий ветер шевелил нежные молодые листья и заставлял пениться прибой. Дождь продолжался весь день, насыщая воздух влагой и делая море таким же темно-серым, как и небо. Не было и намека на то, что вечером он закончится.

«Это хорошо для цветов», — говорила себе Майя, стоя у окна и глядя на пасмурное небо. Земле нужно как следует промокнуть; конечно, стало прохладнее, но заморозков, опасных для нежных почек, не будет.

В первый же погожий день она возьмет выходной и проведет его в саду. Целый день вдали от всех, наедине со своими цветами.

В этом и заключается прелесть собственного дела. Оно позволяет время от времени избавиться от ответственности. От бизнеса и от магии.

В тот день у нее было много работы в магазине. Кому какое дело, что ночью она плохо спала, ворочалась, а утром была так измучена, что не хотела вставать с постели? Поняв это, Майя ощутила такой страх, что немедленно начала одеваться.

А потом она забыла, хотя никогда ничего не забывала, что к ней должны прийти Нелл и Рипли. Что ж, по крайней мере, нежеланные гости, нарушавшие незыблемый распорядок дня, могли отвлечь ее от ненужных воспоминаний и снов.

Он проник в ее сны. Вот дьявол.

— Майя, может, ты сделаешь это еще раз?

— Что? — Она нахмурилась, подняла взгляд и попыталась сосредоточиться. Слава богу, Рипли не обратила внимания на ее рассеянность. — Извини. Это все дождь виноват.

— Верно. — Рипли сидела в кресле, перекинув ногу через подлокотник. На ее коленях стояла миска с попкорном, и она беспечно отправляла в рот горсть за горстью. — От такой погоды с ума сойти можно.

Майя молча подошла к дивану, села, подобрала под себя босые ноги и направила палец на камин, стоявший у противоположной стены. Дрова вспыхнули и затрещали.

— Так гораздо лучше. — Она взбила бархатную подушку с таким видом, словно думала только о собственном удобстве. — Ну, Нелл, что ты хочешь мне сказать до того, как мы начнем обсуждать планы на солнцестояние?

— Ты только посмотри на нее! — Рипли взмахнула бокалом и свободной рукой запихнула в рот громадную горсть попкорна. — Она говорит как председательница какого-нибудь дамского клуба.

— Ты близка к истине. Что клуб, что шабаш. Но если наш помощник шерифа согласен взять руководство на себя...

— О'кей. — Нелл подняла руку, призывая к миру. Она всегда призывала к миру, если Майя и Рипли проводили друг с другом больше десяти минут. Иногда ей хотелось взять их за головы и хорошенько стукнуть лбами. — Может быть, перейдем от обмена оскорблениями к обсуждению программы? По-моему, первое заседание кулинарного клуба прошло неплохо.

Майя подавила раздражение и кивнула. Потом она наклонилась, осмотрела спелые гроздья пурпурного винограда, лежавшие на светло-зеленом блюде, и выбрала одну.

— Да. Отличная была идея, Нелл. Думаю, она пойдет на пользу и кафе, и магазину. В тот вечер мы продали дюжину поваренных книг и еще дюжину продадим в ближайшие дни.

— Я думаю, надо выждать пару месяцев, удостовериться, что интерес не прошел, а потом устроить совместное мероприятие с книжным клубом. Может быть, на Рождество. Я понимаю, что до него еще далеко, но...

— Но хороший план еще никому не мешал, — закончила Майя, взяла вторую гроздь, посмотрела на Рипли и насмешливо фыркнула: — Есть целые романы, в которых еда играет главную роль. В некоторых даже приводятся рецепты. Мы можем предложить один такой роман книжному клубу, а кулинарный клуб приготовит блюдо. Всем будет весело.

— А ты продашь книги, — вставила Рипли.

— Как ни странно, в этом и заключается главная задача кафе «Бук». А сейчас...

— Есть еще кое-что.

Майя сделала паузу и удивленно посмотрела на Нелл.

— Что-то случилось?

Взволнованная Нелл плотно сжала губы.

— Я понимаю, что главная задача — это продажа книг, но... Мне уже давно пришла в голову одна идея. Я обдумывала ее, пытаясь понять, получится что-нибудь из этой затеи или нет. Ты можешь подумать, что это ни к чему, но...

— Ох, Нелл, ради бога! — Рипли нетерпеливо заерзала в кресле и отставила миску с попкорном. — Она считает, что тебе следует расширить кафе.

— Рипли! Позволь мне изложить проблему так, как ее вижу я сама.

— Я бы позволила, но я не собираюсь сидеть здесь целую неделю. Меня муж ждет...

— Расширить кафе? — прервала ее Майя. — Но оно и без того занимает почти половину второго этажа.

— В данный момент так и есть. — Нелл бросила на Рипли недовольный взгляд и повернулась к Майе. — Но если пристроить с восточной стороны веранду, скажем, размером шесть на десять футов и сделать крытый портик или раздвижную дверь, появится больше посадочных мест. Кроме того, оттуда в хорошую погоду можно будет любоваться панорамой острова.

Увидев, что Майя нахмурилась и взяла со стола бокал, Нелл торопливо продолжила:

— Я могла бы расширить меню, добавить несколько блюд, подходящих для непринужденного летнего обеда. Конечно, тебе понадобится кого-то нанять дополнительно, а я... впрочем, кажется, я лезу не в свое дело.

— Я этого не говорила. — Майя откинулась на спинку дивана. — Но все это довольно сложно. Существуют архитектурные требования, а также строительные нормы и правила. Нужно подсчитать затраты, срок самоокупаемости и потенциальное снижение прибыли во время перестройки.

— Я... э-э... уже подумала об этом. Немножко. — Нелл смущенно улыбнулась и достала из сумки пачку бумаг.

Майя посмотрела на пачку и громко рассмеялась.

— Молодец, сестренка, хорошо поработала! Ладно, я взгляну на твои расчеты и подумаю. Любопытно, — пробормотала она. — Дополнительные места, дополнительные блюда... Если все получится, мы отгрызем у гостиницы и часть ее обеденного бизнеса. По крайней мере, в летнее время.

Увидев довольную улыбку Майи, Нелл ощутила укол вины.

— Это еще не все. Майя... я должна тебе сказать. Сэм Логан приходил к нам обедать.

Улыбка сползла с лица Майи.

— Прости, что?

— Этот крысиный ублюдок сидел за твоим столом? — Рипли вскочила с кресла. — И ты его кормила? Надеюсь, ты догадалась подсыпать ему яду?

— Нет, не догадалась. Проклятие, я его не приглашала! Это сделал Зак. Они друзья. — Нелл виновато смотрела на Майю. — Я не могу указывать Заку, кого он может приглашать в дом, а кого нет.

— Попробовал бы мой Мак пригласить к столу этого лживого сукина сына! — Рипли оскалила зубы с таким видом, словно собиралась укусить своего нового мужа. — Зак всегда был дураком!

— Полегче, ладно?

— Он был моим братом дольше, чем твоим мужем! — огрызнулась Рипли. — И я имею полное право называть его дураком. Особенно если так оно и есть!

— Успокойтесь, — негромко сказала Майя, заставив их обеих обернуться. — Нет смысла кого-то осуждать или обвинять. Зак имеет полное право выбирать себе друзей и приводить их в дом. Нелл, ты напрасно чувствуешь себя виноватой. То, что было между Сэмом и мной, касается только нас двоих и никак не влияет на остальных.

— Не влияет? — Нелл покачала головой. — А почему никто не сказал мне, что он — один из нас?

— Потому что это не так! — выпалила Рипли. — Сэм Логан — не один из нас!

— Вряд ли Нелл имела в виду, что Сэм — наша подруга, — иронически заметила Майя. — Или хотя бы островитянин. Конечно, он всегда будет считаться островитянином, потому что вырос здесь. — Она махнула рукой, отметая эти соображения. — Но его дар не имеет никакого отношения к нашему.

— Ты уверена в этом? — спросила Нелл.

— Нас трое. — В голосе Майи послышался металл, а пламя в камине затрещало и поднялось. — Мы составляем круг. Нам предстоит сделать то, что суждено. То, что этот крысиный ублюдок, как его удачно назвала Рипли, тоже имеет дар, ничего не меняет.

Она с деланым спокойствием потянулась за третьей гроздью.

— А теперь перейдем к солнцестоянию.

Она не позволит этому случиться. Она сделает все необходимое одна или вместе с сестрами. Но никого не впустит в их круг. И в свое сердце.

В разгар ночи, когда весь остров спал, она стояла на скалах. Шел холодный злой дождь, черное море билось в зазубренные утесы так, словно хотело разнести их на куски. Упрямый ветер яростно трепал волосы Майи и развевал полы ее плаща, так что они поднялись в воздух, словно крылья.

Темноту нарушал лишь вращающийся клинок света, вырывавшийся из белой башни за ее спиной. Он освещал Майю, скалы и море. А потом снова все погружалось во тьму.

«Прыгни, — шептал коварный голос. — Прыгни со скалы, и все кончится. Зачем ты борешься с неизбежным? Зачем тебе жить в одиночестве?»

Сколько раз она слышала этот голос. Сколько раз приходила сюда, испытывая себя. Она приходила даже тогда, когда ее сердце было разбито на миллион мелких осколков. И победила. Она никогда не сдастся.

— Ты не одолеешь меня. — Грязный туман полз по земле и камням, окутывая ее холодом. Казалось, ее щиколотки обхватывали ледяные пальцы, готовые сделать роковой рывок. — Я никогда не сдамся. — Она подняла руки и развела их в стороны.

И вызванный ею шквал разнес туман в клочья.

— Я защищаю и свято храню все, что имею, и все, что люблю. — Она подставила лицо дождю, капли которого лились по ее щекам, как слезы. — И наяву, и во время сна буду любимым своим верна.

Магия наполнила ее и запульсировала в такт биению сердца.

— Бремя свое до конца донесу и встречу судьбу лицом к лицу. Воля твердая сильна, пусть исполнится она.

Она закрыла глаза и стиснула кулаки, словно хотела сразиться с ночью. Словно могла пробить пелену, мешавшую ей видеть будущее.

— Почему я *не знаю*? Почему ничего не делаю? Почему только чувствую?

С воздухом что-то случилось; казалось, ее щеки погладили теплые ладони. Но это было не успокоением, в котором она нуждалась, и не попыткой уговорить ее проявить терпение. Поэтому она отвернулась от моря и побежала к дому, в окнах которого горел свет. Полы плаща летели за ней.

Лулу сидела в постели с третьим бокалом вина, последним триллером «Дневник американского каннибала» и пакетиком чипсов с сыром и луком. Спальню оглашала пальба Мэла Гибсона и Данни Гловера: одновременно Лулу смотрела по телевизору «Смертельное оружие».

Таков был ее обычный субботний ритуал.

Ночную рубашку ей заменяли рваные шорты, майка с надписью: «Лучше быть богатым, чем глупым», и фонарик, прикрепленный к бейсбольной шапочке.

Она жевала, глотала, смотрела то в книгу, то на экран и считала, что находится в своем личном раю.

Дождь барабанил в окна ее ярко раскрашенной «солонки с крышкой»[1]; ветер позвякивал бусами, заменявшими шторы. Довольная и слегка подвыпившая Лулу вытянулась под лоскутным одеялом, сшитым ею собственноручно.

«Никому и никогда не удастся искоренить во мне

---

[1] Тип коттеджа, характерного для Новой Англии XVII—XIX вв.: двухэтажного с фасада и одноэтажного с тыла, с двухскатной крышей, конек которой сдвинут к фасаду.

шестидесятые», — часто с легкой гордостью думала она.

Когда слова на странице начали расплываться, она поправила очки и села повыше. Лулу хотелось дочитать главу и выяснить, позволит ли глупая молодая проститутка перерезать себе горло.

Она была готова поспорить, что позволит.

Клюнув носом, Лулу вскинула голову и изумленно заморгала. Кто-то прошептал ее имя.

«Ну вот, слуховые галлюцинации, — недовольно подумала она. — Старость — не радость».

Допив остатки вина, Лулу посмотрела на экран.

Оттуда ей улыбался Мэл Гибсон. Его ярко-голубые глаза смеялись.

— Привет, Лу! Как дела?

Она протерла глаза и яростно заморгала. Но видение не исчезло.

— Какого дьявола?

— Вот и я говорю, какого дьявола? — Мэл сделал шаг в сторону, и Лулу увидела наведенное на нее дуло пистолета калибром с пушку. — Никто не хочет жить вечно, верно?

Грянул выстрел, и комната озарилась ярко-красным светом. Острая боль заставила Лулу вскрикнуть и прижать руки к груди. Когда она быстро села, ожидая увидеть кровь, чипсы полетели во все стороны.

Но она не ощутила ничего, кроме бешеного стука собственного сердца.

На экране Мэл и Данни спорили о какой-то полицейской процедуре.

Чувствуя себя набитой дурой, она заковыляла к окну. «Нужно глотнуть свежего воздуха, — подумала Лулу. — Чтобы в голове прояснилось. Наверно, уснула на минутку, вот и привиделось». Она отодвинула бусы, рывком подняла створку и вздрогнула.

На улице было холодно, как зимой. Во всяком случае, куда холоднее, чем следовало. А в поднимавшейся над землей дымке было что-то странное. Она напоминала плывущий в воздухе синяк — тускло-фиолетовый и ядовито-желтый.

Из окна были видны цветочная шпалера, сквозь которую пробивался лунный свет, и грубо вырубленная каменная горгулья, показывавшая язык прохожим. С неба лил ледяной дождь. Когда Лулу потянулась к оконной щеколде, в ее ладонь вонзились острые осколки.

Она отдернула руку и выругалась. Поправив очки, она вновь взглянула в окно. Горгулья поменяла место. Теперь вместо профиля ее уродливое лицо было видно почти на три четверти.

Сердце заколотилось так, что заболела грудь.

«Мне нужны новые очки, — подумала Лулу. — Зрение подводит».

Тем временем горгулья повернулась к ней лицом. И обнажила страшные длинные зубы.

— Господи Иисусе! — вскрикнула потрясенная Лулу.

Горгулья двигалась к дому, жутко щелкая зубами. Тянулась к открытому окну. За ней прыгала маленькая лягушка-флейтистка, купленная Лулу неделю назад. Ее флейта превратилась в длинный зазубренный нож.

— Никому нет до тебя дела.

Лулу резко обернулась к телевизору. С экрана на нее насмешливо смотрела огромная рисованная змея с ухмыляющимся лицом Мэла Гибсона.

— Если ты умрешь, никто этого не заметит. У тебя ведь никого нет, правда, Лу? Ни мужа, ни ребенка, ни семьи. Никто не даст за тебя и ломаного гроша.

— Чушь! — Увидев боковым зрением, что горгулья и ее спутница находятся уже в каком-то футе от дома,

Лулу вскрикнула от ужаса. Голодная горгулья щелкала зубами, а нож прорезал густой туман со свистом, напоминавшим стук метронома.

— Бред! — Тяжело дышавшая Лулу неловко потянулась к шнуру.

Когда окно захлопнулось, она поскользнулась и упала на пол.

Едва отдышавшись, Лулу поднялась на колени, заплакала, подползла к корзине для рукоделия и достала оттуда две вязальные спицы. Сжимая их в кулаке, она осторожно встала.

Когда она набралась мужества и подошла к окну, шел мелкий теплый дождь; туман рассеялся. Облупившаяся уродливая горгулья стояла на своем обычном месте и показывала язык следующему прохожему.

Лулу стояла у окна, пока в телевизоре снова не началась пальба. Она вытерла ладонью пот со лба.

— Вот что делает с человеком лишний бокал «шардонне», — вслух сказала она.

Но все же — впервые со времени переезда — она вышла на улицу, обошла маленький домик, вооруженная спицами, и плотно заперла все окна и двери.

— Даже самый последний трудоголик имеет право на выходной, — сказал себе Сэм, выезжая из поселка. Он целыми днями сидел за письменным столом, проводя совещания, раздавая задания и изучая отчеты. Если не проветрить мозги, они просто изжарятся.

Как-никак стояло воскресенье. Дождь наконец унесло в море, и остров сверкал, как драгоценный камень. Задача Сэма требовала выяснить, что на этом клочке земли изменилось, а что нет. Это было не менее важно, чем карнизы и выступы.

Именно этой чувствительности не хватало предыдущему поколению Логанов. Сэм всегда знал, что его родители считали двадцать с лишним лет, проведенных на Трех Сестрах, чем-то вроде ссылки. Именно поэтому они так часто искали предлоги удрать на материк, а после смерти деда уехали туда окончательно.

Остров никогда не был для них домом.

Вернуться на него предстояло Сэму, потому что для него остров действительно был родным. Итак, один из ответов, за которыми он сюда приехал, теперь был найден. Три Сестры принадлежали ему, а он им.

По воде скользили прогулочные яхты — как моторные, так и парусные. Их вид успокаивал Сэма и даже доставлял ему удовольствие. На темно-синей воде подпрыгивали оранжевые, красные и белые буи. Земля рвалась навстречу воде.

Он видел семью, собиравшую моллюсков, и мальчика, гонявшего чаек.

Логану встречались дома, которых десять лет назад здесь еще не было. Он внимательно разглядывал улицы, прохожих, деревья. Потемневшее серебро кедров и пышная листва лип навевали на него светлую грусть. «Все растет, — думал он. — И люди, и природа».

Время не стояло на месте. Даже на Трех Сестрах.

Добравшись до северной оконечности острова, Сэм свернул на узкий глинистый проселок и прислушался к шороху шин. В последний раз он ехал по этой дороге на джипе, откинув крышу и включив радио на полную мощность.

Мысль о том, что сейчас он едет хоть и на «Феррари», но все же с откинутой крышей, а из стереоколонок несется громкая музыка, заставила его улыбнуться.

— Можно увезти ребенка с острова, но остров останется в нем на всю жизнь, — пробормотал он, остановившись напротив скал и возвышавшегося на них дома.

«Дом не изменился, — подумал Сэм. — Интересно, сколько времени понадобится островитянам, чтобы перестать называть его гнездом Логанов?» Двухэтажное здание вырастало из скалы так, словно делало это по собственной воле. Кто-то недавно выкрасил его ставни в темно-синий цвет, контрастировавший с серебристым деревом стен.

С крыльца и открытых веранд открывался потрясающий вид на пещеру и море. Окна были широкими, двери — стеклянными. Сэм помнил, что окна его комнаты выходили на море, и он смотрел в эти окна часами.

Очень часто постоянно меняющееся и непредсказуемое настроение водной стихии отвечало его собственному.

Море всегда разговаривало с ним.

И все же дом не вызывал у него ни сентиментальных чувств, ни ностальгии. Островитяне могли сколько угодно называть его гнездом Логанов, но Сэм не чувствовал ничего подобного. По его мнению, это было лишь удачным вложением денег, сделанным отсутствующими владельцами.

Он надеялся, что хозяин припаркованного у дома «Лендровера» тоже не даром потратил деньги.

Доктор Макаллистер Бук. Из нью-йоркских Буков. Человек блестящего ума и необычных интересов. Изучение паранормальных явлений. Чудесно. Интересно, чувствует ли себя этот Бук такой же белой вороной в своем семействе, как и сам Сэм?

Логан вышел из машины и направился к скалам. Его притягивал не дом, а грот. И пещера.

Ярко-желтая яхта, пришвартованная к причалу, обрадовала Сэма сильнее, чем он ожидал. «Чистый мед», — думал он, осматривая ее со всех сторон. Он и сам пришвартовывал там яхту. Столько, сколько себя помнил. И тут он ощутил какой-то душевный толчок. Подобие нежности.

Парусный спорт был единственным, что связывало отца и сына.

Самое лучшее время, которое он проводил с Таддеусом Логаном, время, когда он действительно ощущал свое родство с ним, было тогда, когда они вместе плавали под парусом.

Выходя в море, они начинали общаться не как два человека, случайно живущие в одном доме и считавшиеся членами одной семьи, а как отец и сын, у которых есть общая жизнь. Вспоминать это было приятно.

— Красивая, правда? Я купил ее всего месяц назад.

Сэм обернулся и сквозь темные очки посмотрел на шедшего к нему мужчину. Это был высокий худощавый человек с лицом, покрытым вчерашней щетиной. На нем были выцветшие джинсы и потрепанный серый свитер. Свежий ветер развевал длинные светло-русые волосы; дружелюбные карие глаза щурились от света. У него было крепкое, накачанное тело, которое редко встретишь у ученого охотника за привидениями.

Доктор Бук всегда представлялся Логану худым и бледным ботаником, книжным червем. А перед ним стоял Индиана Джонс.

— Как она слушается руля в сильный ветер? — спросил Сэм.

— Как зачарованная.

Они простояли несколько минут, засунув большие пальцы в передние карманы джинсов и восхищаясь яхтой.

— Я — Мак Бук, — наконец протянул руку ее хозяин.

— Сэм Логан.

— Я так и думал. Спасибо за дом.

— Он был не мой, но все равно добро пожаловать.

— Пойдемте. Я угощу вас пивом.

Сэм не собирался напрашиваться в гости, но предложение было сделано так просто и безыскусно, что он покорно пошел за Маком.

— А Рипли здесь? — осторожно спросил Сэм.

— Нет. Сегодня у нее вторая смена. Вы хотели ее видеть?

— Боже меня упаси!

Мак только засмеялся в ответ, поднялся по лестнице и отпер дверь главной веранды.

— Думаю, ваши чувства какое-то время будут взаимными. Пока все не уляжется.

Веранда вела в жилую комнату. Когда-то эта комната была изысканной гостиной, оформленной в пастельных тонах. Но теперь она изменилась до неузнаваемости. Краски были яркими и дерзкими, мебель, выполненная по специальному заказу, — удобной. Повсюду лежали пачки газет, книги и туфли.

Одну из которых в данный момент грыз щенок.

— Тьфу, чтоб тебе! — Мак нагнулся, поднял нетронутую туфлю и потянулся за другой. Но щенок оказался быстрее и, продолжая смешно рычать, утащил туфлю в угол. — Малдер! Отдай сейчас же!

Сэм с любопытством следил за игрой в перетягивание каната. Щенок проиграл, но, похоже, ничуть не расстроился.

— Малдер?

— Ну да, герой «Секретных материалов». Рипли сказала, что назвала его так в мою честь. Шутка. — Мак перевел дух. — Но когда она увидит свою туфлю, ей будет не до смеха.

Сэм нагнулся; щенок, предвкушавший компанию, подбежал и начал прыгать и лизать ему руки.

— Хорошая собака. Голден-ретривер?

— Да. Мы завели его три недели назад. Он умный и умеет вести себя в доме, но если за ним не следить, может прогрызть и камень. А я слежу за ним плохо. — Мак вздохнул, поднял щенка на руки и потерся носом о его нос. — Теперь нам с тобой влетит по первое число.

Довольный щенок извернулся и лизнул Мака в щеку. Мак сдался и взял Малдера под мышку.

— Пиво на кухне. — Он вышел из комнаты и, звякнув дверцей холодильника, вернулся с двумя холодными бутылками. На столе стояли какие-то электронные приборы, один из которых казался сломанным.

Сэм лениво протянул к нему руку, и тут прибор ожил. Раздался писк, и замигали красные лампочки.

— Прошу прощения.

— Не за что. — Мак прищурился и посмотрел на Сэма с профессиональным интересом. — Может, пойдем на веранду? Или вы хотите осмотреться? Семейное гнездо и все такое...

— Нет, но за предложение спасибо. — Однако когда они пошли обратно, Сэм оглянулся на лестницу и мысленно очутился в комнате, из которой так часто смотрел на море и следил за Майей.

Со второго этажа донесся новый писк.

— Оборудование, — небрежно сказал Мак, борясь с желанием побежать наверх и снять показания. — В одной из запасных спален я устроил лабораторию.

— Угу...

Оказавшись на веранде, Мак спустил Малдера на пол. Пес тут же скатился по лестнице и начал что-то вынюхивать во дворе.

— Любопытно... — Мак оперся о перила и сделал глоток. — Рипли не говорила, что вы колдун.

Сэм открыл рот, потом закрыл его и покачал головой.

— Это что, у меня на лбу написано?

— Приборы фиксируют. — Мак показал на дом. — Вообще-то я так и думал. Я провел на острове множество исследований. Семьи, родословные и так далее... Вы практиковали в Нью-Йорке?

— Смотря что считать практикой. — Сэм нечасто становился объектом научного исследования и не собирался этого позволять. Но в Маке было что-то привлекательное. — Я никогда не пренебрегал Ремеслом, но не афиширую это.

— Разумно... Что вы думаете о легенде?

— Я не считаю ее легендой. Это история и факт.

— Вот именно. — Довольный Мак отсалютовал ему бутылкой. — Я составил график и определил цикл. По моим подсчетам...

— У нас есть время до сентября, — прервал его Сэм. — Самый поздний срок — осеннее равноденствие.

Мак задумчиво кивнул.

— В самую точку. Добро пожаловать домой, Сэм.

— Спасибо. — Логан сделал глоток. — Приятно вернуться.

— Вы согласны работать со мной?

— Было бы глупо отказываться от услуг эксперта. Я читал ваши книги.

— Серьезно?

— У вас непредвзятый и гибкий ум.

— Кто-то уже говорил мне это. — Мак вспомнил Майю, но проявил такт и не стал упоминать ее имя. — Можно задать вам личный вопрос?

— Да. Если я смогу ответить, что это не ваше дело.

— Договорились. Раз вы знали, что сентябрь — крайний срок, то почему так долго не возвращались?

Сэм отвернулся и посмотрел на грот.

— Тогда было рано. Теперь — в самый раз. А сейчас мой черед спрашивать. Ваши исследования, расчеты и выводы подтверждают необходимость моего присутствия на Трех Сестрах?

— Я все еще работаю над этим. Но знаю, что без вас Майя не сможет сыграть свою роль. В третьем действии.

— Она должна принять меня. — Когда Мак нахмурился и забарабанил пальцами по перилам, у Сэма похолодело в животе. — Вы не согласны?

— Когда придет срок, выбор должны сделать ее чувства. Она должна понять, правильны ли эти чувства. Это может означать как принятие вас, так и отторжение. Причем без злобы. — Мак откашлялся. — Последний шаг должна сделать любовь.

— Я это прекрасно знаю.

— Это не требует от нее... По моему мнению, это не значит, что она должна полюбить вас сейчас. Она обязана принять то, что случилось когда-то. Понять, что ее прежние чувства не имеют значения. Ну, например, отпустить вас без сожалений и не лелеять воспоминания о былом... Впрочем, все это лишь теория.

Полу пальто Сэма отбросило порывом ветра.

— Мне не нравится ваша теория.

— На вашем месте она мне тоже не понравилась бы. Третья сестра предпочла покончить с собой, чем смириться с уходом любимого. Ее круг был разорван, и она осталась одна.

— Проклятие, я знаю эту историю.

— Дослушайте до конца. Даже тогда она защитила остров, своих потомков и потомков своих сестер. Защитила как могла, отдав все, что у нее осталось. Но не смогла — или не захотела — защитить себя. Не смогла или не захотела жить без любви своего единственного мужчины. Это была ее слабость и ее ошибка.

Все было ясно. Логично. И мучительно.

— А Майя прекрасно жила без меня.

— С одной стороны, — согласился Мак. — А с другой... Лично я убежден, что она никогда не пересматривала свои чувства, никогда не прощала и не принимала вас. Так или иначе, но ей придется это сделать, причем от всего сердца. Если Майя этого не сделает, то будет уязвима, а когда защитные чары ослабеют, она проиграет.

— А если я буду держаться в стороне?

— Логика подсказывает, что вы не должны держаться в стороне. Во всяком случае, присутствие на острове еще одной магии никому не повредит.

Сэм не думал, что это возможно. Но беседа с Маком зародила в нем сомнения. Возвращаясь на остров, он знал, что от него требуется и что ему необходимо сделать.

Он снова победит Майю, а как только их прежние отношения восстановятся, проклятие будет снято. Конец истории.

«Конец истории», — думал Логан, идя по берегу к гроту. Дальше ему заглядывать не хотелось. Он желал Майю, хотел воссоединиться с ней, а все остальное было неважно.

Ему никогда не приходило в голову, что ответом может быть нежелание Майи любить его.

Он посмотрел на вход в пещеру. Может быть, пора изучить эту возможность и посмотреть в лицо своим призракам? Сэм сделал несколько шагов, и его сердце забилось чаще. Он остановился, дождался, когда пульс успокоится, и нырнул в тень.

Через мгновение пещера наполнилась звуками. Их голосами. Ее смехом. Любовными вздохами.

И плачем.

Она приходила сюда плакать по нему. Понимание и ощущение этого заставило его испытать острое чувство вины.

Он велел звукам умолкнуть, а потом долго стоял в тишине, слыша только шум прибоя, накатывающего на берег.

В детстве эта пещера была пещерой Аладдина, бандитским притоном и всем, во что ее превращали они с Заком и их друзья.

Но детство кончилось... хотя, может быть, и не совсем. А тут была Майя.

Он на ватных ногах подошел к дальней стене, опустился на колени и увидел слова, которые вырезал для нее. Она не выжгла их. Вплоть до этого момента, когда кулак, сжимавший его душу, наконец разжался, Сэм боялся, что она это сделала. Она могла. И если бы она это сделала, ее сердце было бы для него потеряно.

Потеряно навеки.

Он протянул руку, и слова наполнились светом, сочившимся из них, как золотые слезы. В этом свете ощущалось все, что чувствовал мальчик, вырезавший их с помощью магии и безграничной веры.

Сэма поразило, что в этом мальчике была сила, от которой теперь кружилась голова у взрослого мужчины. Он тосковал по этой силе.

Сила еще жила в этой надписи. Почему, если сама надпись давно ничего не значит? Неужели прошлое воскресили только его воля и его желание?

Здесь они любили друг друга, причем так сильно,

что если бы настал конец мира, они бы этого не заметили. Они объединили свои души, тела и магию.

Теперь он видел Майю, раскачивавшуюся над ним. Ее волосы были огненными, а кожа — золотой. Ее руки были подняты вверх, словно во время молитвы.

Прижимавшуюся к нему во сне со счастливой улыбкой на губах.

Сидевшую рядом и что-то рассказывавшую. Ее лицо горело от возбуждения. Было юным и полным надежд.

Неужели судьба велит ему отпустить ее, так и не вернув? Получить прощение, а потом забвение?

Эта мысль пронзила его насквозь. Сэм с трудом поднялся на ноги, не в силах справиться с грузом воспоминаний, повернулся к ним спиной и вышел из пещеры.

На солнечный свет, горевший, как огонь. Туда, где стояла она, повернувшись спиной к морю.

5

На мгновение он ослеп. К старым воспоминаниям и старому желанию добавились новые. Время оставило свой отпечаток на них обоих. Она больше не была игривой девочкой, с разбега нырявшей в воду. Эта женщина, холодно и безучастно следившая за ним, обладала лоском и опытом, которых в юности у нее не было.

Ветер трепал ее волосы, завивавшиеся яростными спиралями. По крайней мере, хоть это осталось прежним.

Пока Сэм шел к ней, Майя сохраняла спокойствие, но в ее взгляде не было и намека на тепло.

— Мне было интересно, когда ты придешь сюда. —

Ее голос был таким же безучастным, как и взгляд. — Не была уверена, что тебе хватит смелости.

Очень трудно говорить разумно, когда в душе еще горят чувства, вызванные посещением пещеры.

— Ты часто приезжаешь сюда?

— С какой стати? Когда мне хочется посмотреть на океан, я стою на своих скалах. Если мне хочется прогуляться по берегу, то до него рукой подать от моего магазина. Ради чего мне совершать такую поездку?

— Но сейчас ты здесь.

— Неудовлетворенное любопытство. — Майя склонила голову набок, и темно-синие камни в ее ушах блеснули. — А ты удовлетворил свое?

— Я чувствовал там тебя. Чувствовал нас.

Когда ее губы слегка изогнулись, Сэм удивился.

— Секс обладает сильной энергией, когда им занимаются правильно. Тут у нас проблем не было. Что касается меня, то женщина всегда сохраняет сентиментальные впечатления о своем первом опыте с мужчиной. Я вспоминаю об этом с удовольствием. Даже если со временем начала жалеть о выборе партнера.

— Я не хотел... — Он осекся.

— Причинить мне боль? — спокойно закончила она. — Лжец.

— Ты права. Полностью. — Что ж, если ему действительно суждено потерять ее, то, по крайней мере, он может быть честным. — Я действительно хотел причинить тебе боль. И, кажется, изрядно преуспел в этом.

— Ты все же сумел удивить меня. — Майя отвернулась, потому что не могла видеть Сэма, стоявшего спиной к темному входу в пещеру, которая когда-то принадлежала им.

И ощущать эхо собственной бесконечной, всепоглощающей любви.

— Чистая правда. Впервые за все эти годы. — Майе с трудом давались слова.

— Решения, которые принимаешь в двадцать лет, вовсе не означают, что потом никогда о них не пожалеешь.

— Мне не нужны твои сожаления.

— А что тебе нужно, скажи мне, в конце концов?

Она следила за бесконечным флиртом воды и суши. Слышала досаду в его голосе, понимая, что Сэм находится на грани бешенства. И радовалась этому. Чем хуже будет у него на душе, тем легче ей будет держать себя в руках.

— Что ж, правда за правду, — сказала она. — Я хочу, чтобы ты заплатил за мои страдания своими, а потом вернулся в Нью-Йорк, в ад или куда угодно, только подальше отсюда.

Майя посмотрела на него через плечо с улыбкой, холодной как лед.

— По-моему, не такая уж большая просьба.

— Я собираюсь остаться на Трех Сестрах.

Она снова повернулась к нему. Сэм выглядел очень романтично. Смуглый, мрачный, разгневанный и в разладе с самим собой. Майя дала себе волю и нанесла ему еще один удар.

— Для чего? Чтобы руководить гостиницей? Твой отец успешно делал это, годами не появляясь на острове.

— Я — не мой отец.

Негодование, прозвучавшее в его голосе, вызвало в ней новые воспоминания. «Он всегда стремился найти самого себя, — подумала Майя. — Вел постоянную внутреннюю борьбу с Сэмюэлом Логаном». Она пожала плечами.

— Как бы там ни было, я думаю, тебе скоро надоест островная жизнь, и ты сбежишь отсюда. Так же, как делал это раньше. Ты называл остров «мышеловкой», помнишь? Ты всегда чувствовал себя здесь в ловушке. Так что нужно всего-навсего подождать.

— Ждать придется долго, — он сунул руки в карманы. — Давай поговорим откровенно. Хватит ходить вокруг да около. Мои корни здесь. Так же, как и твои. То, что ты с двадцати до тридцати лет жила на этом острове, а я нет, ничего не меняет. Мы с тобой на равных. У нас обоих здесь бизнес. Кроме того, у нас есть цель, которая уходит в века. Судьба Трех Сестер имеет для меня такое же значение, как и для тебя.

— Странное утверждение для того, кто беспечно удрал отсюда.

— В этом не было ничего беспечного... — начал Сэм, но она уже повернулась к нему спиной и шла к утесу.

«Оставь ее в покое, — советовал внутренний голос. — Дай ей уйти. Это судьба, и ее не переспоришь. Воевать с ней бессмысленно. От этого всем будет только хуже».

— А, чтоб тебе! — процедил Сэм сквозь зубы, бросился за Майей, схватил ее за руку и развернул так резко, что их тела столкнулись.

— В этом не было *ничего* беспечного, — раздельно повторил он. — Ничего случайного и необдуманного.

— По-твоему, это справедливо? — Ее досада перерастала в настоящее раздражение. — Это честно? Уезжаешь когда захочешь и приезжаешь тоже. А раз уж ты здесь, почему бы не попробовать раздуть старое пламя, так?

— До сих пор я сдерживался. — Сэм сорвал с себя темные очки и бросил их на землю. В его глазах пылал зеленый огонь. — Все, хватит!

Он набросился на ее рот, дав волю чувствам, которые бушевали в нем после выхода из пещеры. Если ему суждено быть проклятым, то его проклянут за то, что он взял, а не упустил.

Неповторимый вкус ее губ обжигал нервы и затуманивал разум. Его руки напряглись, стиснули ее длинное стройное тело, два сердца бешено застучали в ребра, а потом забились в унисон, как одиннадцать лет назад.

От ее запаха, более пряного и соблазнительного, чем прежде, захватывало дух. Воспоминания о прежней девушке и ощущения от стоявшей перед ним женщины слились и стали единым целым. Майей.

Не отрываясь от ее губ, он пробормотал ее имя. А потом она вырвалась.

Ее дыхание было таким же прерывистым, как и его. Ее глаза были огромными, темными и непроницаемыми. Он ждал потока ругательств, но считал, что дело того стоило.

Однако Майя порывисто шагнула к нему, обняла за шею, прижалась всем телом и страстно ответила на поцелуй.

Ее рот был жадным; тело охватил жар. Он был единственным мужчиной, причинившим ей боль, и единственным мужчиной, который подарил ей настоящее наслаждение. И то и другое ранило, и все же она соглашалась на это.

Майя злила его, вызывала его гнев с одной тайной целью. Чего бы это ни стоило, она должна была *знать*.

Она помнила его вкус, помнила чувства, которые испытывала в тот момент, когда его руки скользили от ее талии вверх и вцеплялись в ее волосы. Теперь она снова ощущала все это... и что-то новое.

Он слегка прикусил ее нижнюю губу, а потом провел по ней языком, утешая и соблазняя одновременно. Майя немного повернула голову, давая ему возможность закончить ободок вокруг этого источника желания.

Кто-то из них вздрогнул. Майя не знала точно, кто именно, но этого хватило, чтобы вспомнить: неверный шаг ведет к падению. Которое будет долгим.

Она отстранилась, а потом сделала шаг назад, дрожа от полноты чувств, вызванной соединением губ.

Теперь она знала. Сэм оставался единственным, кто мог разделить с ней страсть.

Когда Логан заговорил, его голос был хриплым и неровным.

— Это кое-что доказывает.

Поцелуй подействовал на него так же сильно, как и на нее. Это утешало.

— Что доказывает, Сэм? Что нас по-прежнему влечет друг к другу? — Майя махнула рукой, и на ее ладони заплясали два язычка прозрачного голубого пламени. — Огонь зажечь легко. — Она сжала пальцы, раскрыла их снова, и ладонь оказалась пустой. — И погасить тоже.

— Не так уж легко. — Он взял ее за руку, ощутил прилив энергии и понял, что она почувствовала то же самое. — Не так уж легко, Майя.

— Физическое желание почти ничего не значит. — Она убрала руку и посмотрела на пещеру. — Грустно вспоминать, как много мы когда-то ждали друг от друга и от самих себя.

— Ты не веришь, что все можно начать сначала? — Сэм притронулся к ее волосам. — Мы оба изменились. Почему бы нам не попробовать снова узнать друг друга?

— Ты просто хочешь лечь со мной в постель.

— О да. Это само собой.

Она засмеялась, удивив его и себя.

— Еще один честный ответ. Скоро я лишусь дара речи.

— В конце концов, я соблазню тебя, но...

— Слишком сильно сказано, — возразила она. — Я больше не пугливая девочка. Если я решу снова спать с тобой, то сделаю это.

Он шумно выдохнул.

— Ну что ж... Если до этого дойдет, вся гостиница будет в нашем распоряжении.

— В том-то и дело, что «если», — спокойно ответила она. — Если до этого дойдет, я тебе сообщу.

— Буду ждать. — Стараясь успокоиться, он нагнулся и поднял с земли очки. — Я хотел сказать, что когда, в конце концов, соблазню тебя, то сначала угощу хорошим обедом.

— Я не собираюсь встречаться с тобой. — Она повернулась и направилась к дороге. Сэм шел с ней рядом.

— Вкусная еда и хорошая беседа помогут нам понять, кем мы стали. Если ты не хочешь называть это свиданием, можно назвать нашу встречу совещанием двух крупнейших бизнесменов острова.

— Слова ничего не меняют. — Она остановилась у машины. — Я подумаю.

— Хорошо. — Он загородил дверь, не давая ей залезть внутрь. — Майя...

«Останься со мной, — хотелось ему сказать. — Я стосковался по тебе».

— Что?

Логан покачал головой и сделал шаг в сторону.

— Счастливого пути.

Майя поехала прямо домой и надела садовые рукавицы, строго запретив себе думать о случившемся. Возле двери ее ждала большая черная кошка по имени Исида. Замурлыкав, она потерлась о ноги хозяйки.

Майя прошла в теплицу и занялась рассадой. Первым делом она поставила ящики на солнце, чтобы помочь молодым побегам быстрее набраться сил.

Потом она взяла инструменты и начала перекапывать грунт.

Нарциссы уже расцвели; воздух наполнял запах гиацинтов. Теплую погоду почувствовали и тюльпаны, уже показавшие из зеленых листьев свои яркие бутоны. Майя представила себе, как эти цветы будут выглядеть во всем блеске, и улыбнулась.

Копаясь в земле, она призналась себе, что сама спровоцировала Сэма. Если женщина хоть раз сыграла на струнах мужчины, она уже никогда не забудет, за какую из них нужно дернуть.

Она хотела, чтобы Сэм ее обнял, хотела почувствовать прикосновение его губ.

«Это не преступление, не грех и даже не ошибка, — убеждала она себя. — Я лишь должна была узнать. И узнала».

Их все еще влекло друг к другу. Что ж, в этом не было ничего удивительного. За прошедшие десять лет ни один мужчина не сумел привлечь ее. Одно время она даже думала, что эта часть ее души просто умерла. Но с годами рана зарубцевалась, и она вновь начала ощущать собственную сексуальность.

Мужчины были. Интересные, остроумные, привлекательные. Но никто из них не сумел найти в ней ту потаенную клавишу чувственности, которая заставила бы ее испытать тот же взрыв эмоций.

Она научилась обходиться без этого.

И обходилась. До сих пор.

«А что сейчас?» — думала Майя, пристально изучая зеленую глицинию, отчаянно карабкавшуюся вверх из горшка. Теперь она хотела и верила — должна была верить, — что сумеет получить удовольствие на собственных условиях. И защитить свое сердце.

Она человек, не так ли? И имеет обычные человеческие потребности.

На этот раз она будет осторожной, расчетливой и не позволит себе увлечься. Если какую-то проблему не удается решить, лучше посмотреть ей в лицо, чем повернуться спиной.

Колокольчики насмешливо зазвенели. Майя подняла голову. Исида растянулась на солнышке и внимательно следила за ней.

— Что случилось бы, если бы я предоставила инициативу ему? — спросила ее Майя. — Я не знала бы, чем все это закончится. Но если дорогу выберу я сама, то буду знать, куда она меня приведет.

Кошка не то замурлыкала, не то зарычала.

— Это ты так считаешь, — пробормотала Майя. — А я прекрасно знаю, что делаю. И знаю, что пообедаю с ним. Здесь, на моей территории. — Она воткнула в землю садовую лопатку. — Когда буду готова к этому, разрази меня гром!

Исида встала, демонстративно подняла хвост трубой и гордой походкой направилась к пруду с кувшинками.

В последующие два дня Майе было не до мыслей о критически настроенных кошках и даже не до планов обеда с Сэмом, который должен был закончиться постелью. Лулу была рассеянной и сварливой. Сварливее обычного, поправила себя Майя. Они дважды поспорили из-за безобидного пустяка.

Это заставило Майю как следует задуматься и признать, что она и сама не без греха. Предложение Нелл расширить дело разжигало тлевший в глубине ее души огонь и давало выход энергии, бушевавшей в ней после разговора с Сэмом.

Она встретилась с архитектором, с подрядчиком, со своим банкиром и провела несколько часов, проверяя цифры и схемы.

Майе не понравилось, что выбранный ею подрядчик уже договорился с Сэмом и в ближайшие месяцы будет работать над обновлением номеров «Мэджик-Инн», но она постаралась отнестись к этому философски. Логан ее опередил, но не обошел окончательно.

Она напомнила себе, что и перестройка гостиницы, и расширение кафе пойдут на пользу острову.

Поскольку погода продолжала оставаться теплой, Майя проводила все свободное время в домашнем саду и на клумбах, которые она разбила за магазином.

— Эй! — окликнула ее однажды Рипли, подойдя к клумбам со стороны дороги. — Красиво тут у тебя, — она обвела взглядом заднюю часть магазина.

— Да уж, — не поднимая головы, ответила Майя. — Все неделю луна была теплой и желтой. Заморозков уже не будет.

Рипли поджала губы.

— Ты веришь в эту чушь?

— Я существую в собственном пространстве, не так ли?

— Не понимаю, что ты хочешь этим сказать, ну да ладно. Мак тоже рыщет вокруг дома. Изучает почву, местную растительность и так далее. Я сказала ему, чтобы он просто спросил тебя.

— Что ж, с удовольствием расскажу.

— Он скоро приедет в поселок опрашивать Лулу для своей книги и прочего барахла, а заодно зайдет к тебе.

— Ладно.

— Знаешь, недавно мне приснился очень странный сон. Про Лулу, Мэла Гибсона и лягушек.

Майя сделала паузу и подняла взгляд.

— Лягушек?

— Не тех, которые водятся в твоем пруду с кувшинками. Эта лягушка была большая и страшная. — Рипли наморщила лоб, но не могла вспомнить весь сон целиком. — А еще там была эта дурацкая горгулья... Странно, — снова сказала она.

— Лулу это заинтересовало бы. Особенно если бы Мэл был голый.

— Да, конечно. Ладно, черт с ним... — Рипли засунула руки в карманы и неловко переступила с ноги на ногу. — Наверно, ты знаешь, что несколько дней назад у нас был Логан.

— Да. — Майя прочитала про себя заклинание и посадила растение. — Вполне естественно, что ему захотелось еще раз увидеть дом.

— Может быть. Но Мак вовсе не должен был его впускать, да еще и поить этим проклятым пивом. Поверь мне, я спустила на него собаку.

— Рипли, Мак вовсе не обязан быть грубияном. Тем более что ему этого не позволяет воспитание.

— Да, да. — Рипли вспомнила, что именно этим аргументом и закончился их спор. — Но мне это не по душе. Он молол какую-то чушь о роли Сэма в этом деле с судьбой и с твоей способностью поддерживать круг.

У Майи похолодело в животе, но она невозмутимо продолжала выбирать новое растение.

— Я никогда не считала теории и мнения Мака чушью.

— Ты с ним не живешь. — Рипли вздохнула и присела рядом с Майей на корточки. — Мак жутко умный и бывает прав в девяти случаях из десяти. Но когда живешь с ним изо дня в день, это начинает раздражать.

— Ты ведь любишь его, — пробормотала Майя.

— Ну да. Он самый сексуальный чудак на свете, и весь мой. Но даже изумительный доктор Бук иногда ошибается. Я хочу сказать, что Сэм Логан не должен иметь к этому никакого отношения.

— Почему бы и нет?

— С какой стати? — Рипли подняла руки и с досадой уронила их. — Тогда вы были почти детьми, а когда он порвал с тобой, ты чуть не умерла. Но сумела пережить его возвращение, занимаешься своим бизнесом и держишься от него на расстоянии. Ты его отшила, и небеса не разверзлись над вашими головами.

— Я собираюсь спать с ним.

— Вот я и говорю, что вряд ли он имеет отношение к... Что? Что?! — Рипли открыла рот, с трудом пробормотав: — Господи Иисусе...

Увидев улыбку на губах Майи, Рипли вскочила и гневно выпалила:

— О чем ты думаешь? Ты что, с ума сошла? Спать с ним? С парнем, который тебя бросил?

Майя аккуратно сняла перчатки и медленно поднялась.

— Я взрослая и имею право сама принимать решения. Я одинокая здоровая тридцатилетняя женщина и вполне могу вступить в физическую связь с одиноким здоровым мужчиной.

— Это не мужчина, а Логан!

— Советую тебе кричать громче. Миссис Байглоу, живущей напротив, ничего не слышно.

Рипли стиснула зубы и снова опустилась на корточки.

— Ясно. Я переоценила тебя. Думала, ты дашь ему пинка под зад. Во всяком случае, фигурально. Потом отряхнешь руки и уйдешь. Не знаю, почему я считала тебя способной на это. Тебе никогда не хватало решительности.

— Что это значит?

— То, что я сказала. Если хочешь лизаться с Сэмом, валяй. Только не рассчитывай, что я буду вытирать тебе слезы, когда он снова тебя бросит!

Майя положила лопатку на землю. Даже такой выдержанной женщине, как она, приходится остерегаться, когда у нее в руках оружие.

— Можешь не волноваться. Это мы уже проходили. Ты бросила меня так же холодно и равнодушно, как и он. На десять лет отказалась от нашего с тобой общего дара, всех его прав и обязанностей. А я по-прежнему подаю тебе руку, когда это бывает необходимо.

— У меня не было выбора.

— Очень удобно. Когда один человек бросает другого, то всегда говорит, что у него не было выбора.

— Я не могла помочь тебе.

— Ты могла просто быть рядом. Я нуждалась в этом, — тихо ответила Майя и повернулась, собираясь уйти.

— Не могла. — Рипли крепко стиснула ее предплечье. — Проклятие, это его вина. Когда он бросил тебя, ты истекала кровью, и я...

— Что?

Рипли отпустила ее руку.

— Я не хочу в этом участвовать.

— Помощник шерифа, вы вышибли дверь. Теперь имейте мужество войти в дом.

— Что ж, отлично. — Рипли сделала несколько шагов взад и вперед. На ее щеках все еще горел гневный румянец, но глаза наполнились страданием. — Ты несколько недель бродила как зомби и была едва жива. Как человек, который еще не оправился после какой-то ужасной болезни. И не оправится никогда.

— Наверно, потому, что у меня было разбито сердце.

— Знаю. Потому что я чувствовала то же самое. — Рипли сжала кулак и стукнула себя в грудь. — Чувствовала то же, что и ты. Я не могла спать, не могла есть. И несколько дней не могла встать с кровати. Как мертвая.

— Если ты говоришь о полной эмпатии[1], то я никогда... — Майя запнулась.

— Называй это как хочешь, — бросила Рипли. — Я физически испытывала то же, что и ты. И не могла с этим бороться. Хотела что-то сделать. Хотела, чтобы ты что-то сделала. Отплатила ему, причинила боль. И чем дольше это продолжалось, тем сильнее был мой гнев. Если бы я сошла с ума, мне было бы легче. Я не могла думать о нем без злобы...

Она перевела дыхание.

— Я стояла снаружи, за домом. Зак только что вернулся на яхте. Несколько минут назад. И вдруг мой гнев вырвался наружу. Я подумала о том, что хочу и могу сделать. Внутри родилась сила. С неба сорвалась черная молния и ударила в яхту, где только что был Зак. Случись это на пять минут раньше, я бы убила его. Не смогла с собой справиться.

— Рипли... — Потрясенная Майя прикоснулась к ее руке. — Это должно было сильно напугать тебя.

— Слишком мягко сказано.

— Напрасно ты мне ничего не сказала. Я могла бы тебе помочь.

— Майя, ты не могла помочь даже самой себе. — Рипли вздохнула так, словно сбросила с плеч огром-

---

[1] Здесь: сопереживании.

ную тяжесть, и покачала головой. — А я не могла позволить себе причинить кому-то вред. Не могла справиться с... не знаю, как сказать... с силой нашей связи. Расскажи я тебе, ты стала бы уговаривать меня не бросать Ремесло. У меня был только один выход: отстраниться от тебя. От всего, пока я не совершила то, чего не смогу исправить.

— Я сердилась на тебя, — тихо сказала Майя.

— Угу. — Рипли снова опустила глаза. — Потом я снова пришла в чувство, и мне было легче и удобнее не общаться с тобой, чем оставаться твоей подругой.

— Может быть, мне тоже так было легче. — Признаться в этом было трудно. Особенно после стольких лет, когда осуждение подруги позволяло ей справляться с болью. — Сэм уехал, но ты была здесь. Гадости, которые я говорила тебе при любой удобной возможности, доставляли мне маленькое удовлетворение.

— На это ты была мастер.

— Да уж. — Майя негромко фыркнула и пригладила волосы. — Еще один мой дар.

— Я всегда любила тебя. Даже тогда, когда злилась.

У Майи защипало глаза. Камень, лежавший на ее душе столько лет, внезапно куда-то исчез. Она в два шага преодолела разделявшее их расстояние, крепко обняла подругу и прижала ее к себе.

— Все хорошо, — дрогнувшим голосом сказала она. — Все хорошо.

— Я тосковала по тебе. Ужасно тосковала. — Рипли гладила ее по спине.

— Знаю. Я тоже. — Майя судорожно вздохнула и вдруг увидела, что у дверей стоит Нелл и беззвучно плачет.

— Извините, что вошла как раз в разгар разговора. А пока я думала, что лучше — вмешаться или незаметно уйти, — вы меня увидели. — Она протянула каждой бумажную салфетку. — Конечно, подслушивать нехорошо, но я рада, что так получилось.

— Ничего себе троица! — сморкаясь, пробормотала Рипли. — Интересно, как я буду совершать обход с красными глазами?

— Ради бога, прочитай заклинание и избавься от них. — Майя вытерла глаза, закрыла их и что-то пробормотала. Когда она вновь открыла глаза, те были искрящимися и ясными.

— Ты всегда любила показуху, — проворчала Рипли.

— А вот у меня еще плохо получается, — начала Нелл. — Что ты скажешь, если я?..

— Разрази меня гром, не устраивайте здесь шабаш! — Рипли взмахнула рукой. — Нелл, раз уж ты здесь, слушай. Я хочу сбросить с себя еще одну тяжесть. Майя собирается трахнуть Сэма.

— У тебя потрясающий дар выбирать подходящие выражения, — сказала Майя. — Это всегда приводило меня в восхищение.

— Говори что угодно, но ты совершаешь ошибку. — Рипли толкнула Нелл локтем. — Скажи ей.

— Это не мое дело.

— Трусиха! — насмешливо бросила Рипли.

— Хочу избавить тебя от оскорблений и необходимости держать язык за зубами. — Майя обернулась к Нелл. — Выскажи свое мнение. Если оно у тебя есть.

— Мое мнение заключается в том, что решать подобные вопросы должна ты сама... Но если, — продолжила Нелл, пропустив мимо ушей насмешливое фырканье Рипли, — тебя все еще влечет к нему, это кое-что значит. Ты ничего не делаешь не подумав. Мне кажется, что ты не найдешь покоя, пока не выкинешь Сэма из головы или не дашь воли своим чувствам.

— Спасибо. А теперь...

— Я еще не закончила. — Нелл откашлялась. — Физическая близость решит только часть вашего конфликта. И, возможно, самую легкую. Что случится потом, будет зависеть от того, откроешься ты или закроешься. И это тоже придется решать тебе.

— Но пока я не сделаю первого шага, я не узнаю, что следует предпринять дальше.

— Раз так, загляни в будущее, — нетерпеливо сказала Рипли. — Тебе всегда легко давались видения.

— Думаешь, я не пыталась? — В Майе снова вспыхнула подавленная было досада. — Я не вижу себя. Вижу только то, как она стоит на скалах. Шторм крепчает, туман ползет вверх. Чувствую ее силу и отчаяние. За мгновение до прыжка она тянется ко мне. Я не могу сказать, что это. То ли она цепляется за меня, то ли хочет утащить с собой.

У нее зарябило в глазах, воздух сгустился.

— Потом я остаюсь одна и чувствую, что на меня начинает наползать тьма. Она становится все гуще и мрачнее. Ночь трещит от холода. Я знаю, что, если смогу убежать в лес, на поляну в центре острова, мы сможем образовать круг, после чего тьма исчезнет раз и навсегда. Но не знаю, как туда попасть.

— Ты сделаешь это. — Нелл взяла ее за руку. — Она была одинока, а ты нет. И никогда не будешь одинока.

— Не для того мы боролись, чтобы теперь проиграть. — Рипли взяла ее за другую руку.

— Не для того. — Майя черпала из круга силу, в которой нуждалась. Но даже сейчас, при свете дня, с сестрами, стоявшими рядом, она чувствовала себя одинокой и окруженной тьмой.

6

Остров окутался туманом, прозрачным и сияющим, как перламутр. Из него вздымались деревья и скалы, напоминая замки и башни в нежном молочном море.

Майя вышла из дома рано и остановилась на склоне, вбирая в себя безмятежность и спокойствие, окутывавшие Три Сестры в это чудесное весеннее утро.

В утреннем тумане клумба с форсайтиями была похожа на золотистый веер, а нарциссы — на оркестр солнечных труб. Она ощущала влажный и нежный запах гиацинтов. Казалось, земля ждала момента, чтобы проснуться, сбросить воспоминания о зиме и взорваться жизнью.

Своя прелесть была и в предыдущем сне, и в красоте предстоявшего.

Майя открыла машину, положила на соседнее сиденье папку с документами и по длинной извилистой дороге поехала к поселку.

Перед открытием магазина ей предстояло выполнить несколько обычных обязанностей. Относительная тишина и обновление книг на полках доставляли ей такое же удовольствие, как и работа с посетителями, которые приходили, бродили между стеллажами, раздумывали. И, конечно, покупали.

Ей нравилось находиться в окружении книг. Доставать их из коробок, расставлять на полках и оформлять витрины. Майя любила не только их вид, но и запах. И сюрпризы, проявлявшиеся тогда, когда она открывала книгу наугад и искала смысл в представших перед ней нескольких словах.

Магазин был для нее не просто бизнесом, но давней и прочной любовью. Однако она никогда не забывала, что это *действительно* бизнес, и вела его умело и с выгодой.

Майя родилась в богатой семье и не была вынуждена зарабатывать себе на жизнь. Она работала ради собственного удовольствия. Обеспеченность позволила ей самой выбрать направление деятельности и заняться тем, что действительно отражало ее интересы. Все это вкупе с ее усидчивостью и проницательностью позволило ей создать процветающий бизнес.

Она была благодарна родителям, чьими стараниями у нее имелся начальный капитал. Но, по ее мнению, зарабатывать деньги самой было куда интереснее.

И рисковать ими тоже.

Именно это и следовало из идеи Нелл. Расширение кафе должно было привести к большим изменениям. Майя чтила и уважала традиции, но в то же время была поборником прогресса. Конечно, если перемены были обоснованными. «А эта перемена обещает неплохие результаты», — думала она, медленно едя сквозь туман.

Расширение кафе означало расширение сферы деятельности. Ее ежемесячный книжный клуб пользовался на острове большой популярностью, и новый кулинарный клуб тоже имел хорошие перспективы. Проблема заключалась в том, чтобы лучше использовать пространство и одновременно сохранить интимную атмосферу, которой славился магазин.

Семя, посеянное Нелл, упало на благодатную почву. Майя уже ясно представляла себе, чего она хочет. Когда речь шла о кафе «Бук», она прекрасно знала, что делает.

Увы, во всем остальном она была уверена куда меньше.

Будущее казалось ей скрытым завесой. Она видела отдельные эпизоды, но не могла представить общую картину. Ее это сильно тревожило, хотя она и не хотела себе в этом признаваться.

Майя понимала, что за этой завесой скрывался выбор. Но как можно выбирать, если не знаешь всех возможных вариантов?

Одним из этих вариантов был Сэм Логан. До какого предела можно было доверять своим инстинктам, проверяя их с помощью логики и анализа прошлого? Первобытная физическая тяга затмевала всякую попытку выстроить логическую цепочку.

Неверный шаг мог привести к повторению катастрофы. Во второй раз она не переживет ее. Более того, неправильный выбор мог уничтожить остров, который она любила и поклялась защищать.

Когда-то другая женщина предпочла смерть боли от одиночества и разбитого сердца. Когда любимый оставил ее, она бросилась в море. Предварительно соткав защитную паутину вокруг Трех Сестер.

Разве сама Майя не искупила это, выбрав жизнь и найдя в ней не только удовлетворение, но и процветание?

Нелл выбрала смелость, Рипли — истинную справедливость. Это позволило им восстановить круг. А Майя выбрала жизнь.

Возможно, проклятие уже снято, и тьма, окружавшая остров и ждавшая своего часа, исчезла.

Едва она с надеждой подумала об этом, как туман над дорожным покрытием закипел. Рядом с ее машиной в землю вонзилась зазубренная молния, вспыхнул грязно-красный свет, и остро запахло озоном.

Впереди стоял и рычал огромный черный волк.

Она инстинктивно нажала на тормоза и вывернула руль. Машина пошла юзом и завертелась на месте. Перед глазами тошнотворно замелькали скалы, туман и тусклое блестящее ограждение между краем дороги и крутым обрывом к морю.

Борясь с удушающим страхом, Майя снова вцепилась в руль. Глаза волка горели как угли, с длинных клыков капала слюна. Его морду украшала маленькая пентаграмма, напоминавшая белый шрам на черной шкуре.

Ее метка. При виде пентаграммы сердце Майи больно заколотилось о ребра.

Ни звон крови в ушах, ни визг тормозов не помешали ей ощутить холод его дыхания. Волосы на затылке встали дыбом. В мозгу зазвучал льстивый и коварный шепот:

— *Отпусти руль. Просто отпусти руль, и ты больше не будешь одинока. На свете нет ничего тяжелее одиночества.*

Слезы туманили глаза. На мгновение Майя опустила руки: искушение одним махом положить всему конец было слишком велико и парализовало ее волю. А потом четко увидела, как она взлетает над краем обрыва.

Пытаясь вновь взять под контроль управление машиной, Майя собрала всю свою силу и послала ее вперед.

— Возвращайся в ад, сукин сын!

Когда волк откинул голову и завыл, она нажала на газ. И сбила его с дороги.

Ее шок был вызван не ударом, а взрывом алчности, ударившей в воздух, когда машина вонзилась в мираж.

Темная пелена рассеялась, и над Тремя Сестрами вновь заискрился жемчужный туман.

Майя съехала на обочину, прижалась лбом к рулю и включила ручной тормоз. Собственное дыхание в закрытой машине казалось ей слишком громким. Она открыла окно, и вскоре сырой холодный воздух и неумолчный шум моря помогли ей прийти в себя.

Она закрыла глаза, откинулась на спинку сиденья и оставалась в этом положении, пока не успокоилась окончательно.

— Что ж, ответ на мой вопрос получен, — сказала она вслух. — Четкий и недвусмысленный. — Она медленно вдыхала и выдыхала, пока грудь не перестала ходить ходуном. Потом открыла глаза и посмотрела в зеркало заднего вида.

Шины оставили на полотне зловещий след, проходивший у самого края дороги. Майю бросило в дрожь.

— Дешевка, — громко сказала она, обращаясь к себе и к каждому, кто мог ее услышать. — Черный волк, красные глаза. Все просто и банально. — И добавила про себя: «Но очень действенно. Очень действенно».

И все же на волке была ее метка. Метка, которую Майя оставила на нем в тот момент, когда он был в другом обличье. Он не смог скрыть ее, и это слегка утешило Майю. А утешение ей очень требовалось, потому что она едва не попалась в ловушку.

Она снова выехала на дорогу. Когда Майя припарковалась у кафе «Бук», ее руки почти перестали дрожать.

Он ждал ее. Приурочить свой приезд в гостиницу к ее приезду в магазин было проще простого. «Конечно, она не образец точности, — думал Сэм, переходя улицу. — Но паркует свою симпатичную машинку и открывает магазин каждый день между восемью сорока пятью и девятью пятнадцатью».

Сегодня на ней было одно из ее длинных тонких

платьев. Тех самых платьев, которые вызывают у мужчины желание вознести благодарственную молитву богине весны. На сей раз оно было бледно-голубым, цвета тихих прудов, и струилось по ее телу как вода.

Она надела сексуальные босоножки, состоявшие из нескольких полосок кожи темно-желтого цвета и длинной тонкой шпильки.

До этого он и понятия не имел, что от одного вида туфель у мужчины могут потечь слюнки.

Волосы Майи были собраны на затылке. Сэм предпочитал видеть их распущенными, но хвост образовывал в середине ее спины интригующее красное пятно.

Ему хотелось прикоснуться к этому месту губами — месту с гладкой кожей, прикрытому волосами и тонким платьем.

— Доброе утро, красавица.

Звук его голоса заставил Майю вздрогнуть и обернуться. При виде ее лица открытая улыбка Логана тут же поблекла, а глаза потемнели.

— Что случилось?

— Не понимаю, о чем ты говоришь. — Проклятие, у нее опять задрожали руки. — Ты напугал меня. — Она выгнулась всем телом, чтобы прикрыть руку, с трудом открывавшую замок. — Извини, Сэм, у меня нет времени на болтовню с соседями. Работа ждет.

— Не морочь мне голову. — Он придержал дверь и проскользнул в магазин следом за Майей. — Я тебя знаю.

— Нет, не знаешь. — Майе хотелось повысить голос, но она сдерживалась. Делано небрежно бросив на стойку папку с документами, она повторила: — Ты меня совсем не знаешь.

— Я знаю, когда ты расстроена. О боже, Майя, ты дрожишь. У тебя ледяные руки. — Он схватил ее руку и сжал ладонями. — Рассказывай, что случилось.

— Ничего. — Она думала, что успокоилась. Думала, что окончательно пришла в себя. Но ноги подгибались. Только гордость заставляла ее стоять. — Проклятие, отпусти меня.

Логан едва не послушался, но потом передумал и придвинулся ближе.

— Нет. Однажды я уже сделал это. Давай попробуем что-нибудь новое. — Он подхватил Майю на руки.

— Что ты себе позволяешь?

— Ты замерзла и дрожишь. Тебе нужно сесть. Кажется, ты слегка прибавила в весе, верно?

Она смерила его испепеляющим взглядом.

— Но тебе это идет. — Сэм посадил Майю на диван, снял со спинки яркое покрывало и закутал ее.

— Вот так. А теперь рассказывай.

— Не садись на... — Она подавила вздох, потому что Сэм уже опустился на кофейный столик, стоявший напротив. — Я вижу, ты так и не усвоил разницу между столом и стулом.

— И то и другое — мебель... Ну вот, теперь ты немного порозовела. Хорошо, что я пришел и разозлил тебя.

— Да, мне крупно повезло.

Он снова взял ее руку и начал растирать тонкие пальцы.

— Малышка, что тебя напугало?

— Не называй меня так. — Майя вспомнила, что он использовал это обращение только тогда, когда старался быть нежным. Она откинула голову на спинку дивана. — Просто... я чуть не свалилась с обрыва. На дорогу выбежала собака. Покрытие было скользким от тумана, и тормоза плохо слушались.

Его хватка усилилась.

— Сомневаюсь.

— С какой стати мне лгать?

— Не знаю. — Он держал ее руку, пока Майя не отказалась от попытки освободиться. — Но произошло что-то необычное. Наверно, я смогу сам выяснить это, если съезжу на прибрежное шоссе.

— Нет. — Страх стиснул ее горло так, что она с трудом смогла выдавить слово. — Нет, — повторила Майя, стараясь выглядеть беспечной. — Это не твое дело, но сейчас я ни в чем не уверена... Отпусти руку, и я расскажу.

— Отпущу, когда начнешь рассказывать, — возразил он, понимая цену этой связи.

— Ладно, — после отчаянной внутренней борьбы сдалась она. — Будь по-твоему. Но только на этот раз.

Она рассказала все, не утаивая ни одной подробности, но стараясь говорить непринужденно. Даже небрежно. Однако выражение лица Сэма изменилось.

— Почему ты не носишь защиту? — гневно спросил он.

— Ношу. — Она показала три кристалла, позвякивавшие на подвеске в форме звезды. — Но этого оказалось недостаточно. Он силен. У него было три века, чтобы набрать силу и накопить энергию. Но даже при этом он не смог причинить мне настоящего вреда. Ему удалось только подстроить ловушку.

— Эта ловушка могла привести к несчастному случаю. Наверно, ты ехала слишком быстро.

— Пожалуйста, не заставляй меня вспоминать старую поговорку про сучок в чужом глазу.

— Однако это не я чуть не сорвался с утеса! — Сэм вскочил и начал ходить по комнате, пытаясь прогнать страшную картину.

Он не ожидал атаки в лоб. И, кажется, она тоже. Похоже, их ослепляла уверенность в собственной силе.

— В доме ты приняла дополнительные предосторожности.

— Я защищаю то, что принадлежит мне.

— А про машину забыла. — Сэм посмотрел на Майю через плечо и испытал удовлетворение, увидев, что она покраснела.

— Нет, не забыла. Просто применила обычные чары...

— Ты уже знаешь, что этого недостаточно.

Он учил ее, как себя вести... Майя стиснула зубы, но кивнула:

— Ты прав.

— Думаю, нужно отплатить ему той же монетой. Нельзя все время сидеть в обороне.

Майя встала.

— Тебя это не касается.

— Не будем зря тратить время. Мы оба знаем, что касается. Причем непосредственно.

— Ты — не один из трех.

— Да. — Он снова шагнул к ней. — И в то же время нет. Мы — горошины из одного стручка. Моя сила и твоя сила происходят из одного источника. Она связывает нас, нравится тебе это или нет. Ты нуждаешься в моей помощи, чтобы покончить со всем этим.

— В чем я нуждаюсь, еще неясно.

Он поднял руку и тыльной стороной ладони провел по ее подбородку. Старый жест.

— А чего ты хочешь?

— Сэм, сексуальное желание — это не вопрос жизни и смерти. Просто легкий зуд.

— Легкий? — Логан улыбнулся и обхватил ладонью ее затылок.

— Легкий, — повторила она. Губы Сэма коснулись ее рта. Дразняще и соблазняюще. — Еле ощутимый.

— Слишком мягко сказано. — Он провел по ее спине кончиками пальцев свободной руки. — Постоянный. Непреодолимый. — Логан привлек ее к себе.

Она смотрела ему в глаза.

— Желание — это всего лишь голод.

— Ты права. Так давай утолим его.

Он накинулся на ее губы, так быстро проделав путь от чарующего тепла до испепеляющего жара, что ей оставалось только одно: броситься в этот огонь вместе с ним.

Руки Майи обхватили его бедра, стиснули их, потом поднялись выше и впились в его плечи. «Если он будет подталкивать меня к краю, я даже не буду сопротивляться, — подумала она. — Упаду в эту пропасть вместе с ним».

Она откинула голову, но это был жест не покорности, а требования. «Возьми больше, если посмеешь». Когда он посмел, Майя застонала от удовольствия.

Ее запах окутывал Сэма, проникал внутрь, пока у него не свело в паху. Одним быстрым движением он привлек Майю к себе и был готов упасть с ней на диван.

Но тут открылась входная дверь. Веселый звон колокольчиков прозвучал как вой сирены.

— Мать-перемать, снимите себе комнату, — бросила Лулу, захлопнув за собой дверь и с мрачным удовлетворением следя за тем, как они шарахнулись друг от друга. — А если хотите вести себя как сопливые подростки, то занимайтесь этим на заднем сиденье машины. — Она плюхнула на стойку огромную сумку. — Мне пора заняться делами.

— Хорошая мысль. — Сэм с видом собственника обнял Майю за талию. — Раз так, мы немного прогуляемся.

«Еще один старый жест», — подумала Майя. Когда-то она тоже обнимала Сэма за талию и клала ему голову на плечо. Но теперь просто шагнула в сторону.

— Предложение заманчивое, но как-нибудь в другой раз. Бизнес, о котором так вовремя напомнила Лулу, принадлежит мне. Мы открываемся... меньше чем через час, — сказала она, взглянув на часы.

— Тогда мы все сделаем быстро.

— Еще одно соблазнительное предложение. Правда, Лу? Не каждый день женщине предлагают перепихнуться перед началом работы.

— Восхитительно, — кисло ответила Лулу. Она чувствовала себя скверно и предпочитала обвинять в этом Сэма, а не свою неспособность как следует уснуть после субботней галлюцинации.

— Я буду думать об этом весь день. — Майя рассеянно потрепала Сэма по щеке и хотела уйти.

Он остановил ее, взяв за подбородок, и мягко сказал:

— Ты кокетничаешь со мной. Хочешь все превратить в игру? Ладно. Но должен предупредить: теперь я не всегда играю по правилам.

— Я тоже. — Дверь в комнату открылась и закрылась. — А вот и Нелл. Сэм, извини, но меня ждет работа. Думаю, и тебя тоже.

Она отвела его руку и сделала шаг навстречу вошедшей Нелл.

— Давай сюда. — Она забрала у Нелл коробку с печеньем и скрылась на лестнице, оставив после себя пьянящий аромат корицы. — Пахнет божественно.

— Гм-м... — Нелл откашлялась. Напряжение в комнате было таким, что ей показалось, будто она врезалась в стену. — Привет, Сэм.

— Привет, Нелл.

— Э-э... там осталось еще кое-что, — выдавила она наконец и боком протиснулась в заднюю дверь.

— Может, ты этого и не заметил, но мы еще не открылись, — проворчала Лулу. — Так что иди.

Сэм, продолжавший ощущать вкус губ Майи, а потому злой как черт, подошел к стойке и нагнулся к Лулу.

— Мне плевать, одобряешь ты это или нет. Ты не заставишь меня держаться от нее в стороне!

— Ты сам прекрасно делал это в течение десяти лет.

— Но теперь я вернулся, и с этим всем придется считаться! — Он подошел к двери и одним толчком открыл ее нараспашку. — Если тебе хочется играть роль сторожевой собаки, то здесь есть кое-кто куда опаснее меня. Вот его и кусай!

Лулу следила за тем, как он переходил улицу. Она сомневалась, что на острове было что-то, более опасное для Майи, нежели Сэм Логан.

«У тебя нет семьи». Галлюцинация, вызванная вином и паршивой едой, ошиблась. У нее есть семья. И ребенок тоже есть. Лулу посмотрела на лестницу, ведущую на второй этаж, куда ушла Майя.

«У меня есть ребенок», — снова подумала она.

Сэм отменил свою первую встречу. Каждый выбирает то, что для него в данный момент важнее. Он поехал на прибрежное шоссе. Туман еще не рассеялся, поэтому приходилось сдерживать гнев и следить за скоростью.

Но при виде следов шин он не смог справиться с потрясением и ужасом. «Несколько дюймов, — думал Логан, на ватных ногах выбираясь из машины. — Несколько дюймов, и она врезалась бы в ограждение. А потом ее машина перевернулась бы и рухнула в пропасть».

Он пошел по следу, осматривая дорогу и нюхая воздух. Майя любила быструю езду, но никогда не была безрассудной. Судя по отметкам шин, она ехала со скоростью около ста сорока пяти километров в час.

Если только ей не помогли.

По спине Сэма пробежали мурашки. Теперь он понял, что произошло. Кто-то подтолкнул пошедшую юзом машину к краю.

Если бы не сила, сообразительность и скорость реакции, Майя не уцелела бы.

Он долго изучал дорожное покрытие, на котором осталась отметина, напоминавшая воспалившийся шрам от старого ожога. От нее пахло маслянистой кровью, в воздух сочилась темная энергия.

«Если Майя оставила эту метку — значит, она была потрясена сильнее, чем казалось нам обоим», — подумал он.

Сэм вернулся к машине, порылся в багажнике и достал то, что ему требовалось. Держа инструменты в руке, он осмотрелся. Шоссе было пустым. Это было ему на руку, потому что для такой работы требовалось время.

Он опоясал шрам тремя кольцами морской соли; когда крупинка соли попадала на отметину, в воздух поднимался зловонный дым. Ощущая внутри спокойную и ясную силу, Сэм воспользовался березовым прутиком для очищения. Когда он окропил бухту и ущелье, шрам покрылся пузырями, зашипел и начал медленно сжиматься.

— Беда, беда, растворись без следа. Тьма к тьме, к свету свет, страха и боли здесь больше нет. — Когда шрам затянулся, не оставив на дороге ни малейшего следа, Сэм нагнулся и прошептал: — Я защищаю и свято храню все, что имею, и все, что люблю. Воля твердая сильна, пусть исполнится она.

Потом он вернулся в машину, нажал на газ, переехал остатки шрама и направился к дому Майи.

Он сопротивлялся желанию увидеть этот дом, но не мог позволить себе ждать нового приглашения.

«Здесь многое осталось прежним, — подумал он, выйдя из машины и изучая взглядом величественные каменные шпили. — И многое изменилось. Благодаря Майе».

Цветы, декоративные кусты и деревья. Горгульи и феи. Колеблемые ветерком колокольчики и струны. Постоянные звуки музыки. Белая башня маяка — древний часовой, охраняющий и остров, и дом. Фиолетовые анютины глазки, посаженные Майей у основания башни.

Он шел по мощенной камнем дорожке вдоль дома. Волны бились в скалы, заставляя вспоминать, сколько раз он стоял на этих скалах вместе с ней. Или заставал ее здесь в одиночестве.

Завернув за угол, он чуть не споткнулся.

Ее сад был целым миром. Арки, шпалеры, склоны и ручьи. Между потоками цветов петляли облицованные камнем дорожки, которые смягчал пробивавшийся сквозь трещины нежный мох. Некоторые цветы только набирали бутоны, в то время как другие уже распустились.

Даже обычная зелень была здесь тщательно подобрана, понял он. На ее фоне каждый оттенок розового, белого, желтого или голубого казался чудом.

Тут были пруды и зайчики, которые отбрасывали солнечные часы; от этого казалось, что в кустах танцуют феи. Он видел разбросанные тут и там скамьи — некоторые на солнце, другие в тени, — приглашавшие гостя сесть и насладиться тишиной и спокойствием.

Что же здесь будет через несколько недель, когда нежные бутоны распустятся в крупные цветы, а лозы оплетут шпалеры до самого верха? Пиршество форм, цветов и ароматов...

Не в силах справиться с восхищением, Сэм бродил по дорожкам и пытался понять, как она это сделала. Как ей удалось превратить прежний симпатичный садик с ухоженным газоном и одной-единственной террасой в настоящее чудо.

Он поймал себя на дурацком желании сидеть и следить за тем, как она вскапывает клумбу.

«Этот дом всегда был красивым, — думал он. — И Майя всегда любила его. Но прежде он был солидным и даже грозным. А она сделала его теплым, приветливым и радостным».

Сэм стоял в центре личного Эдема Майи, наполненного нежными запахами, пением птиц, рокотом прибоя, и понимал, что она создала то, чего у него никогда не было.

Дом.

Он жил в роскошных, удобных, стильно оформленных комнатах. Искал свой дом, но так и не нашел его. До сих пор.

— Вот это фокус... — пробормотал Сэм. — Пока я искал свой дом, она создала свой. И мой заодно.

Он вернулся к машине, чтобы завершить свою миссию. Нужно было добавить свою магию к магии Майи, чтобы это место было защищено дважды.

Он уже заканчивал работу, когда вдали показалась патрульная машина. Следя за ней, Сэм сунул в карман пальто шелковую сумочку с кристаллами. Когда из машины вышла Рипли, приятное предвкушение увидеть Зака сменилось досадой.

— Интересно, интересно... — Довольная Рипли сунула руки в задние карманы и вразвалочку двинулась к нему. Ее лицо было скрыто козырьком бейсбольной кепки и большими темными очками.

Но Сэм и так знал, что оно твердое как камень.

— Я объезжаю остров, и что я вижу? Кто-то вторгается в частную собственность и бродит по ней с дурными намерениями. — Рипли злобно улыбнулась и сняла с пояса наручники.

Сэм посмотрел сначала на наручники, а потом на нее.

— Рип, я не прочь время от времени пошалить, но ты — замужняя женщина. — Когда она оскалила зубы, Логан пожал плечами. — Ладно, шутка неудачная. Но ты начала первой.

— Закон — это не шутка, Логан. Ты вторгся в чужие владения при свете дня, и я имею полное право заподозрить тебя в попытке кражи со взломом. — Наручники предостерегающе звякнули. — И то и другое уголовно наказуемо.

— Проклятие, я не входил в дом. — Он об этом только подумывал. — А если ты считаешь, что можешь надеть на меня наручники за вторжение...

— Прекрасно. Добавим к этому сопротивление представителю власти.

— Дай мне поблажку.

— С какой стати?

— Я пришел сюда не бездельничать... а помочь. Я забочусь о Майе не меньше твоего.

— Жаль, что безудержное вранье не наказывается законом.

— А если это правда? — Теперь они с Рипли стояли лицом к лицу. — Я плевать хотел на то, что ты обо мне думаешь! Проклятие, я сделаю все, чтобы этому дому и женщине, которая в нем живет, ничто не грозило! Особенно после того, что чуть не случилось сегодня утром. И если ты думаешь, что сможешь надеть на меня свои идиотские наручники, то сильно ошибаешься!

— Защищать ее дом — не твоя забота. А если я захочу надеть на тебя, городского пижона, наручники, ты будешь у меня лежать мордой в землю и есть пыль, понял? Какого дьявола ты имел в виду, когда говорил «чуть не случилось сегодня утром»?

Он хотел было огрызнуться в ответ на оскорбление, но вдруг остановился и задумчиво прищурился.

— Значит, Майя тебе ничего не рассказала? Она же рассказывает тебе все! Всегда так было.

Рипли слегка покраснела.

— Сегодня я ее еще не видела. Так что случилось? — Вдруг она побледнела и схватила его за запястье. — Она ранена?

— Нет, нет. — Гнев улетучился, уступив место досаде. Сэм провел рукой по волосам. — Но была очень близка к этому.

Он вкратце передал Рипли события сегодняшнего утра и смягчился еще больше, когда та смачно выругалась и начала бродить по двору, разыскивая вещь, которую можно было бы пнуть посильнее.

Именно за это он ее и любил.

— Я не видела на дороге никаких отпечатков.

— Я уничтожил их после того, как очистил местность, — объяснил Сэм. — Думал, она расстроится, если увидит их снова. Бог свидетель, это меня тревожило.

— Ага, — пробормотала она. — Ты правильно сделал.

— Что? Я не ослышался?

— Я сказала, что ты поступил правильно. И хватит об этом, ладно? Ты обо всем позаботился?

— Да. Просто добавил свой слой поверх слоя ее чар. Она стала намного сильнее, — добавил Сэм. — И работает тщательнее.

— Но, как выяснилось, все же недостаточно тщательно. Я поговорю об этом с Маком. У него куча идей.

— Да, идей у него хватает, — Сэм криво усмехнулся. Когда Рипли в недоумении уставилась на него, он пожал плечами: — Он мне понравился. Так что прими мои поздравления, наилучшие пожелания и все такое прочее.

— Гм-м... Спасибо. Очень приятно.

Это заставило его улыбнуться.

— Просто мне было трудно представить себе «Рип — Полный Вперед» наслаждающейся законным браком.

— Замолчи. Это было в старших классах.

— В старших классах ты мне нравилась. — Раз уж тема была затронута, можно было упомянуть и об этом. — Я рад, что вы с Маком купили дом. Это отличное место.

— Ага, мы тоже так думаем. Не обижаешься, что твой старик продал его за твоей спиной?

— Этот дом никогда не был моим.

Она хотела что-то сказать, но передумала. На мгновение Сэм снова стал беспокойным брошенным мальчиком, которого она помнила. И любила.

— Ты сломал ей жизнь, Сэм.

Логан посмотрел на скалы, вздымавшиеся над морем и круто обрывавшиеся к нему.

— Знаю.

— А потом я сделала то же самое.

Сэм удивленно взглянул на Рипли:

— Не понимаю.

— Сегодня утром она ничего мне не рассказала, потому что мы только начинаем налаживать наши отношения после долгого перерыва. Я подвела ее так же сильно, как ты, и думаю... — Она тяжело вздохнула. — У меня нет права осуждать тебя. Я делаю это только для того, чтобы облегчить собственную совесть. Ты выбил у нее почву из-под ног, а меня не было рядом, чтобы поддержать ее.

— Не хочешь рассказать, почему?

Рипли смерила его мрачным взглядом.

— А ты хочешь рассказать, почему?

Он покачал головой.

— Рипли... Я участвую в деле и на этот раз нахожусь рядом.

— Да, это так, — подтвердила она. — Ладно... Я считаю, что мы должны принимать любую помощь, из какого бы источника она ни исходила.

— Я сделаю все, чтобы убедить Майю позволить мне вернуться в ее жизнь.

— Желаю удачи. — Увидев его удивленный взгляд, Рипли фыркнула: — Я еще не приняла окончательного решения.

— Это разумно. — Сэм протянул руку, и Рипли после секундной заминки приняла ее.

Между ними проскочила искра.

— Чушь собачья, — проворчала она.

— Не чушь, а соединение. — Логан дружески сжал ее ладонь, а потом отпустил. — Что ты можешь сделать?

— Нужно подумать. Сначала я должна закончить объезд. — Она сделала паузу и кивком показала на дорогу. — После тебя. — Рипли ткнула пальцем в его автомобиль. — И пусть только этот фаллос на колесах попробует превысить скорость!

— Есть, офицер. — Он покосился на машину. — Одна маленькая просьба. Не говори о моем визите Майе. Она разозлится, если узнает, что я сомневаюсь в ее способностях.

Рипли снова фыркнула и открыла дверь патрульной машины. Надо было отдать Сэму должное: он хорошо знал свою возлюбленную.

7

«Майе я ничего не скажу, но вряд ли этот запрет распространяется на Мака», — думала Рипли. Она была абсолютно уверена, что в законе о конфиденциальности есть какая-то лазейка, которой супруги могут воспользоваться.

Если ты любишь человека так, что клянешься прожить с ним до конца жизни, то имеешь право рассказывать ему любую чушь и выслушивать его чушь в ответ. Это преимущество компенсирует неудобство пользования общим шкафом.

Хотя они жили, засыпали и просыпались вместе, но несколько раз в неделю встречались за ленчем в кафе «Бук». На этот раз Рипли решила затянуть ленч как можно дольше, а уже потом выпалить мужу новости.

Сначала она хотела поделиться ими с Нелл, но после долгой внутренней борьбы пришла к выводу, что Нелл слишком близка к Майе, а потому на нее исключение не распространяется.

Оставался один Мак.

— Так вот, — продолжила она, не отрываясь от копченого тунца и салата из авокадо, — он стоял там, красивый и мрачный. Было еще холодно и туманно, поэтому на нем было длинное темное пальто, полы которого трепал ветер. Типичный страдающий герой. Стоял на газоне перед ее домом, окутанный туманом, пока я не заставила его уйти.

— Значит, следы на дороге он уничтожил? — Вклиниться в скороговорку Рипли было нелегко, но Мак улучил момент, когда она переводила дух.

— Ага... уф... Это может быть очень сильное заклинание. Все зависит от качества и сложности зла и всей этой мути. — Она передернула плечом и схватила чашку с кофе. — Но я ничего не увидела, хотя остановилась там на обратном пути и все осмотрела как следует. На случай, если он что-нибудь пропустил.

— И что же, все было спокойно?

— Даже случайной вибрации не осталось. Это значит, что он вычистил все.

— Сначала он должен был предупредить меня, — обиженно проворчал Мак. — Я мог бы снять показания на месте и взять образец для лабораторных исследований.

Рипли откинулась на спинку стула и покачала головой.

— Я всю жизнь мечтала о том, чтобы руки моего парня были испачканы этой вонючей черной дрянью!

— Это моя работа. — Мак на мгновение задумался, а потом принял решение съездить на место происшествия и проверить, не смогут ли что-нибудь уловить его самые чувствительные приборы.

— Давай вернемся немного назад, — он положил руки на стол. — Он сказал тебе, что Майя видела большого черного волка с отметиной на морде в виде пентаграммы?

— Это его воплощение. Черный волк, красные глаза, огромные клыки. Ее метка. Пронять нашу королеву сверхъестественного мог только по-настоящему адский образ.

— Именно образ, — сказал Мак. — Это был не настоящий волк. Никакого живого существа там не было. Может быть, дело заключается в том, что зимой она заклеймила его. Но оно еще достаточно сильно, чтобы заставить ее свалиться под откос. Интересно...

— И страшно. Судя по тому, как трясло Сэма. Но есть еще кое-что интересное... — Она наклонилась ближе к Сэму и понизила голос: — Этот малый приехал к ее дому, стоял там и рассматривал окрестности как какой-нибудь современный Хитклиф, отыскивающий на пустошах следы Кэтрин...[1]

— Рипли...

— Брось, я читала роман. Так вот, стоит он там, весь в расстроенных чувствах, и притворяется, что все это для него ничего не значит. Это-то и интересно.

— Судя по тому, что ты мне рассказывала, у них была очень сильная энергетическая связь.

— Была, — подтвердила Рипли. — Я все поняла бы, если бы это она его бросила. Но он сам во всем виноват.

— Значит, он так и не сумел разлюбить ее.

— Ни один мужчина не может хранить верность чувствам десять лет.

Мак улыбнулся и потрепал ее по руке.

— Я мог бы.

— Не морочь мне голову. — Однако Рипли повернула руку ладонью вверх, и их пальцы переплелись. — Так вот, он не хочет, чтобы она знала, что он был там. Говорит, что она будет в бешенстве, если узнает, что он сомневается в ее чарах. И он прав. Но если хочешь знать мое мнение, тут есть еще кое-что. Он не хочет, чтобы она знала, что он сохнет по ней. Все это было бы смешно, если бы не было так сложно и если бы на кону не стояло так много.

— От того, что будет — или не будет — между ними, зависит наше общее будущее. У меня есть одна гипотеза.

— У тебя всегда есть гипотеза.

Он улыбнулся и слегка подался вперед.

— Нам нужно встретиться. Всем заинтересованным сторонам.

---

[1] Главные герои «Грозового перевала» (1847), классического готического романа английской писательницы Эмили Бронте (1818—1848).

— Я уже думала об этом. — Теперь Рипли тоже говорила чуть ли не шепотом. Посторонний зритель решил бы, что они либо флиртуют, либо планируют заговор. — Давай устроим эту встречу у Зака. Нелл что-нибудь приготовит. Мы тоже поскребем по сусекам.

— Хорошая мысль. Но как мы выйдем из положения? Ведь кое-кто не хочет, чтобы другие знали то, что знаем мы...

— Вы только поглядите на эту сладкую парочку. — К столу подошла Майя и дружески похлопала Мака по плечу. — Просто глаз не оторвать.

— Да, мы как раз собирались подать заявку на участие в конкурсе на лучшую семейную пару, — пошутила в ответ Рипли, внимательно изучая лицо Майи. Следовало отдать подруге должное: она держалась молодцом. — Как дела?

— По-разному. — Майя не торопилась убирать руку с плеча Мака: близость этого человека всегда успокаивала ее. — Вообще-то есть кое-что, о чем я хотела рассказать тебе... и Нелл.

Майя посмотрела на стойку, и на ее лице отразилась тень тревоги.

— Ладно, это подождет, — сказала она. — Сейчас Нелл слишком занята с покупателями.

Рипли на мгновение задумалась, а потом резко обернулась к Майе:

— Если ты имеешь в виду танцы с волками, то я об этом уже знаю.

Кто был ошеломлен сильнее — Майя или Мак, — можно было решить только с помощью жребия.

— Присядь на минутку, — Рипли пододвинула Майе стул.

— Пожалуй. — Пытаясь успокоиться, Майя села и сложила руки на груди. — Не знала, что вы с Сэмом закадычные друзья.

— Теперь знай. — Рипли отодвинула в сторону остатки ленча. — Я столкнулась с ним на прибрежном шоссе. — Тут она не кривила душой. Дом Майи действительно стоял на шоссе. — Он убирал беспорядок, который остался после тебя.

— Беспо... — Майя побледнела. Боже мой, как она могла допустить такую небрежность! Ей и в голову не пришло убрать пятна силы, которые могли загрязнить эту часть острова...

— Не кори себя, — мягко сказал Мак. — Ты испытала сильное потрясение.

— Не имеет значения. Это моя обязанность.

— Тебе этого не понять, профессор. — Рипли небрежно отломила кусочек эклера. — Леди Совершенство не позволяет себе совершать ошибки, простительные нам, простым смертным.

— Я должна была очистить местность, — повторила Майя, даже не огрызнувшись в ответ. Рипли поняла, что подруга по-настоящему расстроена.

— Ну и что? Это сделал он, так что все в порядке. Чтобы поднять себе настроение, я пригрозила его арестовать по какому-то надуманному обвинению. Тут он и ввел меня в курс дела. Я рассказала все Маку, а ты сможешь рассказать Нелл, когда закончится ее смена.

— Да. Ладно. — Майя потерла пульсировавший висок. Она не помнила, когда в последний раз страдала от головной боли. И от спазмов в желудке. Придется выбрать время и разобраться со своими чакрами, мешающими ясно мыслить.

— Мак, я хотела бы обсудить это с тобой. — Майя рассеянно повертела в руках салфетку. — По-моему, это просто тактика запугивания, но мне бы не хотелось проявить легкомыслие и пропустить что-то по-настоящему важное.

— Ты права. Мы с Рипли только что говорили, что

нужно устроить встречу. Может быть, сегодня вечером соберемся у Нелл и Зака?

— «Диннертайм»...[1] — пропела Рипли, заставив Мака улыбнуться.

— Никогда не следует отказываться от бесплатного угощения, да? Ладно, я поговорю с Нелл. — Майя поднялась и внимательно посмотрела на Рипли. — Я хотела рассказать тебе об этом сама. Просто сначала мне нужно было разобраться, что к чему. Не думай, что у меня есть от тебя секреты. Это осталось в прошлом.

Рипли смутилась.

— Не парься. В конце концов, это позволило мне сказать нашему красавчику пару ласковых слов.

— Ну, тогда другое дело. Ладно, до вечера.

Когда Майя скрылась из вида, Мак снова наклонился вперед.

— Ты молодец, помощник шерифа. Ей-богу.

— А ты во мне сомневался? Но теперь, когда я выдала Сэма, подойди к нему заранее и объясни, что я ей сказала, а что нет.

— Договорились. — Мак положил перед Рипли свой эклер и встал. — Я все равно должен поговорить с ним. Мне нужно это запротоколировать.

— Правильно. — Рипли откусила пирожное.

— А ты заплатишь за ленч.

— Заметано, — с полным ртом ответила она.

Мак сумел выпросить у Лулу всего лишь час. Впрочем, сейчас это было ему даже на руку. Он должен был вернуться домой, снова встретиться с Рипли, а потом ехать на только что назначенный обед к Тоддам.

---

[1] «Обеденное время» (*англ.*). Намек на «Саммертайм» («Летнее время»), знаменитую колыбельную из оперы Дж. Гершвина «Порги и Бесс».

Но в данный момент он сидел с диктофоном и блокнотом в доме Лулу, заранее подкупленной коробкой «Годивы».

— Большое спасибо, Лулу.

— Да, да. — Она пила черный кофе с конфетами; вину на время была дана отставка. — Я уже говорила, что терпеть не могу эти ваши интервью. Они напоминают допросы, которые устраивали полицейские после ареста участников демонстраций протеста.

— И против чего вы протестовали?

Она посмотрела на него с жалостью.

— Бросьте. Это же было в шестидесятых. Легче перечислить, против чего мы не протестовали.

Он решил, что это хорошее начало.

— Вы жили в коммуне, верно?

— Иногда. — Она пожала плечами. — Но чаще шаталась туда-сюда. Спала в парках, на пляжах — в общем, где придется. Бывала в таких уголках страны, которых не увидишь, путешествуя в семейном мини-вэне и останавливаясь в «Холидэй-Инн».

— Не сомневаюсь. А как вы попали сюда? На Три Сестры?

— Отправившись на восток.

— Лулу... — взмолился он.

— О'кей, не смотрите на меня щенячьим взглядом. — Она устроилась на диване поудобнее. — Я стала бродягой в шестнадцать лет. Не поладила с семьей. — Лулу наклонилась и взяла еще одну конфету.

— Для этого была какая-то особая причина?

— Да нет. У моего старика были узкие взгляды и тяжелая рука, а мать плясала под его дудку и вдобавок играла в карты с другими дамами. Я не смогла этого вынести. Удрала при первой возможности, а поскольку я была занозой в их задницах, искать меня не стали.

Маку показалось, что о равнодушии родителей

она говорила с грустью. Но он знал Лулу и понимал, что малейший признак сочувствия закончился бы для него ударом в зубы.

— И куда вы направились?

— Куда глаза глядят. Какое-то время жила в Сан-Франциско. Будучи под кайфом от марихуаны, отдала свою девственность симпатичному парню по имени Бобби.

Она улыбнулась; несмотря на годы и обстоятельства, это воспоминание было приятным.

— Делала «любовные бусы»[1] для пропитания, слушала музыку, решала все мировые проблемы. Выкурила кучу «косяков»[2], иногда принимала ЛСД. Колесила по Нью-Мексико и Неваде с парнем по имени Спайк — ничего себе кликуха, да? — на его «Харлее».

— В шестнадцать лет?

— Наверно, уже в семнадцать. Шестнадцать бывает лишь раз в жизни. Жила как цыганка. У меня чесались пятки. — Она пошевелила пальцами в древних «биркенстоксах». — Иногда кое-где оседала. Например, в одной коммуне в Колорадо. Там я научилась выращивать овощи и готовить их. И вязать тоже. Но...

Ее глаза за стеклами очков приняли суровое выражение.

— Вам ведь нужна вся эта мистическая чушь, а не воспоминания хиппи-триппи, верно?

— Я буду благодарен за все.

— Мне снились сны. Не специально, — после некоторых раздумий сказала она. — Тогда мне и в голову не приходило промышлять этим. Мне снились сны об этом месте. О Трех Сестрах. Я видела дом на утесе и женщину с рыжими волосами.

---

[1] Они же «бисер любви» — бусы из бисера, которые носили хиппи как символ любви и мира.

[2] Шприц для подкожных инъекций (американский сленг).

Мак, набрасывавший в блокноте портрет Лулу, остановился и поднял глаза.

— Майю?

— Нет. — Поскольку речь зашла о прошлом, Лулу зажгла ванильную свечку в виде конуса. — Эта снившаяся мне женщина плакала и просила, чтобы я позаботилась о ее детях.

Мак помнил, что там, во всей этой истории, имелась няня. Та, которая была Огнем, оставила детей на ее попечение, а потом прыгнула со скал.

— Реинкарнация? — Он что-то нацарапал в блокноте. — Связь внутри круга?

— Каждый раз после такого сна мне приходилось брать ноги в руки... Короче, в конце концов, я очутилась в Бостоне без гроша в кармане. Но тогда это меня не колыхало. Всегда кто-то знал кого-то, у кого можно было бросить кости. Однажды девица, которая называла себя Лютик — о господи, — сказала, что мы все должны сесть на паром и отправиться на остров Трех Сестер. Ей нравилось считать себя ведьмой, но, насколько я помню, она была дочерью богатого адвоката, деньги которого спускала в колледже. На содержание, которое выплачивал ей папочка, она смогла купить билеты всем. Я поехала, потому что это было даром. Они вернулись, а я осталась.

— Почему? — спросил ее Мак.

Лулу ответила не сразу. Несмотря на связь с Майей, Рипли, Нелл и самим островом, о своем участии в магии она говорить не любила.

Это всегда вызывало у нее неловкость.

Но Мак слушал ее спокойно, как всегда. И ей это очень нравилось.

— Я поняла, что это мое место, как только Три Сестры показались из воды. Я чуть не выпрыгнула из штанов, — продолжила Лулу. — Как и все мы. Конечно, Лютик дура, но она была заводилой. Я увидела остров ясно и четко, словно в магическом кристалле. Может быть, в этом была виновата марихуана, но большей красоты я в жизни не видела. Подняла глаза, увидела дом на скалах и подумала: «Вот дерьмо, это же то самое место, куда я ехала!» Я удрала от Лютика и остальных, как только мы сошли на пристань, и больше никогда о них не вспоминала. А они наверняка до сих пор ломают себе голову, что со мной случилось...

— Вы пошли работать к бабушке Майи?

— Не сразу. Я не искала места. На мой взгляд, это было чересчур буржуазно. — Она сняла очки и начала протирать стекла. — Какое-то время я жила в роще, питаясь ягодами и тем, что удавалось стащить на огородах. Думаю, я проходила вегетарианский период. — Она улыбнулась, а потом слегка нахмурилась, пытаясь сосредоточиться.

Было приятно вспоминать себя молодой, беспечной и довольной жизнью.

— Но это продолжалось недолго. Кто родился плотоядным, тот плотоядным и умрет. Так вот... однажды я голосовала, и мимо проезжала женщина на шикарной машине. Она остановилась, вылезла и осмотрела меня с головы до ног. Я догадывалась, что ей немного за шестьдесят, но когда ты считаешь, что после тридцати жизнь кончается, такие люди кажутся тебе глубокими стариками... — Она сделала паузу, засмеялась и снова надела очки. — Какого дьявола, я хочу выпить! Выпьете со мной?

— Нет, спасибо. Я за рулем.

— Мак, вы скорее умрете, чем измените своим принципам, верно? — Она пошла на кухню и закричала оттуда: — Я всегда была замухрышкой, а после двух недель на подножном корму от меня остались кожа да кости! У меня были длинные волосы, которые я заплетала в косы. О чем я тогда думала? Эта женщина была старая, но красивая. Темно-рыжие волосы, одета как леди, возвращающаяся с файф-о-клока. У нее были темные-претемные глаза, и когда они уставились на меня, клянусь, я услышала шум волн, разбивающихся о скалы, и рев бури. Я почувствовала дуновение ветра, хотя день был жаркий и душный. И услышала детский плач.

Лулу вернулась с бокалом в руках и забралась обратно на цветастый диван.

— Она позвала меня в машину. Просто так. И я села. Тоже просто так. Без всяких уговоров. У миссис Девлин была сила. Такая же, как у ее внучки. Тогда я этого не знала. Просто чувствовала. Она привезла меня в дом на скалах.

Лулу помолчала.

— Я любила ее. — У Лулу возник комок в горле, и она проглотила его вместе с вином. — Уважала и восхищалась. Она была мне ближе, чем кровная родня. Родители никогда не обращали на меня внимания, и я привыкла к этому. Но она учила меня. Передавала свою любовь к чтению, доверяла мне. Заставляла меня работать за стол и кров. Мать-перемать, она хотела, чтобы я выполняла свои обязанности! Я столько раз убирала их здоровенный дом, что могла бы делать это даже во сне.

— Вы не знали, что она — ведьма?

Лулу почесала в затылке. Похоже, раньше она об этом не думала.

— Все происходило постепенно. Думаю, она все делала так, чтобы это казалось мне естественным. В конце концов, хиппи свойственно относиться к природе как к матери.

— Когда вы узнали о легенде?

— Тоже постепенно. Это ведь часть истории острова. Кое-что слышала, кое-что читала. Работая у миссис Девлин, я не успела опомниться, как сама стала частью Трех Сестер.

— А когда появилась Майя, для вас было естественно взять на себя заботу о ней.

— Если бы я умела анализировать, то сказала бы, что миссис Девлин предвидела и это. Она знала, что будет потом. После рождения Майи в доме поселились сын миссис Девлин и его жена. Очень скоро до меня дошло, что таким образом они приобрели двух бесплатных сиделок. Эгоистичные твари!

Она прервалась и надолго припала к бокалу.

— В вечер приезда они отправились обедать в гостиницу, и миссис Девлин привела меня в детскую. Майя была красивым ребенком. Рыжие волосы, яркие глаза, длинные руки и ноги. Миссис Девлин вынула ее из колыбели, на минутку прижала к себе, а потом протянула мне. Напугала меня до потери пульса. Мне уже приходилось держать на руках младенцев, и я не думала, что они сделаны из хрусталя. Дело было в другом. Я знала, что она вручает мне что-то очень важное и что это изменит всю мою жизнь. Вам знакомо чувство, когда ты отчаянно хочешь что-то попробовать, но при мысли сделать первый глоток у тебя сводит желудок?

— Да. — Он отложил блокнот и внимательно посмотрел на Лулу. — Да, знакомо.

— Вот так все и было. Она протягивала мне Майю, а я стояла, спрятав руки за спину, и сердце у меня колотилось как паровой молот. А потом грянул шторм — в точности как в моих снах. Ветер бил в окна, сверкали молнии. Я в первый и последний раз видела ее плачущей.

«Возьми ее, — сказала она. — Ей нужны любовь, забота и крепкая рука. Они ей этого не дадут, потому что у них этого нет. Когда я уйду, у нее останешься только ты». Я сказала, что не умею заботиться о младенцах, но она только улыбнулась в ответ и протянула мне Майю. Майя начала ерзать, корчиться, сжимать кулачки, и не успела я опомниться, как она оказалась у меня на руках. Миссис Девлин сделала шаг назад и сказала: «Теперь она твоя». Я никогда не забуду этого. «Теперь она твоя, а ты — ее». Потом она ушла, а я стала укачивать Майю... — Лулу шмыгнула носом. — От вина у меня всегда глаза на мокром месте.

Тронутый Мак поднялся и положил ладонь на ее руку.

— У меня тоже так бывает.

Шериф Закарайа Тодд вынимал посуду из моечной машины: это было одно из немногих дел, которые ему доверяли на собственной кухне.

— Ладно, давай проверим, все ли я запомнил. Майя рассказала Сэму, что случилось сегодня утром на прибрежном шоссе. Рипли, которая не знала, что случилось, застала Сэма у дома Майи, и он рассказал ей — то есть Рипли, — и она пообещала не говорить Майе, что он был там, но она сказала Майе, когда Майя хотела рассказать ей — о господи! — о случившемся, что она, то есть Рипли, встретила Сэма на дороге, когда он очищал местность.

— Ты все прекрасно запомнил, — проверяя лазанью, заверила Зака Нелл, когда тот остановился перевести дух.

— Не перебивай меня. — Зак расхаживал по кухне. — Потом Мак сказал Сэму, что Рипли сказала Майе, когда Майя рассказывала вам, что случилось сегодня утром. Потом Рипли рассказала тебе остальное, а ты рассказала мне. Почему, я так не понял.

— Потому что я люблю тебя, Зак.

— Верно. — Он прижал палец ко лбу. — Наверно, мне все же лучше помолчать. Тут без бутылки не разберешься.

— Ты прав. Молчание — золото. — Тут послышался радостный лай Люси. — Кто-то идет. Вот, поставь поднос на третью полку. Я экспериментирую с канапе для свадьбы Роджерсов, которая состоится в следующем месяце. Поставь канапе туда, где Люси не сможет их достать, — сказала она вслед мужу и рассеянно добавила: — Мужчины и собаки... За ними нужно следить постоянно.

Руководствуясь этим принципом, Нелл переставила на нужные места всю кухонную посуду, убранную Заком, схватила бутылку вина и пошла встречать гостей.

Мак и Рипли привезли с собой щенка, который поверг Люси в состояние восторга и ужаса и заставил обиженно поскуливающего Диего убраться на второй этаж.

Майя, прибывшая с букетом только что срезанных нарциссов, села на пол и стала играть с Малдером в перетягивание каната.

— Время от времени мне хочется завести собаку. — Она засмеялась, когда Малдер неожиданно выпустил веревку и перекувырнулся через хвост. — А потом я вспоминаю про свой сад. — Она взяла щенка и подняла его в воздух. — Ты с удовольствием вырыл бы все мои цветы, верно?

— И изжевал всю обувь, — кисло добавила Рипли. — Хотя тебе это не страшно. У тебя сто пар в запасе.

— Обувь — это форма самовыражения.

— Обувь — это то, в чем ходят.

Майя опустила щенка и потерлась носом о его нос.

— Что она понимает?

Такой Сэм и увидел ее, когда подошел к двери: сидящей на полу, смеющейся, со смешным желтым щенком, облизывающим ее щеки. У него свело живот и перехватило дыхание.

Майя выглядела такой счастливой... Подол ее платья лежал на ковре, волосы падали на спину, а глаза сияли от радости.

В этой поразительно красивой женщине было что-то от девочки, которую он бросил.

Потом Люси залаяла, Малдер спрыгнул с колен Майи, она перестала смеяться и оглянулась на дверь.

— Люси! — прикрикнул на собаку Зак, потом схватил ее за ошейник и впустил Сэма. — Не прыгать! — приказал он Люси, когда мышцы собаки напряглись. — Это относится и к тебе, — буркнул он себе под нос. Голодного взгляда Сэма не заметил бы только слепой.

— Она ведет себя правильно. — Сэм провел рукой по голове Люси, и собака тут же повалилась на спину. Он отдал Заку бутылку вина, присел и начал чесать подставленное Люси брюхо. Щенок прыгал вокруг, требуя своей порции внимания.

— А ты что здесь делаешь? — спросила Майя.

Услышав ее тон, Сэм поднял брови, но Мак оказался быстрее.

— Это я попросил его прийти. — Осуждающий взгляд Майи заставил его сжаться. — Мы все имеем к этому отношение, и каждый должен сделать свой вклад. Майя, нам нужно объединиться.

— Конечно, ты прав. — Беспечная женщина исчезла. На ее месте появилась уверенная в себе дама с любезной улыбкой. — Сэм, извини за грубость. Какое-то время это был наш маленький клуб, и я не ожидала увидеть здесь нового члена.

— Нет проблем. — Логан поднял веревку, которую Малдер с надеждой положил к его ногам.

— Через несколько минут будем обедать, — непринужденно разрядила обстановку Нелл. — Сэм, выпьешь бокал вина?

— Спасибо, с удовольствием. В вашем маленьком клубе есть какой-нибудь обряд инициации?

— Обычно мы обриваем претендента наголо. — Майя сделала глоток. — Но это можно проделать и после обеда. Пойду умоюсь.

Сэм тут же поднялся и протянул ей руку.

Майя не стала думать, проверка это или предложение мира. Когда она приняла руку, это было всего лишь прикосновение ладони к ладони.

— Спасибо.

Она знала этот дом так же, как свой собственный, но не стала пользоваться более удобной ванной на первом этаже, а пошла к лестнице.

«Чем больше расстояние, тем надежнее уединение», — подумала она.

Войдя в ванную, Майя закрыла за собой дверь и прижалась к ней спиной. Это было смешно. Как он умудряется оказывать на нее такое воздействие? Когда она была готова к этому, все было в порядке или почти в порядке, но если это происходило в тот момент, когда она была слишком открыта, Майю бросало в дрожь.

Обвинять в этом Сэма было глупо. Какой смысл бередить старую рану? Что было, то прошло.

Она подошла к раковине и посмотрела в зеркало на свое усталое, бледное и расстроенное лицо. Что ж, день был тяжелый. Но изменить внешний вид нетрудно.

Майя вымыла руки, наполнила раковину, нагнулась и плеснула себе в лицо пригоршню холодной воды. В обычных условиях она бы воспользовалась косметикой. Возня с карандашами, тюбиками и кисточками забавляла ее; в этом было что-то очень женское.

Но сейчас простота и скорость были важнее.

Она вытерла лицо, сотворила заклинание и снова посмотрела на себя в зеркало. Все изменилось. Теперь она выглядела отдохнувшей, со здоровым румянцем на щеках. Губы заалели.

Майя вздохнула, огорченная собственным тщеславием, и провела кончиком пальца по векам; это заменило ей тени и кисточку. Глаза тут же стали выразительнее.

Довольная результатом, Майя постояла у зеркала еще немного, приводя в порядок собственные чувства, а потом вернулась к остальным.

«Тесный кружок», — думал Сэм, наслаждаясь изумительной лазаньей Нелл. Судя по языку жестов, взглядам, начатым фразам, которые заканчивали другие, эти пятеро были связаны друг с другом как нитка с иголкой.

К данному моменту Нелл прожила на острове чуть меньше года, а Мак вообще появился здесь только зимой. Но оба они уже сумели приспособиться и стали одной командой с местными жителями.

Частично это объяснялось наличием общего врага. Однако тут было нечто большее, чем товарищество по оружию.

Когда Майя разговаривала с Маком или слушала его, на ее лице было написано удовольствие. Тут была любовь, вызванная не страстью, а чем-то более глубоким и истинным.

То же чувство объединяло всех сидевших за столом.

Нелл наполнила тарелку Мака еще до того, как он попросил добавки. Зак передал Майе кусок хлеба, продолжая ожесточенно спорить с сестрой о причинах продолжающихся неудач бостонской бейсбольной команды «Ред Сокс». Нелл и Майя обменивались взглядами и хихикали над какой-то шуткой, понятной только им двоим.

Все это говорило о том, что перекинуть мост через пропасть будет труднее, чем ему казалось. Одной беседы для этого не хватит.

— Думаю, наши с вами отцы участвуют в одних и тех же благотворительных турнирах по гольфу, — сказал Сэму Мак. — Кажется, один такой проходил в прошлом месяце. Не то в Палм-Бич, не то в Палм-Спрингс. В общем, слово «Палм» там было.

— Серьезно? — Сэма никогда не интересовала отцовская псевдоблаготворительность. Прошло много лет с тех пор, как его уговаривали принять участие в таких турнирах. — Я встречал ваших родителей в Нью-Йорке. На разных мероприятиях.

— Да, круг один и тот же.

— Более или менее, — согласился Сэм. — Но вот вас я там почему-то не видел.

Мак только усмехнулся.

— Достаточно и того, что вы сами там были... Вы играете в гольф?

Теперь уже усмехнулся Сэм:

— Нет. А вы?

— Мак — ужасный растяпа, — вставила Рипли. — Если он попытается ударить по мячу, то непременно попадет себе по большому пальцу ноги, и тот улетит в деревья.

— Печально, но факт, — подтвердил Мак.

— Неделю назад он споткнулся на лестнице. Шесть швов.

— Это щенок виноват, — сказал в свое оправдание Мак. — И швов было только четыре.

— Которых ты избежал бы, если бы обратился ко мне, а не в клинику.

— Она ругает меня каждый раз, когда я набиваю себе шишку или синяк.

— Такое происходит каждый день. Например, в наш медовый месяц...

— Не надо об этом. — У Мака вспыхнула шея.

— Когда мы вместе принимали душ, который был только предлогом для жаркого секса...

— Прекрати! — Мак зажал ей рот ладонью. — Та перекладина для полотенец была неправильно укреплена.

— Он был в таком экстазе, что вырвал ее из стены. — Рипли с трудом сдерживала хохот. — Мой герой.

— Раз уж об этом зашла речь, — со вздохом сказал Мак, — Сэму как владельцу гостиницы следовало бы проверить прочность крепежа его перекладин для полотенец.

— Непременно проверю. Особенно если вы оба захотите провести уик-энд в «Мэджик-Инн».

— А если в твоей гостинице закажут номер Зак и Нелл, — продолжила Рипли, — тебе придется проверить прочность раковин. Они своротили раковину в ванной наверху, когда...

— Рипли! — прошипела Нелл.

— Ты что, рассказываешь ей все? — сердито спросил жену Зак.

— Больше нет. — Не обращая внимания на смех Рипли, Нелл объявила: — Я пошла за десертом.

— Я понятия не имела, что ванные — такая эрогенная зона в доме. — Майя встала и взяла тарелку.

— Я буду счастлив показать тебе свою, — сказал Сэм, но Майя, не обращая внимания на его слова, ушла на кухню.

— Она ничего не ела. Только делала вид, — Сэм пожал плечами.

— У нее нервы на взводе, — сказал Мак.

— Мне не нужно было приходить сюда, раз это заставляет ее напрягаться. — Сэм выглядел раздосадованным.

— Ты не один на белом свете. — Рипли взяла свой бокал и сделала глоток.

— Рип... — негромко предупредил ее Зак. — Давай посмотрим, что из этого выйдет.

Сэм кивнул и взял свой бокал.

— Она доверяет тебе, — сказал он Маку.

— Да, доверяет.

— Может быть, это сыграет свою роль.

Когда все перешли в гостиную, Сэм тоже занервничал. Он никогда особенно не размышлял над своим даром; тот просто существовал, и все. Но обсуждать его Логан не любил. Он не принимал участия в шабашах. А нынешнее сборище очень напоминало шабаш несмотря на то, что лишь четверо из присутствовавших были потомственными ведьмами и колдунами.

— Мы все знаем легенду, — начал Мак.

«Историк, — подумал Сэм. — Ученый. Педант с гибким умом».

— Во время процесса над сейлемскими ведьмами три сестры, известные под именами Огонь, Земля и Воздух, с помощью заклинаний создали остров, на котором смогли спастись от преследования.

— В то время, когда преследовали и убивали и сотни других невиновных, — добавила Рипли.

«Солдат, — подумал Сэм, лениво гладя прыгнувшую на диван кошку. — Мужественная женщина. Земля».

— Они не могли остановить охоту, — возразил Зак. — Если бы они это сделали, могли бы погибнуть не сотни, а тысячи людей.

Сэм подумал, что Зак прав.

— Если изменится угол наклона судьбы, изменится все, — кивнул Мак и продолжил: — Та, которую звали Воздух, полюбила купца, вышла за него замуж, и он увез ее на материк. Она родила ему детей, ухаживала за его домом. Но муж так и не смог смириться с ее сущностью. Он бил ее и, в конце концов, убил.

— Думаю, Воздух сама осуждала себя за то, что была не такой, как ему хотелось. Она не сохранила верность самой себе и предпочла смерть.

«Нелл, кормилица, — подумал про себя Сэм, услышав ее голос. Кошка, которую он гладил, потянулась, словно в знак согласия. — Нелл — это Воздух».

— Она спасла своих детей, отправив их к сестрам. Но круг уменьшился. Ослабел. Ужас и боль настолько овладели той, которую звали Земля, — продолжил Мак, — что она сдалась злобе, гневу и желанию отомстить.

— Она ошиблась, — промолвила Рипли. — Я понимаю ее чувства и их причину, но она ошиблась. И заплатила за это. Использовав свою силу, чтобы убить человека, убившего ее сестру, она уничтожила себя и заплатила за это трижды. Потеряла любимого мужа, возможность снова увидеть детей и разбила остатки круга.

— Осталась одна. — Голос Майи был звонким, взгляд — ясным. — Только одна, способная его поддержать.

«Ум, гордость и страсть. Ничего удивительного,

что она воспламеняет меня, — подумал Сэм. — Майя — это Огонь».

— Отчаяние может сломить самого стойкого. — Нелл положила ладонь на руку Майи. — Но, даже оставшись в одиночестве, эта женщина с разбитым сердцем сумела соткать защитную сеть. Силой в триста лет.

— Она позаботилась о том, чтобы ее дети не остались без внимания. — Мак подумал о Лулу и хмуро посмотрел в чашку с кофе. — И это позволило со временем восстановить круг.

— И теперь вы боитесь, что, когда придет мое время, я не справлюсь со своей задачей. Нелл победила своих демонов, а Рипли — своих. — Майя делано-лениво гладила Малдера ступней. — Из нас троих я самая опытная и сильная.

— Согласен. Но...

Майя подняла бровь и посмотрела на Мака:

— Но?

— Я думаю, что тебе предстоит противостоять чему-то более... э-э... коварному. Нелл имела дело с Ивеном Ремингтоном. С человеком.

— Точнее, с куском дерьма, — бросила Рипли.

— Возможно. И все же он был человеком. Она должна была найти в себе смелость выступить против него, победить и овладеть своим даром. Я не говорю, что это было легко. Наоборот, все было довольно сложно.

— Человек с ножом, — заговорил Сэм впервые после перехода в гостиную, — социопат, психопат, или как там еще называется это зло... В лесу. При свете луны. Нет, это не было легко. Для того что сделала Нелл, требовались большая смелость, глубокая вера и огромная сила. Но она знала лицо этого зла.

— Вот именно. — Мак улыбнулся так, словно услышал от студента блестящий ответ. — В случае Рипли...

— В случае Рипли, — перебила Рипли, — мне пришлось принять силу, которую я отвергла, и не нарушить границу, которую очень хотелось переступить.

— Эмоциональное смятение, — подтвердил Сэм. — Оно может действовать на силу так же, как на голос или поступки. Дар не защищает нас от ошибок и неправильных действий. Это смятение использовали против тебя и против Нелл как мощное оружие. С...

Он осекся и посмотрел на Мака.

— Ничего, продолжай, — махнул рукой тот. — Всегда полезно выслушать другую точку зрения.

— Ладно. Сила, вырвавшаяся наружу несколько веков назад, использовала в качестве канала Ремингтона и репортера, который прошел по извилистому маршруту Нелл до самых Трех Сестер.

— Ты все знал, — негромко сказала Майя.

— Да, знал. Использовать силу против силы и не переступить при этом грань непросто. Это требует убежденности, сострадания и умения владеть собой. И все же Рипли, как и Нелл, противостоял человек. Что бы ни было у него внутри, это был человек из плоти и крови.

— Похоже, мы с Сэмом придерживаемся одной и той же гипотезы.

— Тогда почему вы ее только придерживаетесь, но ничего не делаете? — спросила Рипли.

— Хорошо, — сказал Мак, увидев разрешающий жест Сэма. — То, что сегодня набросилось на Майю, было не живым существом из плоти и крови, а миражом. Это заставило меня кое-что вспомнить. Может быть... это только мое предположение... может быть, теперь, когда круг восстановлен и оно дважды потерпело поражение, его сила уменьшилась. Поскольку оно больше не может овладеть, то пытается обмануть.

— Или накапливает силу. Ждет подходящего времени и места.

— Да, — кивнул Мак Сэму. — Ждет благоприятных обстоятельств. Прошло три века. У каждой из сторон мало времени. Оно продолжает пытаться ослабить круг, и в особенности тебя, Майя. Подкопаться под фундамент твоей силы. Оно будет использовать твои страхи, сомнения и слабости, просачивающиеся сквозь щели в обороне. Твое слабое место — это он. — Мак кивком показал на Сэма. — Оно попытается воздействовать на тебя так же, как воздействовало на нее триста лет назад, воспользовавшись ее одиночеством и отчаянием от мысли жить без тех, кого она любила и в ком больше всего нуждалась.

— Все это я знаю, — раздраженно сказала Майя. — Но я не одинока и ничего не потеряла. Мой круг цел.

— Да, но... Я не верю, что круг можно считать полностью завершенным, пока ты не сделаешь свой шаг. — Мак понимал, что вступает на зыбкую почву, но все же решился. — Это брешь в твоей броне, и удар будет нанесен именно туда. Оно попыталось сломить Нелл и потерпело неудачу. Попыталось искусить Рипли и тоже проиграло. С тобой...

— Ему нужно заставить меня покончить с собой, — спокойно закончила Майя. — Да, я это знаю. И всегда знала.

На прощание Нелл крепко обняла ее.

— Не волнуйся, сестренка. — Майя прижалась щекой к ее волосам. — Я знаю, как защитить себя.

— Я знаю, что ты знаешь, — Нелл грустно улыбнулась. — И все же мне хочется, чтобы ты пожила у кого-нибудь из нас, пока все это не закончится.

— Мне нужны мои скалы. Все будет хорошо. Обещаю. — Она снова обняла Нелл. — Будь благословенна.

Майя задержалась дольше других, надеясь избежать продолжения беседы с Сэмом. Но, выйдя наружу, увидела его, оперщегося на капот ее машины.

— Я пришел пешком. Не подбросишь?

— Вечер самый подходящий для небольшой прогулки.

— Подбрось меня, Майя. — Когда она попыталась пройти мимо, Логан поймал ее за запястье. — Я хочу поговорить с тобой. Хотя бы минутку. Наедине.

— Похоже, я у тебя в долгу.

— Ты о чем?

Майя обошла машину и села за руль. Когда двигатель завелся, она сказала:

— За то, что сегодня утром ты очистил прибрежное шоссе. — Она нажала на педаль газа. — Рипли сказала, что столкнулась с тобой. Спасибо.

— Пожалуйста.

— Впрочем, это было не так уж опасно... Ладно, о чем ты хотел со мной поговорить?

— Я думал о вас с Маком. Тут что-то есть.

— Да ну? — Она сделала вид, что не понимает, о чем идет речь. — Думаешь, я пытаюсь закрутить бешеный роман с мужем моей сестры?

— Если бы ты этого захотела, он бы не устоял.

Майя засмеялась.

— Приятно слышать. Даже если это неправда. Он милый и по уши влюблен в свою жену. Но ты прав, между нами действительно что-то есть. Ты всегда умел почувствовать атмосферу и эмоции.

— И что это?

— Мы — двоюродные брат и сестра.

— Двоюродные?

— Так получилось, что внучка первой сестры вышла замуж за Макаллистера. Мать Мака родом из этой семьи.

— Вот оно что... — Сэм тщетно попытался выпрямить ноги. — Стало быть, кровный родственник. Это многое объясняет. Я почувствовал связь с ним с первого взгляда, но не понял почему. Так же, как почувствовал связь с Нелл, хотя она хотела бросить меня в темницу и оставить гнить там на долгие годы. Мне нравятся твои друзья.

— Что ж, это большое облегчение.

— Не ершись, Майя. Я говорю серьезно.

Понимая, что он говорит искренне, она вздохнула.

— Я устала. Усталость всегда делает меня несговорчивой.

— Они волнуются за тебя. Думают, как ты справишься.

— Знаю. Мне очень жаль.

— А я не волнуюсь. — Он продолжил тогда, когда Майя затормозила перед коттеджем: — Я не знал ни ведьмы, ни человека, который бы любил жизнь больше, чем ты. Ты не сдашься.

— Не сдамся. И все же я дорого заплатила бы за уверенность в себе. Особенно после долгого и трудного дня. Спокойной ночи, Сэм.

— Зайди.

— Нет.

— Зайди, Майя. — Он провел рукой по ее волосам и обхватил затылок. — И останься со мной.

— Я бы с удовольствием осталась с кем-нибудь сегодня ночью, чтобы меня успокоили и утешили. Приласкали и полюбили. Но не останусь.

— Почему?

— Потому что это не принесет мне счастья. Спокойной ночи, Сэм.

Оба знали, что Сэм мог бы продолжать настаивать. Но срок действия заклинания подходил к концу, и он видел на лице Майи усталость.

— Спокойной ночи.

Логан вылез, посмотрел вслед машине и мысленно следил за Майей до тех пор, пока не убедился, что она благополучно добралась до дома на скалах.

8

«Самое главное — это правильная стратегия, — думал Сэм. — Она нужна в бизнесе. В любви. А иногда даже для того, чтобы просто прожить день». Он проверил, как продвигается перестройка гостиницы, и обрадовался, убедившись, что все идет по расписанию.

Он кое-что смыслил в строительстве и проектировании. Несколько лет назад Сэм подумывал порвать с «Логан Энтерпрайсиз» и построить собственный отель. Прослушав в колледже несколько дополнительных курсов архитектуры и проектирования, он целое лето проработал в строительной бригаде.

Это вооружило его знаниями, научило основам профессии и привило уважение к физическому труду.

Но его планы не осуществились, потому что каждый проект, который он себе представлял, превращался в зеркальное отображение «Мэджик-Инн».

Зачем повторять то, что уже существует?

Как только Сэм понял, что хочет стать хозяином этой гостиницы, остальное стало делом терпения и тщательно продуманной стратегии. Было важно не дать отцу догадаться, что «Мэджик-Инн» — единственное семейное достояние, которым он дорожит.

Гостиница в любом случае досталась бы ему по наследству, но, если бы Таддеус Логан пронюхал, что «Мэджик-Инн» стал для его сына чем-то вроде Святого Грааля, он счел бы себя обязанным сделать гостиницу недосягаемой, чтобы сильнее привязать сына к другим областям семейной империи.

При жизни отца эта сладкая морковка болталась бы на конце очень длинной и суковатой палки. Сэм знал отцовские повадки. Таддеус ничего не отдавал просто так. Такая философия давала хорошие результаты, но не вызывала теплых чувств к тому, кто ее придерживался.

Однако Сэм не собирался сидеть, как стервятник на дереве, и ждать смерти отца, чтобы потом получить то, что ему нужно.

Он таил это желание целых шесть лет. Работал, учился и при первой возможности внедрял некоторые из своих идей, создавая новые выгодные направления деятельности «Логан Энтерпрайсиз».

Кончилось тем, что он отвлек отца, воспользовался его невнимательностью, дождался подходящего момента и заплатил нужную сумму.

Все Логаны испокон веку свято верили в то, что ничто никогда не достается даром. «Кроме их собственных доверительных фондов», — думал Сэм. Поэтому он заплатил за отцовский пай в гостинице по рыночной цене.

Когда речь шла о том, что ему по-настоящему хотелось, он не скупился на расходы.

То же касалось и ситуации с Майей.

Он собирался быть терпеливым — в разумных пределах. И, конечно, настойчивым. Но отдавал себе отчет в том, что правильную стратегию ему еще только предстоит выработать.

Прямая атака «милая, я вернулся!» не удалась.

Только полный болван мог думать, что все сойдет ему с рук. Способ «давай поцелуемся и помиримся» тоже не оправдал себя. Она не обдавала его холодом при каждой возможности, но и не смягчалась.

Он хотел, чтобы Майя была в безопасности. Чтобы острову ничто не грозило. И хотел вернуть ее.

Мысль о том, что он не сможет добиться хотя бы одной из этих целей, выводила Сэма из себя. Но факт заключался в том, что именно им выпало на долю снять с острова трехсотлетнее проклятие. И отмахнуться от этого было нельзя.

На вчерашней встрече у Тоддов Мак не упомянул о своей теории. Но Сэм догадывался, что он говорил об этом с Майей наедине. В конце концов, она могла отвергнуть его. Возможно, в этом и заключался правильный ответ.

Но отступать без борьбы было не в его характере.

«Мне нужна правильная стратегия», — думал он, обводя взглядом пустую гостиную люкса, стены которой были заново обтянуты светло-зеленым муаром, а двери и рамы отшлифованы до дубовой поверхности с потемневшей позолотой.

С этой мыслью он миновал спальню и подошел к проему второй спальни, которой пришлось пожертвовать ради расширения ванной и кабинета хозяина. Оборудование еще только предстояло установить: он сам выбрал дорогую ванну-джакузи, душевую кабинку с волнистым стеклом и резную мебель.

Сэм использовал теплые цвета, полированный гранит и латунь. Роскошную косметику в старомодных аптечных флаконах.

Смесь традиций, удобства и эффективности.

«Именно это и любит Майя, — думал он. — Бизнес, твердую прибыль и комфорт по высшему разряду».

Логан улыбнулся и достал из кармана сотовый телефон. А потом тут же убрал его. Личный звонок — неподходящий способ вести деловую беседу.

Он пошел в свой кабинет и попросил секретаршу соединить его с мисс Девлин.

Он сбил ее с толку. Мальчик, которого она знала вдоль и поперек, превратился во взрослого мужчину, представлявшего собой настоящую головоломку. «Деловой обед? — думала Майя, положив трубку. — На ее условиях?» Она хмуро смотрела на трубку, в которой слышались короткие гудки. Он говорил так, словно речь шла о серьезном деле. Очень холодно, очень профессионально.

Деловая встреча. Обед в его гостинице. Он хочет сделать предложение, которое, как он надеется, будет выгодным для них обоих.

Что этот человек держит в рукаве?

Острое любопытство заставило Майю принять приглашение. Правда, она была достаточно осторожна и не согласилась встречаться с ним в тот же вечер. Но любезно пообещала пересмотреть свое расписание и прийти в гостиницу завтра.

Заглянуть в будущее и выяснить, что ее ждет, — это не грех. Майя взяла с полки хрустальный шар и положила его в центр письменного стола.

Потом обхватила шар ладонями, сосредоточилась и собрала силу. Хрусталь начал разогреваться. Внутри его поплыл туман, а затем загорелся свет, казалось, пришедший откуда-то издалека.

В тумане возникали разные картины.

Сначала она увидела себя в пещере. Совсем молоденькой, лежащей обнаженной в объятиях Сэма.

— Не вчера, — пробормотала она. — Завтра. Четко покажи мне будущее, чтобы я была к нему готова.

Ее сад в летнем цвету, освещенный ярко-белой луной. Воздух ее кабинета наполнился ванильным запахом гелиотропов и пряным ароматом гвоздики. На ней было что-то белое и струящееся, в тон луне.

Он стоял с ней в этом океане цветов и держал ее за руку. На его ладони лежала звезда, пульсировавшая как сердце.

Он улыбнулся, подбросил звезду вверх, и та взорвалась над их головами, обдав обоих дождем цветных искр. На мгновение Майя почувствовала ту же радость, которую ощущала женщина в шаре.

Эта радость расцветала в ее сердце, как песня.

Через мгновение она оказалась на скалах одна. Бушевал шторм, вокруг сверкали молнии, напоминавшие огненные стрелы. Остров окутался зловонным туманом. Холод добрался до ее уютного кабинета и пробрал до костей.

Из темноты выпрыгнул черный волк. Его челюсти сжались на ее горле, и они оба полетели в море.

— Хватит. — Майя резко провела ладонью над шаром, и тот превратился в обычный стеклянный мячик.

Она положила его на место и села в кресло. Ее руки не дрожали, дыхание было ровным. Она всегда знала, что, заглянув в будущее, может увидеть собственную смерть. Или, хуже того, смерть любимого человека.

Такой ценой приходилось платить за свой дар. Ремесло не требовало крови, но временами до боли сжимало сердце.

Так чем же это обернется? Любовью или смертью? Или тем, что, приняв первое, она примет и второе?

«Увидим. Я многому научилась за свои тридцать лет», — подумала Майя, вернувшись к своему компьютеру и повседневной работе. Одно она знала наверняка. Нужно любить, защищать то, что любишь, принимать все радости и печали. И, в конце концов, принять свою судьбу.

— Кажется, ты говорила, что это не будет свиданием.

Майя проверила замочек сережки.

— Это не свидание, а деловой обед.

Лулу фыркнула. Причем громко.

— Если ты шла на деловой обед, то зачем надела это платье?

Майя поправила вторую сережку.

— Затем, что оно мне нравится.

Она знала, что не следовало переодеваться на работе. Но это экономило время и силы. Кроме того, в маленьком черном платье не было ничего плохого.

— Женщина надевает такое платье, когда хочет заставить мужчину подумать о том, что находится под тканью.

Майя слегка покраснела.

— Ты так думаешь?

— Конечно. Я еще могу отшлепать тебя, если решу, что это необходимо.

— Лу, мне уже не десять лет.

— Если хочешь знать мое мнение, тогда ты была намного умнее.

Вздох великомученицы тут не годился. Указывать, что в советах она не нуждается, означало подливать масла в огонь. И поскольку не обращать внимания на сердитую женщину, вошедшую за ней в ванную, было невозможно, Майя выбрала третий способ.

Она повернулась.

— Я сделала уроки и убрала свою комнату. Можно мне пойти поиграть?

Лулу чуть не улыбнулась, но тут же сжала губы в ниточку.

— Мне никогда не приходилось отчитывать тебя за неубранную комнату. Меня больше волновало то, что ты чересчур аккуратна для нормального ребенка.

— За это тебе тоже не придется меня отчитывать. Я прекрасно знаю, как обращаться с Сэмом Логаном.

— Думаешь, запихивать себя в платье, которое обнажает половину груди, означает умение обращаться?

Майя опустила глаза. По ее мнению, платье подчеркивало грудь очень элегантно. Так же, как и ее ноги, обнаженные до середины бедра.

— Да, конечно.

— А нижнее белье ты надела?

— Ох, ради бога! — Майя сорвала с вешалки жакет.

— Я задала тебе вопрос.

Майя собрала остатки терпения и надела жакет, заканчивавшийся на дюйм выше подола и превращавший сексуальное маленькое платье в сексуальный маленький костюм.

— Странный вопрос от бывшего «ребенка-цветка». Думаю, с 1963-го по 1972-й у тебя вообще не было никакого нижнего белья.

— Было. Для особых случаев у меня имелись очень симпатичные «вареные» трусики.

Обезоруженная Майя опустилась на табуретку и рассмеялась.

— Ох, Лу, в моем болезненном мозгу возник чудовищный образ! Это какой же особый случай нужен для того, чтобы надеть «вареные» трусики?

— Не заговаривай мне зубы. Ответь на вопрос.

— Ну, ничего столь нарядного у меня нет, но белье есть, причем самое модное. Так что если со мной произойдет несчастный случай, краснеть не придется.

— Меня волнует не несчастный случай, а цель этой встречи.

Майя выпрямилась и взяла недовольное лицо Лулу в ладони. Оказывается, никакого терпения ей не требовалось. Нужно было просто вспомнить любовь.

— Тебе вообще не о чем волноваться. Обещаю вести себя хорошо.

— Волноваться — это моя работа, — пробормотала Лулу.

— Тогда сделай перерыв. Я собираюсь вкусно пообедать, выяснить, что там придумал Сэм, а заодно получить удовольствие, сведя его с ума.

— Ты все еще неравнодушна к нему.

— Я никогда не была неравнодушной к нему. Я его любила.

У Лулу опустились плечи.

— Ох, милая... — Она подняла руку и пригладила Майе волосы. — Лучше бы он сгинул в своем проклятом Нью-Йорке.

— Но он не сгинул. Не знаю, то ли это остатки прежнего чувства, то ли новое, изменившееся за прошедшие годы. Неужели я не должна это выяснить?

— Ты по-другому не сможешь. Но мне хотелось бы, чтобы ты сначала дала ему пинка под зад.

Майя повернулась к зеркалу и надела цепочку из кованого золота, от которой в ложбинку между грудями спускалась узкая полоска жемчуга.

— Если Сэма не пнет под зад это платье — значит, его не проймет ничто.

Лулу поджала губы и покачала головой.

— Не так уж глупо.

— Я долго этому училась. — Майя накрасила губы кроваво-красной помадой, взбила гриву рыжих волос и повернулась. — Как я выгляжу?

— Как пожирательница мужчин.

— Значит, в самый раз.

Майя решила, что время она тоже выбрала в самый раз. Она вошла в вестибюль «Мэджик-Инн» ровно в семь. Молодой портье вытаращил на нее глаза и выронил пачку бумаг, которую держал в руке. Довольная

Майя одарила его улыбкой убийцы и прошла в «Колдовство», главную столовую гостиницы.

Обведя взглядом зал, она увидела в нем некоторые перемены и сильно удивилась. При мысли о том, что Сэм даром времени не терял, ее охватило неприятное чувство зависти.

На смену обычным бежевым скатертям пришли полночно-синие; стоявшая на них контрастно-белая посуда казалась яркой, как луна. Старые прозрачные вазы убрали; латунные и медные горшки с белыми лилиями слепили глаза и услаждали обоняние. У хрусталя был внушительный, почти средневековый вид.

На каждом столе стоял маленький медный котелок с зажженными внутри свечами, свет которых лился сквозь прорези в форме звезд и полумесяцев.

В первый раз на ее памяти зал оправдывал свое название, причем оправдывал с блеском.

Очарованная Майя сделала шаг по направлению к центру гостиной и тут же ощутила сильный и неприятный толчок.

На стене были в полный рост изображены три женщины. Три сестры на фоне леса и ночного неба смотрели на нее сверху вниз из старинной позолоченной рамы. Они были одеты в белое; казалось, складки их платьев и локоны шевелил невидимый ветер.

Она увидела голубые глаза Нелл, зеленые глаза Рипли. И свое собственное лицо.

— Нравится? — спросил остановившийся за ее спиной Сэм.

Майя проглотила комок в горле, чтобы голос звучал ровно.

— Великолепно.

— Я заказал ее почти год назад. А привезли только сегодня.

— Прекрасная работа. Модели...

— Не было никаких моделей. Все создано по моим описаниям. Точнее, по моим снам.

— Понятно. — Она повернулась лицом к нему. — Художник — или художница — очень талантлив.

— Художница. Она викканка, живет в Сохо[1]. В последнее время привлекла к себе всеобщее внимание... — Он перевел взгляд с картины на Майю и осекся. Все его мысли разлетелись вдребезги, осталось одно голое желание. — Потрясающе выглядишь.

— Спасибо. Мне очень нравится то, что ты сделал с этим старым рестораном.

— Это только начало. — Сэм хотел взять ее за руку, но вовремя понял, что ладони у него влажные. — Я заказал новые светильники. Латунные, в виде фонариков. И хочу... Слушай, давай сядем, пока я не надоел тебе своими планами.

— Напротив, мне очень интересно. — Но все же Майя позволила провести себя в угловой кабинет, где на столике уже охлаждалась бутылка шампанского.

Она села и легким, но хорошо рассчитанным движением сняла жакет. Глаза Сэма затуманились, но, надо отдать ему должное, он не сводил взгляда с ее лица.

— Здесь тепло, — сказала она, кивнула официанту, и тот начал разливать шампанское. — За что пьем?

Сэм сел и поднял бокал.

— Сначала один вопрос. Ты хотела убить меня?

— Нет. Только дать пинка под зад. По выражению Лулу.

— И это тебе удалось. Еще ни от одной женщины у меня не потели руки. Только от тебя. Нужно подождать, пока кровь снова прильет к голове. — Майя за-

---

[1] Сохо — район Нью-Йорка (недалеко от Бродвея), средоточие множества художественных галерей, притягивающих туристов.

смеялась, и Сэм чокнулся с ней. — За взаимовыгодный бизнес.

— А он у нас есть?

— Об этом и речь. Но сначала обед. Я сделал заказ заранее. Думаю, я помню твои вкусы. Если не понравится, я дам тебе меню.

«Тонко, — подумала Майя. — Очень тонко. Он научился сглаживать все острые углы. Когда это ему нужно».

— Ничего не имею против сюрпризов. — Она откинулась на спинку стула и обвела взглядом зал. — У тебя хорошо идут дела.

— Да. Но я хочу, чтобы они шли еще лучше. Перестройку первого этажа должны закончить через две недели. Новый президентский люкс просто сногсшибателен.

— Я слышала об этом. У нас один подрядчик.

— Я тоже кое-что слышал. Когда ты собираешься взяться за свое расширение?

— Скоро. — Майя посмотрела на закуски, которые ставили на стол молчаливые официанты, и попробовала кусочек ракового паштета. — Я надеюсь свести неудобства моих потребителей к минимуму. Однако думаю, что во время работы часть тех, кто приходит ко мне на ленч, перекочует к тебе. — Она сделала паузу. — Временно.

— Улучшение твоего бизнеса пойдет моему только на пользу. И наоборот.

— Могу согласиться.

— Почему бы этим не воспользоваться? Я хочу создать в люксах библиотечки из путеводителей по острову и его окрестностям, последних бестселлеров и тому подобного. А на открытках и закладках можно разместить рекламу твоего магазина.

— И?.. — Она ждала продолжения.

— К тебе приходит множество туристов, приезжающих на один день. Попробуем использовать их интерес к острову в своих целях. Допустим, они покупают книгу, заранее выбранную тобой. Например, об истории острова или о чем-то в этом роде. Приобретение этой книги дает им возможность выиграть бесплатный уик-энд в гостинице. Они заполняют анкету со своей фамилией и адресом, во время сезона мы раз в неделю устраиваем розыгрыш, и кому-то везет.

— Неплохая идея.

Он долил вина в бокалы.

— Я знал, что ты меня поймешь. Ты продаешь книги, я привлекаю в гостиницу новых туристов, и мы оба пополняем базу своих потенциальных клиентов. Отпуска, — продолжил он, выбрав канапе с нежным паштетом из крабов, — гостиницы, пляжное чтение. А есть еще и деловые поездки. Здесь то же самое. Я обеспечиваю им набор услуг, который предусматривает дисконтную карту в кафе «Бук», расположенное напротив.

— А у меня они заполняют анкету, которая автоматически приводит их к тебе на уик-энд.

— В самое яблочко.

Пока на стол ставили салаты из свежих овощей, она обдумывала заманчивое предложение Сэма.

— Каждому из нас это почти ничего не будет стоить. Немного дополнительной канцелярии. Все очень просто. Для этого не требовалось устраивать деловой обед.

— Есть еще кое-что. Я заметил, что ты почти не устраиваешь встречи с писателями.

— Пару раз в год, и в основном с авторами книг, посвященных нашей местности. — Она пожала плечами. — Остров и кафе «Бук» расположены вдали от обычных книжных маршрутов и стандартных раздач автографов. Издатели не посылают авторов на острова, удаленные от побережья Новой Англии.

— Мы можем это изменить.

Он все же сумел вызвать ее интерес. Майя взяла намазанный им кусок хлеба, не сознавая, что все это время Сэм кормит ее.

— Каким образом?

— Я завел в Нью-Йорке кое-какие связи. Конечно, еще придется нажать на нужные рычаги, но я пытаюсь убедить нескольких важных шишек, что включение Трех Сестер в рекламное турне раскрученного автора стоит времени и денег. С учетом того, что «Мэджик-Инн» предложит им большую скидку и первоклассные условия. Плюс дополнительное удобство — хороший независимый книжный магазин, расположенный напротив. Все, что от тебя требуется, это описать, как в кафе «Бук» встретят автора, сколько народу придет на эту встречу и сколько будет продано книг. Достаточно будет провести такое мероприятие всего один раз, чтобы на паром устремилась целая толпа.

Идея Майе понравилась, но все это нужно было как следует обдумать.

— Если ты несколько раз в год будешь сдавать номера по корпоративным ценам, вряд ли это принесет тебе большую прибыль.

— Может быть, я пытаюсь помочь соседке. Если можно так выразиться.

— Тогда ты должен знать, что твоя соседка не так легковерна и не так наивна.

— Нет. Просто она — самая красивая женщина, которую мне доводилось видеть.

— Спасибо. А что это даст гостинице?

— Дополнительное очарование. — Он наклонился ближе. — Во-первых, есть куча издателей, куча авторов и куча книг, которые нужно рекламировать. Во-вторых, издатели проводят совещания по улучшению продаж своих новинок. Если я смогу после успешной встречи с писателем привлечь внимание хотя бы одного издателя, то остров попадет под их пристальное внимание. А потом дело пойдет само собой. — Он поднял бокал с минеральной водой. — И у тебя тоже. Конечно, если ты сумеешь как следует провести встречу с автором.

— Я умею устраивать такие встречи. — Майя ела, не замечая вкуса еды, потому что ее мозг был занят обдумыванием деталей. — Если ты сумеешь добиться приглашения какого-нибудь автора в июле, августе или даже в сентябре, аудиторию я гарантирую. Дай мне любовный роман, мистику или триллер, и мы продадим сотню экземпляров в первый же день и еще половину этого количества в ближайшую неделю.

— Пиши предложение.

— Ты получишь его завтра. В конце рабочего дня.

— Отлично. — Он взялся за салат. — Как ты относишься к Джону Гришему?

Этот разговор начинал доставлять ей удовольствие. Майя снова подняла бокал.

— Не морочь мне голову, умник. Гришем не ездит по стране, и его книги выходят в свет в феврале, а не летом. Даже тебе такое не под силу.

— О'кей, я спросил только для примера. А как насчет Кэролайн Трамп?

Майя задумалась.

— Она молодец. Я читала ее первые три книги. Отличные романтические триллеры. Издатель создал ей хорошую рекламу, и летом ее выпустят в твердой обложке. Точнее, в июле. — Она задумчиво посмотрела на Сэма. — Ты сможешь достать мне Кэролайн Трамп?

— Пиши предложение.

Она откинулась на спинку стула.

— Я ошиблась. Думала, что ты использовал бизнес только как предлог, чтобы заманить меня сюда и попытаться обольстить. Что за этим не стоит ничего дельного.

— Если бы у меня не было ничего дельного, я действительно придумал бы предлог, чтобы заманить тебя сюда. — Сэм провел пальцами по ее руке. — Хотя бы только для того, чтобы час полюбоваться тобой.

— А еще я думала, — продолжила она, — что во время беседы ты напомнишь мне, что наверху есть много пустующих номеров и мы можем воспользоваться одним из них.

— Я думал об этом. — Сэм вспомнил слова, сказанные Майей в машине, когда они стояли у желтого коттеджа. — Но это не принесло бы тебе счастья.

На мгновение у нее перехватило дыхание.

— Сэм, если бы я знала, что ты говоришь искренне...

— Майя...

— Но я не знаю, что происходит между нами. Не вижу этого, хотя и пытаюсь. Почему мы, два неглупых человека, морочим себе голову, пытаясь поверить, что все будет хорошо, хотя прекрасно знаем, чем это кончится?

— Я этого не знаю. Я тоже не вижу. — Сэм вздохнул. — В отличие от тебя я никогда не был силен в предсказаниях.

Она посмотрела на картину, изображавшую трех сестер.

— В камне запечатлено только прошлое. Я твердо знаю только одно: они не были обречены. Здесь мой дом. Все, что мне дорого, находится на этом острове. Сейчас я представляю собой нечто большее, чем в то время, когда ты уехал, но нечто меньшее, чем буду представлять собой в момент своей смерти. Это я знаю наверняка.

— По-твоему, если ты будешь со мной, это сможет чему-то помешать?

— Если бы я так думала, то сейчас не сидела бы здесь. — Когда подали фирменное блюдо, на ее лице появилась озорная улыбка. — Я собиралась переспать с тобой.

— О боже! — Сэм едва не выронил бокал. — С ума сойти...

Ее смех был негромким и возбуждающим.

— Да уж, решиться на такое могла только чокнутая. Но раз зашел такой разговор, скажу тебе честно. Я хочу сначала помучить тебя.

— Не надо, — с чувством сказал он и потянулся за бокалом минеральной. — Давай вернемся к бизнесу, пока я не заплакал и не лишился уважения своих служащих.

— Ладно. Расскажи мне о других своих планах.

— Я хочу, чтобы гостиница работала, — Сэм с трудом мог сосредоточиться и вернуться к разговору о делах. — Хочу, чтобы люди приезжали сюда учиться. Пару лет назад я провел несколько месяцев в Европе. Изъездил весь континент, изучая работу небольших отелей. Конечно, главное — это обслуживание, но все дело в деталях. Цветное меню, рисунок на простынях... Можешь ли ты позвонить по телефону, не слезая с кровати? Можешь ли получить паршивый сандвич в два часа ночи в номер или вывести пятно с галстука перед встречей, назначенной на вторую половину дня?

— Мягкость полотенец, — подхватила Майя. — Жесткость матрасов.

— И так далее. Наличие факсов в номере и доступ к Интернету для бизнесмена. Бесплатное шампанское и розы для молодоженов. Штат, который все понимает с полуслова и приветствует гостей, называя их по имени. Свежие цветы, свежее постельное белье, свежие фрукты. Я собираюсь нанять дежурного по этажу для обслуживания роскошных люксов.

— Что ж, неплохо.

— И каждый постоялец будет получать подарок. От тарелки с фруктами и газированной воды до шампанского с икрой, в зависимости от стоимости номера. Мы отремонтируем каждый номер, и каждый из них будет неповторимым. Я присвою им имена, и приезжие будут останавливаться в Розовой комнате, люксе «Троица» и так далее.

— Очень мило, — сказала Майя. — Даже трогательно.

— Вот именно. Мы уже завели банк данных и будем пользоваться им при повторном приеме постояльцев. Это позволит поселять их в комнаты, которые им однажды понравились. Чтобы завлечь их к себе еще раз, мы создадим гостям дополнительные удобства, составим список их предпочтений. А еще оздоровительный клуб... — Он осекся. — Что?

— Ничего. — Но она не смогла скрыть улыбку. — Продолжай.

— Нет. — Он негромко рассмеялся. — Кажется, я увлекся.

— Ты знаешь, чего хочешь и как этого добиться. Это самое главное.

— Мне понадобилась для этого куча времени. А ты все знала с самого начала.

— Может быть. Но желания и намерения со временем меняются.

— Иногда возвращаясь к исходной точке.

Он положил ладонь на ее руки, но Майя аккуратно освободилась.

— А иногда просто меняясь.

Проводив Майю, Сэм вернулся к работе, но так и не смог сосредоточиться. Он поехал домой, однако и там не нашел покоя.

Ее близость была наслаждением и пыткой одновременно. Приятнее всего было следить за выражением лица Майи, когда интерес мешал ей дичиться.

Желание действовало на него как наркотик, медленно всасывающийся в кровь.

В конце концов, Логан переоделся, пошел в рощу и без труда отыскал то место, где чувствовалась магия Майи, смешавшаяся с магией Нелл и Рипли.

Сэм собрался и шагнул в центр круга, где их сила, соединившаяся с его собственной, омыла его как вода.

— Я добавляю свое к вашему. Общая сила укрепляет связь. — Вспыхнул свет, яркий, как солнце, и медленно залил весь круг. — Чтобы завоевать твое сердце, я пойду в огонь и приму все, что мне сулит рок. Клянусь землей и воздухом, огнем и водой, я встану рядом с дочерью сестер. Я жду, чтобы она пришла ко мне, чтобы мы могли вместе встретить свою судьбу.

Он сделал глубокий вдох и раскинул руки в стороны.

— Сегодня, когда светит луна, она будет спать спокойно. Я вызываю сюда тьму, рождающую боль и губящую надежды. Я заодно с тремя сестрами. Наберись мужества и покажись мне.

Земля дрогнула, засвистел ветер. Но огонь, образовавший круг, продолжал тянуться к ночному небу.

За пределами круга загустился туман и превратился в волка с пентаграммой на морде.

«Что ж, — подумал Сэм, — попробуем понять друг друга».

— Стоя в круге, я даю клятву тому, кто хочет лишить ее жизни. Сила, которая живет во мне, освободит ее от тебя. Я превращу тебя в пыль, чего бы это мне ни стоило.

Логан следил за тем, как волк с рычанием медленно обходит круг.

— Думаешь, я боюсь тебя? Ты всего лишь смрадный дым.

Сэм взмахнул рукой, и пламя стало ниже. Бросая волку вызов, он вышел за пределы круга.

— Сила к силе, — пробормотал он, ощутив зловоние.

Волк присел, превратился в груду мышц и прыгнул, целясь ему в горло. Тяжесть его тела была ошеломляющей. Так же, как острая боль в плече, куда угодили его когти.

С помощью физической силы и магии Сэм отшвырнул волка в сторону, а потом вынул из-за пояса ритуальный нож.

— Давай покончим с этим делом, — стиснув зубы, пробормотал он.

Когда волк прыгнул снова, Логан пригнулся, прыгнул и вонзил нож ему в бок.

Раздался звук, похожий скорее на крик, чем на вой. На землю закапала черная кровь, шипевшая, как горячее масло. А затем волк и туман исчезли.

Сэм изучил свежий шрам на земле и потемневший кончик ножа. А потом рассеянно провел рукой по своему раненому плечу и разорванной рубашке.

Кровь пролили оба. Но вскрикнул и убежал только один из них.

— Первый раунд за мной, — пробормотал он, готовясь очистить землю.

9

К десяти часам утра Майя дописывала последние строки предложения о встрече с автором. Сексуальное разочарование предыдущего вечера она поборола, с головой погрузившись в новый проект и проработав над ним до полуночи.

Потом она посыпала черновой вариант имбирем и ноготками, приносящими успех в бизнесе, и сунула под подушку розмарин, чтобы спокойно уснуть, не страдая от неудовлетворенного желания.

Она всегда умела переключать свою энергию, направляя ее на решение задачи, которая требовала внимания именно сейчас. Долгий период скорби по Сэму не прошел даром: она выработала силу воли, которая помогала ей добиваться успехов в учебе, бизнесе и жизни.

Эта сила воли годами позволяла ей заниматься практическими делами и делами для собственного удовольствия одновременно; главным при этом была уверенность, что защитная сеть, сплетенная ею вокруг дома, не может быть нарушена.

Но сила воли не могла избавить ее от снов о Сэме. О том, как близки они были в прошлом. И как близки могли бы стать снова. Физическая тоска заставляла ее ворочаться с боку на бок и сбивать простыни.

Ей снился клейменый волк, бродящий в роще. Воющий в своем логове среди скал. А однажды она услышала крик, полный боли и гнева. И во сне, как ребенок, произнесла имя Сэма.

Но все же ночь кончилась, и Майя проснулась на рассвете, предвещавшем погожий солнечный день.

Пока небо расцвечивали красные и золотые краски восхода, она ухаживала за цветами и благодарила стихии, подарившие ей прекрасный сад и силу.

Потом Майя заварила мятный чай, привлекавший удачу, и выпила его, стоя на скалах и глядя на бьющееся внизу море.

Здесь она сильнее всего чувствовала максимальную близость к предкам, железный стержень силы и горечь одиночества.

Иногда в ранней молодости она стояла там, глядя на море и надеясь увидеть в волнах гладкую голову морского котика. Тогда она верила в счастливые концы и придумывала сказку о том, что возлюбленный Огня вернулся к ней, после чего они любили друг друга до самой смерти.

Теперь эта вера ушла, а жаль. Но зато теперь пришло знание о том, что бывают невосполнимые потери, которые превращают тебя в пыль, а жизнь все равно продолжается. Ты создаешь себя заново, склеиваешь куски и живешь. Если не счастливо, то вполне терпимо.

Именно на этих скалах она дала клятву защищать все, что ей дорого. Тогда ей было восемь лет, и она гордилась своим даром. С тех пор каждый год в дни летнего и зимнего солнцестояния она стояла на этих скалах и повторяла клятву.

Но сегодня утром Майя стояла на скалах и просто благодарила стихии за чудесный день. Потом она вернулась в дом, переоделась и поехала на работу.

Повороты прибрежного шоссе не пугали ее. Но она была начеку.

Сев за письменный стол, она перечитала свое предложение, отыскивая в нем ошибки и детали, которые могла пропустить. Стук в дверь заставил ее нахмуриться. Майя промолчала, но это не помешало Рипли бесцеремонно распахнуть дверь.

— Я занята. Зайди позже.

— Кое-что важное. — Ничуть не смущенная нелюбезным приемом, Рипли опустилась в кресло.

Раздосадованная Майя подняла взгляд и увидела в дверном проеме Нелл.

— Разве у тебя сегодня не выходной?

— Думаешь, я притащила ее сюда силой? — не дав Нелл открыть рта, спросила Рипли. — Ну, теперь до тебя дошло, что дело действительно серьезное?

— Ладно. — Майя отложила работу с искренним сожалением. — Входи и закрой дверь. У вас что, было видение?

Рипли состроила гримасу.

— Терпеть не могу заниматься такими вещами. Нет, эта хренотень тут ни при чем. Или почти ни при чем. Я слышала, как сегодня утром Мак говорил по телефону.

— Рипли, я не могу разбирать ваши домашние дела в рабочее время.

— Он говорил с Сэмом. Думаю, это заставит тебя навострить уши.

— В том, что они разговаривали по телефону, нет ничего странного. — Майя снова взяла предложение, начала перечитывать ключевые пункты, но сдалась и положила листок на место. — Ладно. О чем они говорили?

— Точно не знаю, но о чем-то важном. Мак очень заинтересовался. Даже ушел с аппаратом на веранду — якобы просто так. Но на самом деле он просто не хотел, чтобы я слышала их разговор.

— Откуда ты знаешь, что это был Сэм?

— Потому что Мак сказал: «Я буду у коттеджа через час».

— А почему ты не выяснила, в чем дело?

— Я пыталась, но Мак деликатно выпроводил меня на работу. С поцелуями, объятиями и подталкиванием в спину. Я ушла, решив, что во время патрулирования сама подъеду к коттеджу. Но сначала я заехала в полицейский участок. В этот момент Зак говорил по телефону. Когда я вошла, он остановился на полуслове, а потом поздоровался со мной, нарочно громко назвав по имени.

Это воспоминание заставило ее нахмуриться еще сильнее.

— Я поняла, что Зак говорил либо с Маком, либо с Сэмом. А потом он всучил мне дела, которые должны были продержать меня на участке часа два-три. Сказал, что ему нужно кое-что сделать. Я удостоверилась, что он ушел, а потом поехала к коттеджу. И как ты думаешь, что я там увидела?

— Мне надоела эта игра в угадайку, — сказала Майя. — Выкладывай поскорее.

— Патрульную машину и «Ровер» Мака! — победоносно объявила Рипли. — Я заехала за Нелл и помчалась к тебе, потому что они собрались там не для игры в покер или просмотра порнографического фильма.

— Хм... Они что-то замышляют у нас за спиной, — согласилась Майя. — Что-то слишком опасное, чтобы впутывать в него слабых женщин.

— Ну, если так, Зак об этом сильно пожалеет, — проворчала Нелл.

— Мы должны все выяснить. — Майя схватила со стола ключи от машины. — Я предупрежу Лулу и отправлюсь за вами следом.

Мак сидел на корточках и водил над землей портативным сканером.

— Всюду только положительная энергия, — бормотал он. — Вся отрицательная энергия вычищена. В следующий раз сначала позвони мне. Чтобы я мог взять образец.

— Для научных экспериментов было поздновато, — съязвил Сэм.

— Ученые часов не наблюдают. Ты смог бы набросать воплощение?

— Я не могу набросать даже палку. Это был тот же образ, который описала Майя. Черный волк, массивное тело, отметина в виде пентаграммы.

— Они правильно сделали, что зимой заклеймили его на берегу. — Мак снова опустился на корточки. — Это упростило определение личности и одновременно уменьшило его силу.

Сэм повел плечами.

— Тем не менее сегодня ночью я встретился отнюдь не с безобидным щенком.

— Он всосал чью-то энергию. Возможно, твою. Держу пари, ты сильно разозлился, верно?

— Этот гад пытался сбросить Майю с утеса. А ты что думаешь?

— Думаю, что эмоциональное смятение, о котором мы говорили недавно, является первым элементом уравнения. Если бы ты...

— А я думаю, — прервал его Зак, — что первым делом нужно осмотреть плечо Сэма. А потом отвлечься от теорий и найти этого ублюдка. Если он смог ранить Сэма, то сможет причинить вред кому-нибудь еще. Я не хочу, чтобы эта тварь свободно разгуливала по моему острову.

— Ты не сможешь выследить его и застрелить как бешеную собаку, — сказал ему Мак.

— Я должен хотя бы попытаться.

— Он не бросится на того, кто не имеет отношения к этой истории. — Сэм хмуро посмотрел на очищенную землю. Он всю ночь обдумывал случившееся. — Честно говоря, я сомневаюсь, что это ему по силам.

— Вот именно. — Мак выпрямился. — Эта тварь

питается силой и эмоциями тех из нас, кто имеет отношение к первоначальному кругу.

— С первоначальным кругом так или иначе связаны многие островитяне, — напомнил Зак.

— Да, но ему они ни к чему. Он нуждается не в них.

— Мак прав, — сказал Сэм Заку. — Сейчас он сконцентрирован только на одном. У него одна цель, и он не может тратить время и энергию на других. Его магия ограничена, но он умело ею пользуется. Раньше он питался эмоциями Рипли, а теперь питается моими. Но этого больше не случится.

— О да, ты у нас всегда был благоразумным, — проворчал Зак. — Ты сам захотел, чтобы он бросился на тебя.

— И это мне удалось, — кивнул Сэм. — Честно говоря, я ранил его не так уж тяжело. Он может прийти ко мне еще раз. Еще одна атака, и я смогу завлечь его в круг. И удержать там.

— Это не для тебя, — сказал Мак.

— Я не буду стоять в стороне, когда он только и ждет возможности вцепиться Майе в горло. Я чувствую, что он хочет именно этого. Сначала ему придется одолеть меня, а этого не случится. Она может делать любой выбор, который ей предстоит, а я тем временем вырву у этого гада сердце.

— Да уж, — спустя мгновение пробормотал Зак. — Воплощение благоразумия.

— Поцелуй меня в задницу.

— О'кей, о'кей. — Мак встал между ними и похлопал каждого по плечу. — Будем сохранять спокойствие.

— Как мило! — медовым голосом пропела Майя из-за их спин. — Мальчики играют в роще!

— Дерьмо, — буркнул Зак, увидев сердитый взгляд жены. — Попались.

Засунув большие пальцы за пояс и постукивая другими по карманам, Рипли шагнула вперед и остановилась перед Маком.

— По-моему, тут что-то затевается.

— Не приставайте к ним. Это я их вызвал.

— Не волнуйся, тебе тоже достанется, — пообещала Рипли Сэму. — Но нужно соблюдать сложившуюся иерархию.

Тем временем Майя ощутила присутствие остатков силы.

— Что здесь было?

— Уж лучше бы ты проболтался, — сказал Зак Сэму. — Можешь мне поверить. Я сталкивался с этой троицей чаще, чем ты.

— Давайте пройдем в дом и...

Когда Сэм проходил мимо Майи, она толкнула его ладонью в грудь.

— Что здесь было? — повторила она.

— Я гулял в роще.

Она посмотрела на землю.

— Ты использовал круг.

— Он уже был здесь.

Майя едва не вспылила. Он смог воспользоваться тем, что принадлежало им троим. Это усиливало его связь с ней, Нелл и Рипли и делало ее неоспоримой.

— Ладно, — взяв себя в руки, спокойно сказала она. — Что случилось?

— Я встретился с твоим демоном. Адским волком.

— Ты... — Она подняла руку, пытаясь заставить замолчать не столько Сэма, сколько себя. Потому что ее первой реакцией был мучительный страх. Майя заставила себя отвлечься — потому что подавить страх было ей не под силу — и глубоко вздохнуть. И почувствовала, что гнев пересиливает другие чувства.

— Ты сам вызвал его. Пришел сюда в разгар ночи, один, и вызвал его, как какой-нибудь хвастливый стрелок.

Он не знал, что в ней сохранилось столько гнева. И что этот гнев еще способен вызвать его собственный.

— Я думал, что скорее похожу на какого-нибудь героя Гарри Купера[1].

— По-твоему, это повод для шуток? — Ее глаза просто пылали гневом. — Как ты посмел вызвать то, что принадлежит мне? Встать между мной и тем, с кем я должна покончить? А что должна была делать в это время я? Стоять в сторонке и ломать руки?

— Все, что тебе угодно.

— Ты — не мой защитник и не мой спаситель. Сил у меня не меньше, чем у тебя! — Она толкнула Сэма в грудь, заставив его отшатнуться. — Я не собираюсь терпеть твое вмешательство. Ты делаешь это, потому что хочешь чувствовать себя героем, и...

— Полегче, Майя.

Майя бросила яростный взгляд в сторону Тодда. Поняв, что эта женщина способна откусить человеку голову, Зак просто поднял руки и отошел в сторону.

Сэм сам сможет за себя постоять, решил он.

— Думаешь, мне нужна твоя помощь? — Она снова шагнула к Сэму и ткнула его пальцем в грудь.

— Хочешь просверлить меня насквозь?

— Думаешь, если у меня нет пениса, я не способна

---

[1] Гарри Купер (Gary Cooper) — американский киноактер, сыгравший в фильмах «Вирджинец», «Его женщина», «Дела и дни бенгальского улана», «Сержант Йорк», «Гордость янки», «По ком звонит колокол», «Любовь после полудня», «Ровно в полдень».

защитить себя? Сначала ты совершаешь идиотские поступки, а потом созываешь своих дурацких дружков, чтобы обсудить, как спасти беспомощных женщин?

— Я никогда не видела ее в таком состоянии, — прошептала Нелл, с опаской поглядывая на Майю.

— Такое бывает редко, — вполголоса ответила ей Рипли. — Но когда она входит в раж, тут уж хоть святых выноси. — Она посмотрела на небо, покрывшееся тучами, темно-фиолетовыми, как свежий синяк. — Слушай, она здорово разозлилась!

— Прекрати в меня тыкать, я сказал! — Сэм обхватил пальцами ее кулак. — Если ты уже успокоилась, то... Осторожнее, — предупредил он, когда прогремел гром.

— Ты — самоуверенный, глупый, наглый... Сейчас ты узнаешь, как я успокоилась! — Она стукнула его другой рукой и увидела, что Сэм сморщился от боли. — Что ты сделал сегодня ночью?

— Мы с этим уже разобрались.

— Снимай рубашку.

Он заставил себя усмехнуться.

— Ладно, малышка, если ты хочешь закончить дело таким образом, я не возражаю. Но на нас смотрят.

Майя рванула его рубашку так, что пуговицы полетели в разные стороны.

— Эй! — Он забыл, как быстро она умеет двигаться. А напрасно.

Отметины от когтей были красными и воспаленными. Нелл негромко ахнула и шагнула вперед, но Рипли ее остановила:

— Она сама справится.

— Ты вышел из круга. — Страх вернулся снова и смешался с гневом. — Нарочно подставил себя под удар.

— Это была проверка. — Пристыженный Сэм пытался заправить рубашку в брюки. — И она удалась.

Майя резко развернулась. Поскольку первым ей под руку попался Зак, она набросилась на него:

— Ты забыл, что именно Нелл победила безумие, хотя оно приставило нож к ее горлу?

— Нет, — спокойно ответил он. — Я никогда этого не забуду.

— А ты! — Она повернулась к Маку. — Ты видел, как Рипли воевала с тьмой и одолела ее!

— Знаю. — Мак сунул в карман прибор, перегоревший от силы ее гнева. — Ты всерьез думаешь, что мы недооцениваем ваши способности?

— А разве не так? — Майя смерила уничтожающим взглядом каждого по очереди и вернулась к Нелл с Рипли. — Мы — Трое! — Она развела руки, и из кончиков ее пальцев ударил свет, яркий, как огонь. — И обладаем силой, которая не чета вашей.

Она резко повернулась и пошла прочь.

— Ну... — выдохнул Мак. — Вот это да...

— Учись, профессор. — Рипли сунула руки в карманы и повернулась к Сэму. — Ты ее разозлил, тебе и умасливать. Если тебе хватило ума сделать то, что ты сделал сегодня ночью, то его хватит и для того, чтобы пойти за этим ходячим тротилом.

— Думаю, ты права.

Он нагнал Майю на краю рощи.

— Будь я проклят, подожди минутку! — Сэм протянул руку и зашипел от боли, когда в его пальцы ударил электрический заряд. — Уймись!

— Не прикасайся ко мне.

— Майя!

Она рванула дверцу машины, но Сэм захлопнул ее.

— Бегство — это не решение проблемы.

— Ты прав. — Майя откинула волосы. — Таким способом решаешь проблемы только ты.

Эти слова ножом полоснули Сэма по сердцу, но он сдержался и кивнул.

— А ты недавно доказала, что стала намного умнее и взрослее. Давай закончим этот разговор вдали от ни в чем не повинных свидетелей. Может быть, прокатимся?

— Хочешь прокатиться? Ладно. Садись.

Она снова открыла дверь и села за руль. Когда Сэм очутился рядом, Майя выехала на дорогу.

Пока они ехали через поселок, она снизила скорость. Но, очутившись на прибрежном шоссе, ударила по газам.

Майе хотелось ощутить скорость, ветер и опасность. Все это должно было помочь ей справиться с гневом и восстановить душевное спокойствие.

Шины скрежетали на поворотах. Чувствуя напряжение Сэма, она увеличила скорость еще больше. Потом выкрутила руль, и машина задрожала, остановившись в нескольких дюймах от края острова.

Сэм негромко кашлянул, и Майя смерила его ледяным взглядом.

— Есть проблемы?

— Нет. — «Нет проблем только у того, кому кажется забавной поездка со скоростью сто пятьдесят километров в час по шоссе, ведущем в никуда, с разъяренной ведьмой за рулем», — подумал он.

Но сейчас он не сводил глаз с каменного дома на скалах. Там его ждал покой. Все, что ему нужно, это поселиться в нем. И прожить до самой смерти.

Когда Майя снова повернула ключ зажигания, он невольно вжался в сиденье.

— Мысль ясна, — сказал он, борясь с желанием

вытереть руки о джинсы. — Ты способна справиться с собой даже тогда, когда спидометр зашкаливает.

— Большое спасибо, — саркастически сказала она, заглушив мотор и выйдя из машины. — Иди в дом. Твоя рана требует лечения.

Сэм не был уверен, что в данный момент может поручить Майе заботу о его плоти и крови, но послушно пошел следом.

— Отличное место.

— По мелочам не размениваемся.

— Не стану возражать. — Они вошли в дом. Цвета здесь были яркими, дерево — отполированным до блеска, воздух — ароматным, а атмосфера — гостеприимной.

«Она здесь кое-что изменила, — подумал Сэм. — Слегка. В собственном духе. Смесь элегантности с очарованием». Майя пошла прямо на кухню, но он слегка отстал.

Это давало обоим время остыть.

Она сохранила тяжелую резную мебель, стоявшую здесь несколько поколений, но сделала ее более мягкой. Ковры были ему незнакомы, однако, судя по возрасту, они хранились где-то на чердаке и были расстелены тогда, когда дом перешел в руки Майи.

Она щедро пользовалась свечами и цветами. Вазы из цветного камня, сверкающие кристаллы и мистические фигурки, которые она коллекционировала с детства. И книги. Книги были в каждой комнате, через которую он проходил.

Когда Сэм добрался до кухни, она уже доставала из буфета лекарства. Тут были блестящие медные горшочки и связки сушеных трав разных оттенков и запахов. Метла, стоявшая у задней двери, казалась очень старой, а кухонное оборудование — новым и современным.

— Похоже, тебе пришлось здесь немало поработать. — Он постучал пальцами по крышке серо-голубой стойки.

— Да. Садись и снимай рубашку.

Он подошел к окну и посмотрел на сад.

— Похоже на картинку из книги сказок.

— Я люблю цветы. Сядь, пожалуйста. Нам обоим нужно вернуться на работу. Я хотела бы осмотреть твою рану.

— Сегодня ночью я уже сделал все, что мог. Так что скоро должно зажить.

Майя стояла и молча смотрела на него, держа в руках горшочек цвета мака.

— Ладно, ладно. Может быть, ты сделаешь повязку из своей нижней юбки.

Он неловко сбросил с себя рваную рубашку и сел на табуретку.

При виде воспаленных ран у нее свело живот. Майя не могла видеть чужие страдания и боль.

— Чем ты мазался? — Она наклонилась, понюхала и сморщила нос. — Чесноком. Ну, ясно...

— Он уже оказал свое действие. — Сэм скорее откусил бы себе язык, чем признался, что рана ноет как больной зуб.

— Едва ли. Сиди смирно. Открывай, — велела она. — Я не собираюсь причинять тебе вред. По крайней мере, до тех пор, пока не вылечу. Открывай же!

Он подчинился и почувствовал проникновение ее магии так же явственно, как прикосновение к саднящей плоти пальцев, покрытых целебным бальзамом.

Сэм видел его, красное тепло ее энергии. Ощущал ее резкий и сладкий вкус, напоминавший вкус сливы. И густой запах мака, обволакивавший сознание.

Сквозь полудрему до него донеслось негромкое

пение. Не успев подумать, Сэм повернул голову и потерся щекой о ее предплечье.

— Я вижу тебя во сне. Мысленно слышу твой голос, — чувствуя ее нежную силу, по-гэльски, на языке его предков, сказал Логан. — Я тоскую по тебе даже тогда, когда ты рядом. Всегда.

Почувствовав, что она ускользает, Сэм попытался ее удержать. Но Майя все равно ускользнула, а он остался сидеть на табуретке и смущенно хлопать глазами.

— Тс-с... — Она бережно погладила его по голове. — Подожди минутку.

Когда в мозгу прояснилось, он стиснул кулаки.

— Ты одурманила меня. Ты не имела права...

— Иначе тебе было бы больно.

Она никогда не выносила вида чужой боли. Отвернувшись от него, Майя собирала свои горшочки и пыталась прийти в себя. Избавив его от боли, она причинила боль себе самой. Его гэльские слова ранили Майю в самое сердце.

— Кто бы говорил о правах... Я не умею исцелять раны мгновенно. Это выше моих сил. Но зато теперь они быстро заживут.

Сэм нагнул голову и посмотрел на свое плечо. Отметины почти исчезли, и боли он больше не чувствовал. Удивительно... Логан посмотрел ей в глаза.

— Ты совершенствуешься.

— Я потратила много времени на изучение и усиление своего дара. — Она поставила горшочки на место и положила руки на стойку. — Я очень разозлилась на тебя. Мне нужно подышать свежим воздухом.

Майя направилась к задней двери и вышла в сад.

Стоя у пруда, она следила за золотой рыбкой, нырявшей в кувшинках. Когда за спиной послышались шаги, она обхватила локти ладонями.

— Можешь злиться, шипеть и брызгать слюной

сколько угодно, это ничего не изменит. Я участвую в этом, Майя. Являюсь частью происходящего. Нравится тебе это или нет.

— Мужской шовинизм и безрассудство не имеют к этому никакого отношения. Нравится тебе это или нет.

Если она считает, что Сэм должен просить прощения за сделанное, то ей придется долго ждать.

— Я увидел в этом шанс. Возможность. И рисковал осознанно.

Она резко обернулась.

— Это я должна рисковать! Я, а не ты!

— Ты уверена в своей правоте. Как всегда. Тебе никогда не приходило в голову, что может существовать другой способ?

— Я никогда не сомневаюсь в том, что у меня здесь. — Она прижала ладони к животу. — И здесь. — Ладони прижались к сердцу. — Ты не можешь сделать то, что должна сделать я. А если бы и мог...

— Да?

— Я бы этого не позволила. Это мое по праву рождения.

— И мое тоже, — возразил он. — Майя, если бы я смог убить его сегодня ночью, все было бы кончено.

Ее гнев сменился усталостью.

— Ты все знаешь. Прекрасно знаешь. — Она поправила волосы и пошла по тропинке между копьями ирисов, ожидавших поры цветения. — Одно изменение вызывает тысячу других. Случайное изменение части целого может уничтожить все целое. Таковы правила, Сэм. Правила, установленные более мудрыми людьми, чем мы.

— Ты всегда была сторонницей строгого соблюдения правил. В отличие от меня. — В словах Сэма звучала горечь, которую Майя ощущала так же сильно, как и он сам. — Неужели ты думала, что я буду стоять в стороне? Думаешь, я не вижу, что ты плохо спишь и ничего не ешь? Я чувствую, как ты борешься со страхом, и это надрывает мне сердце.

Майя обернулась. Она хорошо знала эту неугомонную страстность. Именно она привлекла ее к этому мальчику. И, помоги ей Бог, влекла к этому мужчине.

— Если бы я не боялась, это было бы глупо, — наконец сказала она. — А я не дура. Ты не можешь стоять у меня за спиной. И больше не станешь бросать вызов тому, что пришло за мной. Дай мне слово.

— Не дам.

— Попытайся проявить благоразумие.

— Нет. — Сэм схватил ее за руки и привлек к себе. — Попроси что-нибудь другое.

Он впился в ее губы. Этот поцелуй, жадный и почти жестокий, был похож на клеймо. Майя исцелила его раны, но разбередила и разожгла его чувства. Открыла его сознание и вошла в него только для того, чтобы уйти снова и заставить его ощутить пустоту. Сейчас он нуждался в том, чтобы вернуть хотя бы часть.

Логан крепко держал Майю за руки, не позволяя ей ни бороться, ни сдаться. Делая ее беспомощной перед голодным поцелуем, в котором не было и намека на нежность. Собственные трепет и наслаждение ошеломили ее и заставили почувствовать стыд.

И все же она могла остановить его. Для этого ей требовалось всего-навсего прийти в себя. Но сознание было переполнено им так же, как тело было переполнено желанием.

— Я больше не могу. — Он оторвался от ее губ и начал целовать лицо. — Стань моей или прокляни, но сделай это сейчас.

Она подняла голову и посмотрела ему в глаза.

— А если я скажу, чтобы ты ушел? Убрал руки и ушел?

Он провел рукой по ее спине, запустил пальцы в волосы и сжал их в кулак.

— Не надо.

Майя думала, что хочет заставить его страдать. Но теперь, когда он действительно страдал, она не могла этого вынести. Двое страдающих — это уже перебор.

— Тогда пойдем в дом и будем вместе.

10

Они набросились друг на друга, едва успев добраться до кухни. Майя, прижатая спиной к задней двери, наконец дала себе волю.

Прикосновения и ласки этих сильных рук были чужими и знакомыми одновременно. Майей овладело чувство дикой свободы, отметавшее все вопросы, тревоги и сомнения. Снова чувствовать себя желанной, желанной до отчаяния. Ощущать, что твоей физической тяге отвечает такая же, не менее ненасытная...

Майя раздвинула в стороны полы его разорванной рубашки, прижала жадные ладони к его жаркой и гладкой плоти и укусила, сгорая от желания ощутить ее вкус. Потом она что-то требовательно прошептала, и они шатаясь выбрались из кухни.

Когда они споткнулись о столик в коридоре, на пол упало что-то стеклянное и музыкально звякнуло. Подошва растоптала в пыль то, что секунду назад было крыльями хрустальной феи.

Потеряв способность дышать и думать, Майя не отрывала губ от его раненого плеча. Никто из них не заметил, когда отметины успели побледнеть.

— Прикасайся ко мне. Не убирай рук.

Он скорее умер бы, чем отпустил ее.

Ладони Сэма продолжали ласкать выпуклости ее стройного тела; от его трепета первобытное желание становилось еще сильнее. Когда Майя затаила дыхание, а потом застонала, у него закипела кровь.

Он провел руками по восхитительно длинным голеням Майи, издал стон, ощутив жаркую родинку на ее бедре, и, забыв о тонкостях, нетерпеливо рванул кусочек шелка.

— Я должен... — Он ввел в нее пальцы. — О боже... — Сэм зарылся лицом в ее волосы. — Еще, еще, еще! — Желание было таким диким и нестерпимым, что он коснулся зубами ее шеи, заставив Майю задрожать всем телом.

Горячее, влажное, неслыханно нежное... Он снова нашел рот Майи и стал пить ее дыхание.

Они тащили друг друга наверх. Пальцы Сэма терзали мелкие пуговицы на спине ее платья, обнажая тело.

— Я должен видеть тебя. Видеть тебя.

Платье упало и осталось лежать на лестнице. Добравшись до площадки, он потянул Майю направо.

— Нет, нет! — Она протянула руку к пуговице его джинсов. — Туда.

Майя развернула Сэма налево и задрожала, когда он расстегнул застежку лифчика и обхватил ладонями ее груди. Вскоре на смену ладоням пришли горячие и жадные губы.

— Только не мешай. — Он поднял ей руки над головой и дал себе волю.

Майя откинула голову, наслаждаясь собственной беспомощностью. Она чувствовала себя поразительно живой. Сердце, которого касались его жадные губы, бешено стучало, но тело требовало большего.

Когда Логан обхватил ее бедра, руки Майи обвили его как канаты. От кровати их отделяло всего несколько шагов, но с таким же успехом это могли бы быть и несколько миль. Ярко-зеленые глаза Сэма тонули в темно-серых глазах Майи. Какое-то время казалось, что мир застыл на месте.

— Да, — сказала она. — Да.

И тут он вошел в нее.

Они овладели друг другом стоя, овладели жадно и быстро. Стремление поскорее достичь блаженства мутило разум; они неистово совокуплялись, забыв обо всем на свете. Ногти Майи впились в его спину, пальцы Сэма оставляли синяки на ее коже, но обоим этого было мало. Их губы терзали друг друга, тела рвались вперед.

Наконец оргазм вонзил в нее когти; тело свело судорогой. Поняв, что сопротивляться ему невозможно, Майя сдалась и почувствовала, что Сэм последовал за ней.

Потные, ослабевшие, трепещущие, они крепко сжимали друг друга в объятиях. Сэм прижался лбом к ее лбу и пытался восстановить дыхание. Он чувствовал себя так, словно упал с горы в пруд, наполненный расплавленным золотом.

— У меня кружится голова, — выдавила Майя.

— У меня тоже. Попробуем доползти до кровати.

Они пробрались сквозь туман, навзничь упали на старинную кровать на четырех столбах и уставились в потолок.

Логан понял, что мечтал вовсе не о таком сексуальном воссоединении. Ему представлялось обольщение, гораздо более тонкое и искусное.

— Кажется, я слегка поторопился, — сказал он, все еще тяжело дыша.

— Ничего страшного.

— Помнишь, я говорил о бремени, которое ты несешь?

— Гм-м... — В ее голосе слышалось легкое предупреждение.

— Это было для меня важно. — Он протянул руку и бережно погладил ее грудь. — По-настоящему важно.

— Теперь ты доволен?

Он снова откинулся на кровати и начал изучать фреску на потолке. В ночном небе мерцали звезды и летали феи.

— Ты перенесла спальню.

— Да.

— Хорошо, что я не поддался искушению залезть на балкон.

Воспоминание о временах, когда Сэм именно этим способом пробирался в ее комнату, заставило Майю вздохнуть.

Сколько лет ее тело не ощущало такой свободы? Хотелось по-кошачьи свернуться в клубок и замурлыкать.

Когда-то она так и поступала. Когда-то они с Сэмом приникали друг к другу и спали, как навозившиеся котята.

«Те дни прошли, — подумала Майя. — Но возня была что надо».

— Мне нужно вернуться на работу, — вслух сказала она.

— Мне тоже.

Они подняли головы, посмотрели друг на друга и улыбнулись.

— Знаешь, в чем прелесть собственного бизнеса? — спросила она.

— Да. — Сэм перевернулся на бок и дотянулся до ее губ. — Никто не может урезать тебе жалованье.

Но полной свободы это все же не означало.

Как только Майя вернулась в книжный магазин, Лулу все поняла. С первого взгляда.

— Ты переспала с ним.

— Лулу! — прошипела Майя, обводя зал взглядом.

— Если ты думаешь, что этого не видно за милю и люди не будут об этом болтать, то секс повредил тебе мозги.

— Может, и так, но я не собираюсь обсуждать это, стоя у кассы. — Майя высоко подняла голову и пошла к лестнице, но столкнулась с Глэдис Мейси.

— Привет, Майя. Чудесно выглядишь.

— Добрый день, миссис Мейси. — Майя выгнула голову, чтобы прочитать названия выбранных Глэдис книг. — Расскажете, что вы думаете об этой? — Она постучала пальцем по последнему бестселлеру. — Я ее еще не читала.

— Конечно, расскажу. Я слышала, ты обедала в гостинице? — Глэдис смотрела Майе в глаза и широко улыбалась. — Мне говорили, что Сэм Логан там коечто меняет. Но еда осталась такой же вкусной, как прежде?

— Да. Я получила удовольствие.

Майя оглянулась на Лулу. Учитывая голос Лулу и уши Глэдис, сомневаться не приходилось: Глэдис все слышала.

— Хотите знать, занимались ли мы с Сэмом сексом? — любезно спросила Майя.

Глэдис по-матерински шлепнула ее.

— Детка, не кипятись. Это видно с первого взгляда. Ты просто светишься от счастья. Что ж, он — мальчик красивый.

— Возмутитель спокойствия, — пробормотала себе под нос Лулу.

Глэдис поспешила подтвердить, что слух у нее действительно великолепный.

— Лу, этот мальчик вызывал куда меньше хлопот, чем другие дети.

— Другие дети не облизывались на мою девочку.

— Еще как облизывались. — Глэдис покачала головой, обращаясь к Лулу так, словно Майя была глухой... или невидимой. — На острове не было мальчика, который бы на нее не облизывался. Но Сэм был единственным, на кого облизывалась она сама. Я всегда думала, что они — красивая пара.

— Прошу прощения. — Майя подняла палец. — Хочу напомнить вам обеим, что мальчик и девочка, которые облизывались друг на друга, уже давно выросли.

— Но пара вы по-прежнему красивая, — улыбнулась Глэдис.

Майя сдалась, нагнулась и чмокнула Глэдис в щеку.

— У вас доброе сердце.

«И язык без костей», — подумала она, поднимаясь в свой кабинет. Теперь весь остров в мгновение ока узнает, что Сэм Логан и Майя Девлин снова вместе.

Сама не зная, как к этому относиться, но будучи не в силах помешать распространению сплетни, Майя загнала эту мысль в дальний угол сознания и вернулась к работе над предложением.

В четыре часа она, не обращая внимания на заинтересованные взгляды прохожих, степенно перешла улицу, положила конверт на стол портье с просьбой срочно передать его мистеру Логану и так же степенно вернулась обратно.

Чтобы компенсировать потерянное время, она закрылась в хранилище и сосредоточилась на делах. Инвентарная опись требовала обновления. В день летнего солнцестояния остров всегда наводняли туристы. К этому следовало подготовиться.

Майя встала, держа в руках опись, но приступ головокружения заставил ее снова опуститься на стул. «Глупо, — выругала она себя. — Глупо и беспечно». За весь день она съела лишь половинку булочки. Она поднялась, решив выпить в кафе чашку бульона. И тут перед ее мысленным взором возник чудовищный образ.

У зарешеченного окна стоял Ивен Ремингтон и улыбался. Его взгляд был пустым, как у куклы. Но когда он медленно повернул голову, его глаза побагровели, и в них появилось что-то нечеловеческое.

Она окутала себя плащом спокойствия. Как только образ побледнел, Майя вышла из хранилища.

— Я по делу, — сказала она Лулу, выходя из магазина. — Вернусь, когда смогу.

— Возвращайся побыстрее, — пробормотала Лулу.

Майя шла к полицейскому участку, останавливаясь, чтобы перекинуться несколькими словами со знакомыми. Улицы были заполнены туристами, бродившими по магазинам, искавшими подходящее место для пикника или новый красивый вид для фотографии. Вечером они заполнят рестораны или вернутся в снятые домики готовить свежую рыбу, купленную на пристани.

В магазинах шла весенняя распродажа, а в пиццерии предлагали две бесплатные закуски тому, кто покупал вторую большую пиццу. Мимо проехал в пикапе Пит Стьюбенс, рядом с которым сидел его любимый пес.

По противоположной стороне улицы ехал на роликах двоюродный брат Рипли Деннис. Его майка с надписью «Ред Сокс» развевалась как флаг.

«Все нормально, — думала Майя. — Привычно, просто и нормально».

Она сделает все, чтобы так было всегда.

Увидев ее, Зак тут же вскочил из-за стола.

— Майя... — начал он.

— Я здесь не для того, чтобы устраивать тебе нахлобучку.

— Приятно слышать. Потому что Нелл об этом уже позаботилась. — В доказательство он потер уши. — Мы ничего не собирались от вас скрывать. Просто хотели сначала обсудить ситуацию. Разбираться с неприятностями на острове — моя работа.

— Мы обсудим это позже. Ты можешь проверить Ивена Ремингтона?

— Проверить?

— Удостовериться, что он находится там, где нужно. Узнать, насколько успешно идет его лечение. Как он ведет себя в последнее время и каков прогноз.

Зак хотел спросить, в чем дело, но выражение лица Майи заставило его прикусить язык.

— Могу сразу сказать, что он сидит под замком и выйдет еще не скоро. Навожу о нем справки два раза в неделю. — Он нагнул голову. — Неужели ты думаешь, что я мог об этом забыть?

— Не ершись. Ты можешь получить отчет о его состоянии?

— У меня нет доступа к медицинским картам. Для этого нужно получить ордер и послать официальный запрос. А что?

— Он все еще участвует в этом. Даже сидя в камере, обитой войлоком.

Зак быстро обошел стол и положил ладонь на руку Майи.

— Он представляет собой угрозу Нелл?

— Нет. — «Интересно, что чувствует человек, которого так любят?» — подумала Майя. Когда-то она считала, что знает это. — Не непосредственно. Не так, как прежде. Но его используют. Хотя он сам может и не знать этого.

Что и требовалось выяснить.

— Где Рипли?

— На посту. — Его хватка усилилась. — Ей грозит опасность?

— Зак, Нелл и Рипли уже сделали то, что от них требовалось. Но я должна поговорить с ними. Ты не мог бы передать, чтобы вечером они пришли ко мне? Часам к семи.

Зак разжал руку и погладил Майю по плечу.

— У тебя неприятности?

— Нет. — Ее голос был спокойным и звонким. — Ситуация под контролем.

Она верила в это безгранично. Значение веры в себя нельзя было переоценить. Сомнения, вопросы и страхи только уменьшали силу. Именно в тот момент, когда она требовалась больше всего.

Видение пришло само собой и оказало на нее сильное влияние. Посмотреть на это сквозь пальцы было нельзя.

Майя тщательно готовилась. Время для спешки и внешних эффектов было неподходящее, хотя она ценила мгновенные озарения.

Теперь казалось, что многое из случившегося в тот день должно было подготовить ее. Ее утренний гнев, торопливость и, конечно, секс. Освобождение от физической тяги самым приятным на свете способом должно было подготовить ее к тому, что будет дальше.

Она скрупулезно выбирала травы и масла для ритуального омовения. Роза — для психологической мощи и интуиции. Гвоздика — для защиты. Ирис — для мудрости, позволяющей правильно толковать видения.

Запечатлев свой вопрос при свечах, она погрузилась в воду, омывавшую тело и волосы и очищавшую разум.

Майя умастила кожу кремами собственного изготовления, облачилась в длинную и просторную белую мантию, а затем тщательно выбрала заклинания и подвеску. Дендритный агат для защиты путешественников, аметист для обострения третьего глаза. В ее ушах висел малахит, усиливающий провидческий дар.

Она собрала свои инструменты и взяла жезл с лунным камнем, вделанным в его конец. Курения и свечи, колбы и морскую соль. Зная, что это может ей понадобиться, она выбрала тонизирующее средство для восстановления сознания.

А потом пошла в сад набираться сил и ждать сестер.

Они пришли вместе и увидели, что Майя сидит на каменной скамье рядом с кустом синей аквилегии.

— Мне нужна ваша помощь, — сказала она. — Все расскажу по пути на поляну.

Едва они вошли в полутемный лес, как Рипли остановилась.

— Тебе не следует этого делать. Полет сделает тебя слишком уязвимой, слишком беззащитной.

— Именно поэтому мне и нужен круг.

— Это должна сделать я. — Нелл тронула руку Майи. — Ивен теснее всех связан со мной.

— Именно поэтому тебе этого делать нельзя, — возразила Рипли. — Связь слишком тесна. Я уже однажды делала это и сделаю теперь.

— Ты летала без подготовки, без защиты и пострадала. — Майя шла дальше, напоминая себе, что все дело в терпении. — Видение пришло ко мне, причем само собой. Мне им и заниматься, к чему я полностью готова. Ты еще недостаточно владеешь этим искусством, — она погладила Рипли по плечу. — А ты, сестренка, недостаточно опытна. Но даже если не обращать на это внимания, мы все знаем, что это мое дело, так что давайте не будем даром тратить время.

— Мне это не нравится, — сказала Рипли. — Особенно после того, что сегодня ночью случилось с Сэмом.

— В отличие от некоторых мужчин мне не нужно доказывать свой героизм. Мое тело останется в круге.

Она положила сумку на поляну и начала чертить круг.

Нелл зажгла свечи. Она была спокойна, потому что именно это от нее и требовалось.

— Скажи мне, что делать, если что-нибудь пойдет не так.

— Все будет в порядке, — заверила ее Майя.

— А если?

— Тогда ты меня вытащишь. — Она подняла взгляд и увидела, что верхушки деревьев засветились; взошла луна. — Начинаем.

Майя сбросила с себя мантию и осталась в одном ожерелье. Она протянула руки сестрам и запела заклинание, которое должно было освободить ее сознание от бремени тела. И позволить взлететь.

— Открой окно, открой дверь. Я хочу парить как птица, видеть как зверь. Мой дух, поднимись над морем в небо, мои чувства, летите туда, где никто еще не был. Воля твердая сильна, пусть исполнится она.

Пришло медленное и приятное ощущение бесплотности и освобождения от оболочки, приковывавшей дух к земле. Майя избавилась от нее как птица, расправившая крылья. И на мгновение позволила себе насладиться этим ощущением.

Дар был чудесным, но Майя знала, что узы, привязывающие ее к земле, очень непрочны. Радость полета не должна заставить ее забыть о реальности.

Она летела над морем, от поверхности которого отражались лучи звезд, напоминавшие кусочки хрусталя на черном бархате. Из глубины доносилась песня кита, и эта музыка несла ее к далекому берегу.

Жизнь влекла ее вперед, оставляя внизу шум машин, отзвуки бесед, аромат деревьев и запахи готовящейся еды.

Она слышала недовольный плач новорожденного и последний вздох умирающего. Быстрые и нежные прикосновения пролетавших мимо душ. Окутанная светом, она искала тьму.

В нем жила ненависть. Безбрежная и глубокая. Но теперь Майя видела, что не вся эта ненависть принадлежит ему. То, что было Ивеном Ремингтоном, представляло собой протухшую смесь, оскорблявшую обоняние. Однако Майя, следя за санитарами, охранниками, врачами, ходившими по клинике, в которой лежал Ремингтон, понимала, что никто из них не ощущает другой вони, исходившей от этого человека, более глубинной.

Она отогнала от себя мысли и голоса других людей и сосредоточилась на Ремингтоне и том, что его использовало.

Ремингтон находился в своей комнате, ничем не напоминавшей обитую поролоном палату, в которой его когда-то держали. Майя видела, как сильно он изменился с той ночи в лесу, когда Нелл нанесла ему поражение.

Его волосы поредели, некогда красивое лицо округлилось и стало одутловатым. Теперь оно отражало его истинную сущность, которую этот человек скрывал много лет.

Облаченный в просторный оранжевый комбинезон, он расхаживал в своей камере, как часовой на посту.

— Они не могут держать меня здесь. Они не могут держать меня здесь. У меня есть работа. Я опаздываю на самолет. Где эта сука? — Он отвернулся от двери и обвел бледными глазами узкое пространство. Уголки его губ недовольно опустились. — Опять опаздывает. Придется наказать ее. Она не оставляет мне выбора.

Кто-то снаружи велел ему заткнуться, но он продолжал расхаживать и бормотать:

— Неужели она не понимает, что у меня есть бизнес, за который я несу ответственность? Ну, теперь она у меня не отвертится. Да кто она такая, черт побери? Шлюхи, все они шлюхи...

Внезапно его голова дернулась вверх, как у марионетки, а глаза сузились от ненависти. Безумие раскалилось докрасна.

— Думаешь, я не вижу тебя, сучья шлюха? Сейчас я убью тебя!

Порыв силы ударил ее как кулак, попавший под ложечку. На мгновение Майя потеряла направление, но быстро справилась с собой.

— Ты жалок. Используешь безумного, чтобы зарядиться его энергией. А мне не нужны дополнительные подпитки. Мы разбили тебя уже дважды. — Второй удар Майя парировала, но на это ушли все ее силы. Когда голова Ремингтона превратилась в зубастую морду волка, ее связь с кругом поколебалась. — Так будет и в третий раз, — выкрикнула Майя и, собрав остатки последних сил, полетела обратно.

Она вернулась в свое тело, зашаталась и непременно упала бы, если бы Нелл и Рипли не поддержали ее.

— Ты ранена? — Услышав в голосе Нелл страх, Майя попыталась справиться с собой. — Майя...

— Нет, не ранена.

— Тебя очень долго не было, — сказала ей Рипли.

— Вам показалось.

— Это ты так считаешь. — Не отпуская Майю, Рипли кивнула куда-то в сторону. — Мы не одни.

Когда видение ослабело, Майя увидела Сэма, стоявшего за пределами круга. Его длинное черное пальто развевалось в воздухе.

— Заканчивай дело и закрывай круг, — лаконично и деловито сказал он. — Пока не упала.

— Я сама знаю, что мне делать. — Она потянулась за укрепляющим, которое Нелл уже налила в чашку. Майя взяла чашку обеими руками и пила до тех пор, пока не перестала чувствовать себя так, словно ее тело представляет собой туман, который может разнести ветром.

— Закрой круг, — велел Сэм. — Иначе я сам войду в него, хочешь ты этого или нет.

Не обращая на него внимания, Майя прочитала благодарственную молитву за свое благополучное возвращение и с помощью сестер закрыла круг.

— Оно продолжает использовать Ремингтона. — Майя надела мантию и завязала пояс, хотя ее собственная кожа тонкостью и гладкостью не уступала шелку. — Скорее как средство, чем как источник, но в том и другом качестве одновременно. Оно наполняет его ненавистью к женщинам и женской силе, а затем использует эту смесь для своей подпитки. Оно сильно, но у него есть свои слабые места.

Майя нагнулась за сумкой, выпрямилась и пошатнулась.

— Хватит! — Сэм одним движением подхватил ее на руки. — Ей нужно уснуть и забыть обо всем. Я знаю, как это сделать.

— Он прав. — Рипли положила руку на плечо

Нелл и посмотрела вслед Сэму, уносившему Майю с поляны. — Он знает, что ей нужно.

У Майи кружилась голова, и это выводило ее из себя.

— Мне нужно восстановить душевное равновесие. Я не смогу это сделать, пока не встану на ноги.

— Было время, когда ты не отказывалась от помощи.

— Если бы я нуждалась в помощи, то не отказывалась бы от нее. И мне не нужно, чтобы ты... — Она осеклась. — Извини. Ты прав.

— Вот это да... Похоже, ты действительно не в себе.

Она положила голову на его плечо.

— Мне нехорошо.

— Знаю, малышка. Мы справимся. Голова не болит?

— Не очень. Честное слово. Я оправлюсь, но это нужно сделать быстро. Проклятие, Сэм, это головокружение... — Края ее внутреннего зрения подернулись дымкой. — Оно не проходит. Становится только сильнее.

— Все в порядке. Расслабься.

Впервые она последовала его совету и не стала спорить. Сэм нес ее к дому. «Я отругаю ее позже, — думал Логан. — Когда она придет в себя». Он поднялся по лестнице и осторожно положил ее на кровать.

Сэм понимал, что Майе нужен долгий и крепкий сон, но сидеть в полумраке и смотреть на нее, бледную и неподвижную, было нелегко. Нужно было помочь ей. Хотя бы для того, чтобы отвлечься.

Он знал, какими защитными кремами и мазями она пользовалась. Ее кожа еще хранила их запах. Положив Майю на кровать, Сэм выбрал нужное курение и свечи, которые должны были усилить действие того, что использовала она.

«Она всегда была организованной», — думал он, осматривая полки и буфеты на кухне и разыскивая нужное.

Цветы стояли даже здесь. Фиалки в глиняных горшках. И, конечно, книги. Он осмотрел коллекцию и выбрал книгу о лечении с помощью чар и заклинаний — на случай, если понадобится освежить память.

Нужные травы нашлись. Хотя кухонной магией Сэм пользовался давно, он сумел заварить чай с рутой, помогавшей духовному очищению.

Когда он вернулся, Майя уже крепко спала. Он зажег свечи и курения, потом сел рядом и скользнул в ее сознание.

— Майя, выпей это, а потом отдохни.

Он погладил ее щеки и прильнул к губам. Глаза Майи открылись, но продолжали оставаться туманными, а тело — ватным. Сэм поднял ей голову и прижал чашку к губам.

— Пей и лечись во сне. Сны унесут тебя далеко отсюда. Через тьму к свету.

Он отвел волосы с ее лба и снова уложил на подушку.

— Хочешь, я лягу с тобой?

— Нет. Я здесь одна.

— Неправда. — Когда глаза Майи закрылись, он поднес к губам ее руку. — Я буду ждать тебя.

Она отпустила его и погрузилась в сон.

Розовый сад, до которого ее родителям нет дела. В ее поднятых вверх ладонях трепещут бабочки, словно пальцы Майи — это лепестки.

Они с Рипли, юные и энергичные, разжигают на поляне костер в честь Белтейна[1].

---

[1] Белтейн — кельтский праздник костров (1 мая старого стиля).

Она лежит на полу перед камином, а Лулу сидит в кресле и вяжет.

Они с Сэмом идут вдоль берега жарким и душным летним вечером. Когда он останавливает ее и притягивает к себе, ее сердце колотится. Мир замирает и затаив дыхание следит за их первым поцелуем.

Поток горьких слез струится из ее разбитого сердца. Он беспечно уходит, а она, не веря своим глазам, стоит рядом с купой чудесных весенних фиалок.

«Я не вернусь».

Эта фраза уничтожила ее.

Сны приходили и уходили. Она стоит в своем летнем саду и учит Нелл шевелить воздух. Хлопает в ладоши от радости, когда обе ее сестры присоединяются к кругу силы.

Светлое подвенечное платье Нелл. Яркое платье Рипли. Они создают круг без нее так, словно это разумеется само собой.

Она одна.

«Сначала нами движет судьба, а потом — собственный выбор».

Она стоит на скалах с той, которую звали Огонь. Оборачивается и смотрит в лицо, очень похожее на ее собственное.

— Я не жалею о своем выборе, — говорит Майя.

— Я тоже не жалела. И не жалею сейчас.

— Умереть из-за любви — это неправильный выбор.

Та, которую звали Огонь, поднимает брови. В этом жесте чувствуется внутренний вызов. Ее волосы, колеблемые ночным ветром, напоминают языки пламени.

— Но это был мой выбор. Поступи я по-другому, дочь моя, возможно, сейчас ты бы здесь не стояла. Не была бы тем, кто ты есть. Поэтому я ни о чем не жалею. Ты сможешь в конце жизни сказать то же самое?

— Я лелею свой дар и никому не причиняю зла. Живу своей жизнью, и живу хорошо.

— Я делала то же самое. — Она раскинула руки. — Мы охраняем это место, но время течет быстро. Смотри. — Она жестом показала туда, где над краем обрыва клубился туман. — Оно жаждет того, чего не может получить, и это, в конце концов, его погубит.

— Чего я еще не сделала? — Майю охватывает тревога. — Что осталось на мою долю?

— Все.

Все гаснет, и Майя снова остается одна.

Лулу тоже была одна. Лежала под своим лоскутным одеялом и видела сны. Не догадываясь, что вокруг ее дома собирается черная пелена, обволакивает окна и проникает в щели.

Когда холодный туман окутал ее и проник в постель, Лулу зашевелилась, вздрогнула, недовольно застонала и натянула на себя одеяло, но от этого ей не стало теплее.

Она услышала плач младенца, протяжный и тоскливый. Материнский инстинкт заставил ее откинуть одеяло, встать и выйти из темной спальни.

— Иду, иду.

Во сне она шла по длинному коридору дома на скалах. Под ее ногами был гладкий пол, а не грубая трава, росшая во дворе. Лулу выбралась из дома и пошла сквозь сгущавшийся туман. Ее глаза были открыты, но она видела дверь детской, а не улицу с тихими домами, мимо которых проходила.

Не видела и не ощущала черного волка, кравшегося за ней следом.

Она протянула руку, открыла дверь, которой там не было, свернула за угол и направилась к берегу.

Колыбель была пуста, а плач младенца перешел в отчаянный крик.

— Майя! — Лулу побежала по Хай-стрит, казавшейся ей лабиринтом из коридоров. — Где ты?

Она бежала, тяжело дыша, подгоняемая страхом, стуча в запертые двери и стремясь туда, где плакал младенец.

Когда Лулу упала, упершись руками в песок, ей показалось, что это толстый ковер. Она заплакала, продолжая звать свою девочку, встала, зашаталась и побежала дальше. Во сне она спускалась по главной лестнице, выбегала в ночь, а на самом деле погружалась в воду.

Прибой сначала оттолкнул ее, потом опрокинул, но Лулу, отчаянно стремившаяся найти и защитить своего ребенка, продолжала пробиваться сквозь волны.

Вода накрыла ее с головой, но глаза Лулу были открыты, а в ушах продолжал звучать плач младенца.

На грудь давила страшная тяжесть, во рту ощущался кислый вкус рвоты. Лулу подняла голову, и ее вырвало снова.

— Она дышит. Лу, расслабься. Все в порядке.

В глазах стоял туман. Сквозь дымку она различила лицо Зака. Вода лилась с волос на ее щеки.

— Какого дьявола здесь происходит? — Ее голос напоминал карканье и с трудом вырывался из саднившего горла.

— О господи, Лулу. — Стоявшая на коленях Нелл схватила ее руку и прижала к щеке. — Слава богу.

— Она еще не оправилась от шока. — Рипли оттолкнула брата в сторону и накрыла Лулу одеялом.

— Шока? Дудки! — Лулу сумела сесть, снова закашлялась и чуть не потеряла сознание. Но она справилась с собой и обвела взглядом лица окружавших ее людей. Лицо Нелл было заплаканным, рядом стоял насквозь мокрый Мак. Рипли сидела на песке и с помощью брата расправляла большое теплое одеяло.

— Где Майя? — спросила Лулу.

— Дома. С Сэмом, — ответила ей Нелл. — Она в безопасности.

— О'кей. — Лулу сделала несколько медленных и осторожных вдохов. — Тогда какого дьявола я здесь делаю, мокрая, да еще в разгар ночи?

— Хороший вопрос... — Зак на мгновение задумался, но потом решил, что на свете нет ничего лучше правды. — Нелл проснулась и почувствовала, что с тобой случилась беда.

— И я тоже, — добавила Рипли. — Едва я уснула, как мысленно услышала твой голос. Ты звала Майю. А потом видение налетело на меня, как товарный поезд. — Тут она посмотрела на Нелл. — Я видела, как ты вышла из дома, а за тобой полз туман.

— И кралась черная собака, — пробормотала Нелл. Дождавшись кивка Рипли, она продолжила: — Я боялась, что мы не успеем догнать тебя.

Лулу на мгновение подняла руку, пытаясь переварить услышанное.

— Я вошла в воду? О господи!

— Это оно заманило тебя туда, — ответил Мак. — Ты знаешь, как это случилось?

— Мне приснился сон, вот и все. Кошмар. Наверное, я ходила во сне.

— Проклятие, ты чуть не утонула! — Тон Рипли стал резким и гневным. — Так что не упрямься и не морочь мне голову. Если бы мы с Нелл не были связаны, то утром нашли бы тебя мертвой, утонувшей в паршивой полосе прибоя!

У Рипли сорвался голос, поэтому дальше она говорила глухим шепотом:

— Тебя вытащили мой брат и мой муж, а откачал Зак. Так что не смей заговаривать мне зубы.

— Перестань злиться. — Лулу вздрогнула и слегка сжала руку Рипли. — Это был дурной сон, вот и все.

— Что-то заманило тебя сюда, — повторил Мак.

— Чушь собачья. — Холодок под ложечкой заставил Лулу съежиться. — С какой стати эта штуковина будет причинять мне вред? Я не обладаю силой.

— Если она причинит вред тебе, то причинит вред Майе, — сказал Мак. — Лулу, ты — часть ее, а следовательно, и часть всей этой истории. Что бы случилось с островом и детьми, которых оставили сестры, если бы за ними не ухаживала няня? Нам следовало сообразить раньше. Это было глупо. И беспечно.

— Но это больше не повторится. — Нелл обняла Лулу за плечи. — Она замерзла. Нужно отвести ее домой.

Лулу позволила взять себя за руки, отвести в дом и даже уложить в кровать. Сегодня она как никогда ощущала свой возраст, но что-то еще, помимо возраста, давило на нее. Но она не собиралась сдаваться.

— Я не хочу, чтобы об этом узнала Майя.

— Что? — Рипли подбоченилась. — У тебя ум за разум зашел?

— Вспомни, что сказал Мак. Причинить вред мне — значит причинить вред ей. Если она будет переживать из-за меня, это ее отвлечет. — Она надела очки и пристально посмотрела на Мака. — А чтобы закончить это дело, от нее потребуется вся ее сила и весь ум. Я права?

— Она должна быть сильной, но...

— Если так, то зачем ей мешать? — Для Лулу не было ничего важнее благополучия Майи. — Разве непонятно, что случившееся было затеяно только для того, чтобы огорчить Майю и сделать ее уязвимой? Что сделано, то сделано. Даже если мы всё расскажем ей, это ничего не изменит.

— Она может помочь защитить тебя, — напомнила Нелл.

— Я сама могу о себе позаботиться. — Увидев поднятую бровь Зака, Лулу ворчливо добавила: — Я занималась этим еще до вашего рождения. Кроме того, меня могут защитить здоровенный шериф, великий ученый и пара ведьм.

— Может, она и права. — Рипли вспомнила, какой бледной и измученной была Майя после полета. — Давайте пока держать язык за зубами. Мы с Нелл сумеем соорудить защиту вокруг дома Лулу.

— Тогда начните прямо сейчас, — сказала Лулу.

— Я могу поставить датчик, — предложил Мак. — Если изменится энергия, он сразу предупредит вас.

— Я согласна на все. — Глаза Лулу сузились. — Главное, уберечь Майю. Ничто и никто не сможет использовать меня, чтобы причинить ей вред. Клянусь.

11

Когда Майя проснулась, свечи почти догорели; залитую нежным светом комнату наполнял легкий аромат. Она ощутила присутствие Сэма, даже не успев открыть глаза. Тепло его руки, его тревогу.

На мгновение прошедшие годы исчезли, душа запела от любви. Прежние чувства столкнулись с новыми, но исчезли еще до того, как она успела их осознать.

— Вот, выпей это. — Он снова приподнял ей голову и поднес к губам чашку.

На этот раз она предварительно понюхала питье.

— Иссоп. Правильный выбор.

— Как ты себя чувствуешь?

— Вполне прилично. И наверняка лучше, чем ты сам. Было вовсе не обязательно сидеть со мной всю ночь. — Кошка, спавшая рядом, потянулась и подлезла под руку Майи, требуя, чтобы ее погладили. — Сколько времени?

— Рассвет. — Сэм поднялся и начал задувать свечи. — Ты проспала всего девять часов. Поспи еще.

— Нет. — Она села и откинула волосы. — Я проснулась. И умираю с голоду.

Логан оглянулся. Майя сидела на старинной кровати. Ее лицо разрумянилось от сна, на коленях лежала черная кошка.

Ему захотелось лечь рядом. Просто чтобы обнять ее и уснуть с ней рядом.

— Сейчас что-нибудь сделаю.

— Ты будешь готовить завтрак?

— С яйцами и тостами я как-нибудь справлюсь, — ответил он и вышел из комнаты.

— Он сердится, — сказала Майя Исиде. Кошка махнула хвостом, спрыгнула с кровати и побежала за Логаном.

* * *

Первым делом Сэм сварил кофе, надеясь, что большая доза кофеина поможет ему прийти в себя и хоть немного поднимет настроение. Оно было ни к черту: как только Майя проснулась и посмотрела на него, искренняя забота и нежные чувства, которые он испытывал ночью, сменились досадой.

Мужчинам тоже приходится защищаться.

Когда кофеварка зашумела, он подошел к раковине, включил холодную воду и сунул голову под струю. И чувствительно стукнулся макушкой о кран, когда о его ноги потерлась кошка.

Он выругался и рывком выключил воду.

Когда на кухню вошла Майя, Сэм с ненавистью смотрел на кошку. По его лицу текла вода. Майя достала чистое кухонное полотенце и протянула ему.

— Если хочешь не только смочить голову, можешь воспользоваться душем. — Обменявшись с кошкой типично женскими взглядами, Майя открыла дверь и выпустила Исиду из дома.

Боясь дать волю чувствам, Сэм распахнул дверцу холодильника и вынул коробку с яйцами. Майя достала из ящика сковородку и протянула руку.

— Может быть, я сама?

— Разрази меня гром, я же сказал, что с яйцами справлюсь!

— Ладно. — Майя кротко поставила сковородку на плиту, затем достала две кружки и наполнила их. Глядя на Сэма, метавшего громы и молнии на ее кухне, она боролась с улыбкой. Но от первого глотка кофе у нее на глазах выступили слезы.

— О господи! Этого хватит, чтобы выдержать десятираундовый бой с чемпионом мира по боксу!

Сэм яростно разбил яйцо о край сковородки.

— Другие жалобы есть?

— Нет. — Она решила проявить терпимость и не обращать внимания на то, что в сковородку попали несколько кусочков скорлупы. Борясь с горечью во рту, Майя еще раз вежливо отхлебнула из кружки, подошла к задней двери и открыла ее. — Кажется, собирается дождь.

Босая, в просторном белом халате, она вышла наружу, чтобы осмотреть сад и дать Сэму время прийти в себя. Майя бродила по дорожкам под звон колокольчиков. Тут ее всегда ожидали сюрпризы. Раскрылся новый цветок, набрал цвет бутон. Самой привлекательной чертой сада для нее всегда было сочетание преемственности и постоянных изменений.

Она обернулась и посмотрела на открытую дверь кухни. Мальчик, которого она любила, превратился в мужчину, готовившего ей завтрак. «Преемственность и постоянные изменения, — со вздохом подумала Майя. — Похоже, они привлекают меня не только к саду, но и к Сэму Логану».

Вспомнив, как он держал ее за руку, Майя сорвала пион, вытянула над цветком ладонь, помогла распуститься бутону и залюбовалась розовыми лепестками.

Потом провела цветком по щеке и пошла обратно.

Сэм стоял у плиты и занимался непривычным делом. Его ноги были широко расставлены, а зажатая в руке деревянная лопатка напоминала меч. Логан жарил яичницу.

Тронутая Майя подошла к нему и слегка уменьшила газ. Потом поцеловала Сэма в щеку и протянула ему цветок.

— Спасибо, что присмотрел за мной.

— Пожалуйста. — Он отвернулся, чтобы достать тарелки, но прижался лбом к стеклянной дверце буфета. — Проклятие, Майя! Почему ты не сказала мне, что собираешься сделать? Почему не позвала меня?

— Я отвыкла звать тебя.

Сэм выпрямился. На его лице были написаны гнев и боль.

— Я сказала это не для того, чтобы обидеть тебя. — Она дотронулась до его руки. — Нет. Просто это так и есть. Я привыкла все делать сама. И так, как считаю нужным.

— Хорошо. Хорошо. Да ничего хорошего... — Он

гремел тарелками, доставая их из буфета. — Когда речь идет о тебе, ты остаешься самой собой и делаешь то, что хочешь. Но на меня это не распространяется.

Майя открыла рот, но тут же закрыла его и откашлялась.

— В чем-то ты прав. — Она подошла к Сэму, чтобы достать из холодильника джем. — Однако то, что ты делал сам, было вторжением на мою территорию. Кроме того, ты рисковал физически. И вызвал помощь только потом.

— Это не только твоя территория. И ты тоже рисковала физически.

— Вопрос спорный. Я не делала это за твоей спиной. Во всяком случае, нарочно. Теперь я понимаю, что твое присутствие в круге могло бы быть полезным. — Она положила на стол холодный тост с подгоревшими краями. — Колдун ты лучший, чем кухарка.

— Твоя самоуверенность сильно выросла, — буркнул Сэм. — Хотя ты всегда была самоуверенной.

— Уверенной в себе, — поправила она. — Самоуверенным был ты.

— Разница невелика. — Он сел и выложил яичницу на тарелки — половину ей, половину себе. Чудесный розовый пион лежал между ними. Сэм снял пробу. — Это ужасно.

Майя положила кусочек в рот и выплюнула скорлупу.

— Да, ты прав.

Когда Сэм улыбнулся, она рассмеялась и принялась за еду.

Он последовал ее совету, пошел в душ и подставил одеревеневшие за ночь мышцы под горячую струю воды. Сэм предполагал, что они заключили перемирие.

Наложили мораторий на неприятные темы вроде отвратительной яичницы или холодных тостов. Возможно, это был первый робкий шаг к тому, чтобы снова стать друзьями.

По этим их отношениям он тосковал тоже. Непринужденное молчание, общий смех. Он знал, когда ей грустно. Знал еще до того, как она осознавала это сама. Ощущал тысячи уколов ее боли, когда веселые и небрежные родители не обращали внимания на собственного ребенка.

Они были единым целым еще до того, как стали любовниками. Разве он мог объяснить Майе, что именно их связь, абсолютная и непререкаемая связь их судеб заставила его уехать?

Она не спрашивала, а он молчал. Он думал, что это к лучшему — по крайней мере, в данный момент. До тех пор, пока они снова не станут друзьями.

Когда Майя вошла в душ, обвила его руками и прижалась к его спине мокрым телом, у Сэма напряглись мышцы живота.

— Не поделишься со мной душем? — Она игриво укусила его за плечо.

На этот раз порядок поменялся. Сначала любовники.

Он повернулся, запустил пальцы в ее волосы и вместе с ней встал под струю.

— Слишком горячо, — сказала Майя, повернув голову, когда губы Сэма коснулись ее шеи.

— Именно это мне и нужно.

Она взяла с полки бутылочку и вылила им на головы немного светло-зеленой жидкости.

— Подожди! Что это? Какое-то снадобье для девчонок?

Майя улыбнулась и начала втирать жидкость в его волосы. О господи, как она любила эти волосы, черные, пышные и непокорные! Сейчас его мокрые кудри падали на плечи, как темный шелковый дождь.

— Смесь моего изготовления. Розмарин способствует росту волос, хотя тебе это и не требуется. Пахнет приятно. И подходит даже самым мужественным мужчинам.

Он принюхался.

— Тут не только розмарин.

— Не только. Немного календулы, липового цвета и настурции.

— Я же говорил, что это для девчонок. — От пены их тела стали скользкими. — Это годится только для тебя.

— Сегодня утром мне нужно кое-что другое, — сказала Майя, когда губы Сэма снова нашли ее губы.

Пока они мыли друг друга, в воздух поднимался пар, пропитанный ароматом цветов и трав. Прикосновения скользких рук к скользкой коже возбуждали их, заставляя смаковать каждый миг.

От этих долгих, ленивых касаний учащался пульс; к шуму воды примешивались негромкие протяжные стоны.

Ее губы, влажные и теплые, становились все более жадными. Страстные поцелуи заставляли ее прижиматься к Сэму и тереться о его тело. Искушение, желание, удовольствие. И вдыхание воздуха, пропитанного ее запахом.

Когда атмосфера в душе накалилась, он повернул Майю так, чтобы можно было целовать ее спину и сжимать ладонями груди. Его большие пальцы ласкали затвердевшие соски, пока она не выгнулась дугой от наслаждения.

Когда ладони Логана спустились ниже, она закинула руки, обняла его за шею, притянула к себе, а потом повернулась к нему лицом.

— Возьми меня. Прямо сейчас.

Он мучительно медленно вошел в нее, и Майя обхватила его за плечи. По их телам струилась вода, усиливая возбуждение.

Его движения были мерными и неторопливыми. Ей хотелось держать этот миг в руках, как драгоценный камень. Яркий и сверкающий. Ее кровь пела под кожей.

Когда Майю с головой накрыла теплая волна, она отдалась ей и прильнула губами к его губам.

Они снова в изнеможении лежали на ее кровати.

— Кажется, мы еще ни разу не начали здесь, — с трудом проговорил Сэм.

— И в ближайшее время этого не предвидится, если мы хотим заработать себе на жизнь.

— Да. На одиннадцать у меня назначена встреча.

Она откинулась, чтобы посмотреть на часы.

— Время еще есть. Можешь немного поспать.

— Угу.

Майя встала и пригладила свои влажные волосы.

— Я поставлю будильник на десять.

Он снова что-то промычал, не в силах пошевелиться.

Не пошевелился Логан и через полчаса, когда Майя привела себя в порядок и оделась. Потом она завела будильник, укрыла Сэма простыней и остановилась, чтобы еще раз полюбоваться на него спящего.

— Как получилось так, что ты снова лежишь в моей постели? — вслух подумала она. — Что это, слабость, глупость или доказательство того, что ничто человеческое мне не чуждо?

Не получив ответа, она повернулась и вышла.

Когда она вошла в дверь, Нелл чуть не подпрыгнула.

— Ты в порядке? Я волновалась.

— В полном.

— Не похоже, что ты умираешь от усталости, — после придирчивого осмотра констатировала Лулу. Мучившие ее спазмы в животе тут же прошли.

— Я рассказала Лулу про вчерашнее, — виновато объяснила Нелл. Предсказать реакцию Майи было трудно. Сама Майя предсказывала реакцию Нелл намного лучше. — Подумала, что так будет лучше.

— Конечно. Кофе готов? Ужасно хочется выпить чашечку. Чтобы сэкономить время и силы, мы поднимемся наверх, и я заодно удовлетворю ваше любопытство.

— Ты была такой бледной... — Нелл шла по лестнице первой. — Мы с Рипли уже хотели вытаскивать тебя, но тут ты появилась сама. Правда, белая как простыня.

Добравшись до стойки, Нелл заторопилась на свое законное место и начала наливать кофе.

— Тебя не было почти час.

— Серьезно? — удивилась Майя. — Я не знала. Это не ощущалось... Его сила велика, — негромко сказала она. — Он блокировал мое чувство времени. Я не собиралась оставаться там так долго. Теперь понятно, почему я была такой слабой, когда вернулась.

Она взяла протянутую Нелл чашку и сделала глоток.

— В следующий раз надо будет иметь это в виду. Лу, ты немного осунулась. Неважно себя чувствуешь?

— Допоздна смотрела фильмы с Чарльзом Бронсоном, — бойко соврала Лулу, заставив маявшуюся за стойкой Нелл покраснеть от стыда. — Ну как, этот мальчишка Логанов хорошо позаботился о тебе?

— Да, Лулу, этот мальчишка Логанов позаботился обо мне как следует... А вот ты, судя по голосу, простудилась.

Лулу знала, что Майю легче всего отвлечь, перейдя в нападение.

— Сегодня утром я не видела у коттеджа его шикарной машины.

— Потому что она припаркована на моей подъездной аллее. Он просидел со мной всю ночь, утром приготовил совершенно несъедобный завтрак, а потом я соблазнила его в душе. В результате я чувствую себя хорошо отдохнувшей, безмятежной и немного голодной. Нелл, дай-ка мне вон ту булочку с яблоками.

— Он продал свою квартиру в Нью-Йорке, — объявила Лулу и испытала удовлетворение, когда Майя захлопала глазами.

— Серьезно?

— Слухами земля полнится. Об этом написано во всех вчерашних газетах. Отправил свое барахло на склад. Не похоже, чтобы он собирался туда возвращаться. Во всяком случае, в ближайшее время.

— Да, не похоже. — «Нельзя думать об этом, — решила она. — По крайней мере, не сейчас». — Конечно, новость интересная, но у нас есть более важные дела, чем обсуждение вопроса о том, куда Сэм отправил свою мебель.

— Знающие люди говорят, что он продает и ее тоже.

— Гм-м... Как бы там ни было, — продолжила Майя, — мы должны решить, что делать с Ивеном Ремингтоном. Вряд ли полиция даст санкцию на шабаш по изгнанию бесов из заключенного.

Она задумчиво откусила кусочек булочки.

— Честно говоря, я не думаю, что из этого что-то выйдет. Ремингтон — не Хардинг. Тот был пешкой, не сознававшей своей роли, и действовал против своего желания. У Ремингтона такое желание есть. И чутье подсказывает мне, что он знает. Не только принимает то, что в него вселилось, но и радуется ему. Приветствует его.

— Я могла бы навестить его. — Нелл дождалась взгляда Майи. — Он согласится. И тогда я сумею до него дотянуться.

— Не сумеешь. — Майя сжала руку Нелл. — Ты подействуешь на него как катализатор. Кроме того, если я соглашусь на это, Зак оторвет мне голову. И правильно сделает. Твое новое столкновение с Ремингтоном опасно при любых обстоятельствах, а для будущего ребенка оно опасно вдвойне.

— Я бы не стала пытаться... — У Нелл округлились глаза. — Откуда ты знаешь про ребенка? Я сделала тест на беременность только сегодня утром! — Она прижала ладонь к животу. — Сегодня днем меня примет врач. Я даже Заку еще ничего не сказала. Хотела сначала убедиться.

— Можешь не сомневаться. Я почувствовала это, как только взяла тебя за руку. — Лицо Майи светилось от радости. — Новая жизнь... Ох, Нелл!

— Я знала. С той ночи, когда зачала. Ощутила внутри свет. — На глазах Нелл появились слезы. — Но боялась верить. Боялась надеяться. У нас будет ребенок! — Она прижала ладони к щекам и закружилась на месте. — У нас будет ребенок! Я должна все рассказать Заку.

— Вот и расскажи. Прямо сейчас. А мы пока управимся тут без тебя. Правда, Лу? Лу... — Майя обернулась и увидела, что Лулу вынимает из кармана салфетку.

— Аллергия, — сдавленным голосом объяснила Лулу. — Валяй. — Она махнула Нелл рукой. — Расскажи мужу, что ему предстоит стать отцом.

— Отцом! — Нелл вприпрыжку выбежала из-за стойки и обняла сначала Лулу, а потом Майю. — Ох, не могу дождаться, когда увижу его лицо! И Рипли тоже! Я ненадолго. Скоро вернусь. — Нелл устремилась к лестнице, но затем повернулась. Ее лицо сияло. — У меня будет ребенок!

— Можно подумать, что такого еще ни с кем не случалось. — Лулу снова высморкалась и сунула платок в карман. — Похоже, пора вязать ботиночки. И шить одеяльце. — Она пожала плечами. — Хочешь не хочешь, а кому-то придется сыграть роль бабушки.

Майя обвила рукой шею Лулу и прижалась щекой к ее волосам.

— Сядь на минутку и поплачь как следует.

— Ага. — Лулу снова полезла за платком. — Хорошая мысль.

«Ничто не должно портить эту радость», — решила Майя. Ни трехвековое проклятие, ни смятение, охватившее их на первых порах. И тем более не ее собственная зависть.

Что бы ни случилось, но Нелл должна насладиться счастьем, вызванным ее открытием.

Из-за стука молотков и жалюзи на окнах кафе толпа страждущих любителей ленча перекочевала в другие места. По мнению Майи, лучшего времени для этого нельзя было и придумать. Чем меньше посетителей, тем больше у Нелл будет свободного времени и возможности отвлечься.

Ко дню летнего солнцестояния основная часть работы будет закончена. Если к тому времени кафе еще не будет готово, посетители смогут обедать на новой маленькой террасе.

Майя стояла на тротуаре у магазина и пыталась

оценить, как идет работа. Когда все завершится, терраса будет хорошо сочетаться со зданием. Она решила повесить с обоих концов корзины с цветами, уже заказала чугунную решетку для ограждения и выбрала плитку для пола.

Ей уже виделись столики, горшки с летними цветами и расплачивающиеся посетители.

— По-моему, все идет неплохо, — сказал остановившийся рядом Зак.

— Лучше, чем я надеялась. Мы опробуем террасу во время летнего солнцестояния, а официально откроем ее Четвертого июля[1]. — Она довольно вздохнула. — Как себя чувствуешь, Папа Шериф?

— Лучше не бывает. Это самый счастливый год в моей жизни.

— Ты будешь хорошим отцом.

— Очень постараюсь.

— Конечно, — подтвердила она. — Но главное у вас уже есть. Помнишь, как я приходила к вам, когда мы были детьми?

— Конечно. Если вы с Рип были не у нас, то, значит, у тебя.

— Я всегда любила приходить к вам в дом и смотреть на твоих родителей. Иногда представляла себе, что они и мои тоже. — Майя прижалась к Заку, и он погладил ее по голове. — Интересно, что было бы, если бы мои старики относились ко мне так же. С таким же интересом, радостью и гордостью. Все это было у вас в доме.

— Наверное, да.

— Ох, Зак, иногда я видела, как ваша мать смотрела на тебя с Рипли и улыбалась. Я чувствовала ее мысли. «Вы только гляньте на этих ребятишек. Разве они не

---

[1] День независимости США.

молодцы? И целиком мои». Они не только растили вас, они любили вас, они радовались вам.

— Нам повезло. Мы тоже любили их всем сердцем.

— Знаю. Лулу относилась ко мне так же. И бабушка, пока была жива. Я понимала, что это такое. Поэтому равнодушие собственных родителей сбивало меня с толку. И, честно говоря, сбивает до сих пор.

— Ну... — Зак счел себя обязанным поцеловать ее в макушку. — Должен признаться, что я иногда тоже тебе завидовал. Ты пользовалась большей свободой. Тебя пасла только Лулу, а меня — сразу двое.

— Она старалась за двоих, — улыбнулась Майя. — За двоих ничтожных людишек. Отпускала на длину поводка, а когда я думала, что освободилась, тащила меня обратно.

— Она до сих пор стережет тебя.

— А то я не знаю... Ладно, сегодня главное совсем не это. Ты будешь чудесным отцом. Причем без всяких усилий.

— Я все сделаю для того, чтобы защитить Нелл и малыша от кого бы то ни было. Поэтому мне нужно знать, могут ли ваши общие дела повредить ребенку.

— Нет. — Она обхватила его лицо ладонями. — Нет. Обещаю тебе. Могу поклясться, что буду защищать ее и твоего ребенка как своего собственного.

— Хорошо. А теперь еще один вопрос. Ты доверяешь мне?

— Конечно. Как самой себе.

— Нет. — Он с неожиданной силой сжал ее запястья. — Ты доверяешь мне как шерифу, задача которого — защищать всех жителей острова. Доверяешь заботиться о Нелл как о своей сестре. Но доверишь ли помогать, когда придет время покончить со всей этой историей? Твоего доверия для этого достаточно?

— Конечно, — ответила она. — Это нечто большее, чем доверие. Я люблю тебя.

Вышедший из магазина Сэм услышал ее последние слова и почувствовал себя так, словно получил удар под дых. Ревность тут была ни при чем. Его охватила лютая зависть к человеку, который сумел завоевать ее дружбу и абсолютное доверие. К человеку, который мог выслушивать ее спокойное и чистосердечное признание в любви как друг.

Чтобы пошутить, ему пришлось собрать всю свою силу воли.

— Жадный сукин сын. — Сэм слегка ткнул Зака в плечо. — У тебя уже есть одна женщина.

— Кажется, есть. — Тем не менее Зак наклонился и поцеловал Майю в щеку. — Спасибо, что напомнил. Пойду проверю. Приятно было поцеловать вас, мисс Девлин.

— Всего доброго, шериф Тодд.

— Раз так, я должен его переплюнуть. — Борясь с досадой, Сэм повернул Майю к себе и впился ей в губы поцелуем, который заставил трех женщин, шедших по другой стороне улицы, захлопать в ладоши.

— Неплохо. — Майя с трудом отдышалась и попыталась распрямить пальцы ног. — Ты его действительно переплюнул. Но в тебе всегда жил спортивный дух.

— Давай уедем на часок, и я покажу тебе, что такое спортивный дух.

— Очень интересное предложение. Но... — Она слегка толкнула его ладонью в грудь. — У меня идет перестройка. А обеденный перерыв я провела, целуясь с шерифом.

— Не угостишь ленчем? Я мог бы оценить твое меню.

— Спасибо за заботу. Сегодня у нас салат из фиалок с травами. — Майя подошла к двери и открыла ее.

— Я не ем цветы.

— Уверена, что у Нелл найдется еда, достойная настоящего мужчины. Например, большой кусок мяса на кости. Прости, Сэм, но мне пора идти. — Она еще раз оглянулась на него. — Дорогу в кафе ты знаешь.

Логан действительно знал ее. Он заказал сандвич с курицей по-каджунски[1] и кофе глясе и стал следить за рабочими.

То, что строители сейчас работали у Майи, было на пользу и ей, и ему. Сезон набирал силу, и переделанные номера уже были заселены. После Четвертого июля он хотел перевести бригаду на полдневный рабочий день, чтобы не тревожить постояльцев в ранние утренние и вечерние часы.

Так будет продолжаться до сентября. «А в сентябре, — думал он, — я узнаю, как проживу остаток своей жизни».

Она не хотела подпускать его слишком близко. Была согласна спать с ним в ее постели, но не собиралась ложиться в его постель. Говорила о работе, об острове, о магии. Однако давала понять, что потерянные десять лет их жизни возместить невозможно.

Пару раз он звал Майю в Нью-Йорк, но она либо отмалчивалась, либо просто уходила от ответа.

Весь остров знал, что они любовники, но Майя не показывалась с ним на людях. После той первой деловой встречи они ни разу не обедали в ресторане. Сэм предлагал ей съездить на материк и сходить в театр, но его предложения отвергались.

---

[1] Каджуны — потомки колонистов из поселения Акадия во французской Канаде, часть которых впоследствии была выслана англичанами во французскую Луизиану. Говорят на акадийском диалекте французского языка, который называется «каджун».

Намек был прозрачный. Она спала с ним, получала от этого удовольствие, но парой они не были.

Сэм мрачно жевал сандвич и думал, что многие мужчины ему позавидовали бы. Красивая женщина соглашалась с ним спать и не ждала — точнее, не позволяла — ничего большего. Ни намеков, ни ожиданий, ни клятв.

А он хотел большего. В том-то и заключалась проблема. Причем с самого начала. Он хотел большего, но был слишком молод, глуп, упрям и не понимал, что это «большее» — вся Майя. Целиком.

Когда она опустилась напротив, у Логана сжалось сердце.

— Майя...

— Я заполучила Кэролайн Трамп! — Она схватила его глясе и сделала большой глоток. — Только что разговаривала с ее агентом по рекламе. Мы договорились на вторую субботу июля. Слышал бы ты, как спокойно и профессионально я говорила по телефону! Этой женщине и в голову не пришло, что я летела с горы кувырком!

— В этом платье?

— Ха-ха! — Она взяла его за руки. — Я понимаю, что обязана этим только тебе. Спасибо. Я очень ценю, что ты замолвил словечко за мой магазин.

— Это было нетрудно. Не делай из мухи слона.

— Не буду. Я заранее составила рекламное объявление. Нужно будет поговорить с Нелл насчет еды. — Она хотела встать, но замешкалась. — У тебя есть какие-нибудь планы на день солнцестояния?

Он встретил ее взгляд и постарался ответить так же небрежно. Однако оба понимали, что она предлагает сделать следующий шаг. И очень важный. По крайней мере, для нее.

— Нет. Никаких.

— Значит, теперь они у тебя есть.

12

Майя закрыла и заперла дверь за последней группой покупателей, потом оперлась о нее спиной и посмотрела на Лулу.

— Длинный был день.

— Я думала, они разобьют здесь палатки. — Лулу закрыла кассу и застегнула «молнию» сумки с наличными. — Отвезешь деньги домой или отдашь на хранение?

— Сколько там?

Поскольку обеим это доставляло удовольствие, Лулу расстегнула сумку, достала пачку банкнот и провела по ней кончиком большого пальца.

— Сегодня куча народу расплачивалась наличными.

— Благослови их Господь. Всех вместе и каждого в отдельности... Пожалуй, отдам на хранение. А как с кредитными карточками?

— Все здесь.

Майя размяла плечи, подошла и осмотрела пачку квитанций.

— Бизнес идет неплохо.

— Их привлекает солнцестояние. Сегодня ко мне подошли две девчонки с материка и спросили, нельзя ли купить у здешней ведьмы приворотное зелье.

Майя улыбнулась и оперлась на прилавок.

— И что ты им ответила?

— Ответила как положено. Сказала, что сама пользуюсь приворотным зельем, и продемонстрировала, как оно на меня действует. Удрали тут же.

— Им нужно было объяснить, что искать такое зелье бессмысленно.

— Во время солнцестояния ты могла бы наливать в красивые флакончики подкрашенную воду, и их тут же раскупили бы. «Волшебная смесь Майи», приносящая любовь, красоту и удачу в делах.

— Отличная мысль. — Майя наклонила голову. — Лу, за все эти годы ты ни разу не попросила меня прочитать заклинание, которое могло бы принести тебе любовь, красоту и богатство. Почему?

— Потому что все это у меня уже есть. — Лулу вынула из-под прилавка огромную сумку. — Ты и так заботишься обо мне. Лучше бы о себе подумала.

— Странно... Я всегда забочусь о себе.

— Конечно, у тебя есть дом и деньги. Ты живешь так, как считаешь нужным. Красивая, здоровая. И обуви у тебя столько, что хватило бы целому лас-вегасскому кордебалету.

— Именно ношение обуви отличает нас от низших млекопитающих.

— Пой, ласточка, пой. Просто ты любишь, когда мужчины смотрят на твои ноги.

Майя провела рукой по волосам.

— Это вполне естественно.

— Не заговаривай мне зубы. — Лулу видела Майю насквозь и понимала, что ее пытаются отвлечь. — Ты многого достигла. Обзавелась хорошими друзьями. И превратила магазин в место, которым можно гордиться.

— Мы превратили, — поправила Майя.

— Ну, я тоже не сидела сложа руки, но магазин принадлежит тебе. — Лулу кивком показала на полки. — И он процветает.

— Лу... — Тронутая Майя погладила Лулу по руке и обошла прилавок. — Мне очень приятно, что ты так думаешь.

— С этим спорить не приходится. Но иногда по ночам меня волнует другое. Ты не чувствуешь себя счастливой.

— Конечно, чувствую.

— Неправда. Хуже того, в глубине души ты не веришь, что когда-нибудь будешь счастлива. Лучше бы занялась этим, чем предлагать позаботиться обо мне... Вот и все, что я хотела сказать. А теперь пойду домой, задеру ноги вверх и посмотрю фильм с Брюсом Уиллисом. Мне нравится видеть, как он расправляется с преступниками.

Майя молча следила за тем, как Лулу выходит в заднюю дверь. Потом она взяла сумку с наличными и квитанциями и начала обходить помещение. «Магазин действительно процветает, — думала она. — Я недаром потратила на него много сил. Много денег, ума и вкуса».

И почти семь лет жизни.

«Он принес мне счастье, — твердила она, поднимаясь по лестнице в свой кабинет. — У меня есть любимое дело. Этого вполне достаточно. Во всяком случае, должно быть достаточно». Возможно, когда-то она считала, что будет жить по-другому. С любимым мужчиной и детьми, которых они произведут на свет.

Но это были всего лишь девичьи фантазии, с которыми давно покончено.

«Если они не сбылись, это еще не значит, что я потерпела неудачу, — думала Майя, заполняя документы, нужные для передачи выручки на хранение. — Это значит только то, что я выбрала другой путь. И другое место назначения».

«Ты не чувствуешь себя счастливой...» — со вздохом вспомнила она. Если говорить начистоту, многие ли считают себя счастливыми? Неужели удовлетворения недостаточно для счастья? Разве нужно чувствовать себя счастливым, чтобы успешно управлять собственной жизнью?

Темнота, прижавшаяся к окнам, была слышна физически, как скрип пальцев по стеклу. Майя выглянула наружу. Стоял светлый летний вечер. И все же в нем присутствовала тьма, пытавшаяся найти щель. Брешь в стене ее воли.

— Ты не воспользуешься мной для уничтожения, — сказала Майя так громко, что от стен отдалось эхо. — Что бы я ни делала, но использовать меня ты не сможешь. Тебе нечего здесь делать.

Сидя за столом с аккуратно сложенными бумагами, она раскинула руки, повернула ладони вверх и призвала свет. Он засиял в ее ладонях, напоминавших золотые пруды, а потом потек наружу. Когда свет распространился, достигнув дальних углов комнаты, тьма уползла прочь.

Успокоенная Майя собрала документы, требовавшиеся для передачи денег в банк.

Решив перед уходом доставить себе маленькую радость, она отперла только сегодня установленную стеклянную дверь, отодвинула ее и вышла на террасу.

Чугунная решетка получилась именно такой, как она хотела. Немного вычурной, но зато женственной. Майя слегка сжала прутья и убедилась в их прочности. «Красивое не может быть слабым», — подумала она.

Отсюда были хорошо видны кусочек берега, раскинувшееся за ним море и световой меч ее маяка, разрезавший вечерние сумерки. Теперь темнота казалась благодатной и полной надежды.

Однако на Хай-стрит было по-прежнему людно. Вернувшиеся в поселок туристы спешили в кафе-мороженое. Воздух был таким чистым, что она слышала обрывки разговоров и крики молодых людей, собравшихся на берегу.

— Будь эта решетка донизу, я бы по ней поднялся.

Майя опустила глаза и увидела Сэма. Смуглого, красивого и слегка опасного. То, что когда-то она смертельно влюбилась в Сэма Логана, было вполне естественно.

— Вторжение в учреждение после его закрытия на этом острове не приветствуется.

— С местной полицией у меня полный контакт, так что я рискнул бы. Но лучше спускайся ты. Вечер сегодня чудесный.

Было время, когда она побежала бы к нему не задумываясь. Но Майя, помнившая, как легко ради него забыть обо всем на свете, только перегнулась через перила.

— У меня еще есть дело. И завтра предстоит трудный день. Я еду в банк, а потом домой.

— Красавицы не должны быть капризными... Эй! — Сэм схватил за руку одного из трех мужчин, проходивших мимо, и показал наверх. — Разве она не красавица? Я пытаюсь ухаживать за ней, но она не поддается.

— Почему вы не хотите дать парню шанс? — крикнул ей один из мужчин, но приятель тут же ткнул его локтем в бок. Оба засмеялись.

— Черт с ним. Дайте шанс мне. — Он театрально прижал руку к сердцу. — Кажется, я влюблен. Привет, рыжекудрая красавица.

— Привет.

— Давайте поженимся и уедем в свадебное путешествие на остров Тринидад.

— А где кольцо? — Майя подхватила игру. — Я не поеду на Тринидад без огромного бриллианта на пальце.

— Эй! — Мужчина подтолкнул локтем другого приятеля. — Дай мне взаймы десять тысяч баксов, чтобы я мог купить огромный бриллиант и отправиться с рыженькой на Тринидад.

— Будь у меня десять тысяч, я бы сам отправился с ней на Тринидад.

— Вот видишь, что ты наделала! — фыркнул Сэм. — Разрушила дружбу, вызвала междоусобицу. Спускайся скорее, пока мы с моими новыми приятелями не перерезали друг другу глотки.

Майя засмеялась, вернулась в магазин и заперла за собой дверь.

Сэм ждал ее. Когда Майя вышла на террасу, у него сжалось сердце. Она выглядела чудесно, но казалась грустной. Он сделал бы все на свете, чтобы развеять ее тихую печаль. И пробить тонкий щит, которым она продолжала прикрываться. Логану хотелось знать, что у нее на уме. И на душе.

Возможно, для этого требовалось стать проще. Хотя бы на один вечер.

Когда Майя вышла и заперла за собой дверь, он стоял на тротуаре. На ней было платье с широким подолом, украшенным маленькими бутонами желтых роз. Туфли представляли собой несколько перекрещивающихся полосок кожи на высокой платформе. Тонкая золотая цепочка на левой лодыжке казалась ему удивительно сексуальной.

Она повернулась, набросила на плечо ремень сумочки и обвела взглядом тротуар.

— А где же твои друзья?

— Я подкупил их бесплатными напитками в «Шабаше». — Он кивнул в сторону гостиницы.

— Ага. Из которых им подадут только холодное пиво.

— Хочешь на Тринидад?

— Нет.

Сэм взял ее за руку.

— А стаканчик мороженого?

Она покачала головой.

— Мне нужно сдать деньги в банк. Так что я не капризничаю, а проявляю чувство ответственности.

— Угу. Я провожу тебя.

— Что ты делаешь в поселке? — спросила Майя, когда они пошли к банку. — Работал допоздна?

— Да нет. Я приехал домой час назад, но почувствовал себя неуютно. — Сэм пожал плечами. — Вот и вернулся. — «Точно рассчитав время, — мысленно добавил он. — Как раз к закрытию».

Он поднял глаза и увидел на другой стороне улицы группу людей в просторных одеждах и подвесках на серебряных цепочках.

— Любители, — проворчал Сэм.

— Они безвредны.

— Мы могли бы вызвать шторм или превратить улицу в заливной луг. Показать им, что такое настоящая магия.

— Прекрати. — Майя достала ключи от несгораемой ячейки.

— Все ясно. У нас плохое настроение. — Он тяжело вздохнул. — Не человек, а ходячая должностная инструкция.

— Вот именно. — Майя получила квитанцию и сунула ее в сумку с наличностью. — Зато ты вряд ли когда-нибудь прочел хоть одну инструкцию.

— Будь они похожи на тебя, я изучил бы их вдоль и поперек.

«Настроение у него может измениться в любую минуту, — подумала Майя. — Пока что ему хочется подурачиться. Что ж, в разумных пределах это терпимо».

Когда группа псевдоведьм и псевдоколдунов подошла к оконному ящику с увядшими далиями, Майя грациозно взмахнула рукой. Цветы тут же выпрямились и засверкали красками.

— Публика рукоплещет, — констатировал Сэм, услышав восторженные ахи и охи. — Отличная работа.

— Я передумала насчет угощения. Мое плохое настроение может исправить стаканчик мороженого.

Логан купил ей апельсиновое со сливками и уговорил съесть его во время прогулки по берегу. Приближалось полнолуние. Абсолютно круглой луна должна была стать к концу недели, в солнцестояние.

Полнолуние и солнцестояние означают щедрость. Недаром с ними связаны ритуалы плодородия и просьбы богатого урожая.

— В прошлом году я праздновал солнцестояние в Ирландии, — сказал Сэм. — В графстве Корк есть кромлех. Намного более уютный, чем Стоунхендж. Небо остается светлым до десяти вечера. А когда в конце самого долгого дня года оно начинает темнеть, камни поют.

Ничего не ответив, Майя остановилась и посмотрела на море. «В тысячах миль отсюда лежит другой остров, — подумала она. — И каменный круг, в котором Сэм был год назад».

А она была там же, где всегда. Одинокая ведьма.

— Ты никуда не ездила, — сказал он. — Никогда не была в Ирландии.

— Да.

— Там есть магия, Майя. И в земле, и в воздухе.

Она пошла дальше.

— Магия есть повсюду.

— Я нашел там грот. В скалах на западном побережье. И понял, что именно туда он уплыл, оставив ее здесь.

Когда Майя остановилась и снова повернулась к нему, Сэм продолжил:

— Три тысячи миль через Атлантику. Его тянула туда собственная кровь. Я знаю, что это такое.

— Ты отправился в Ирландию именно поэтому? Потому что тебя тянула туда кровь?

— Голос крови позвал меня туда, а потом заставил вернуться к тебе. Когда ты сделаешь то, что должна сделать, я отвезу тебя туда и все покажу.

Она изящно лизнула мороженое.

— Я не нуждаюсь в том, чтобы меня куда-то везли.

— Я был бы рад поехать с тобой.

— Может быть, когда-нибудь и съезжу. — Она пожала плечами и подошла к полосе прибоя. — Посмотрим, понадобится ли мне компания. Но ты прав, по крайней мере, в одном. Вечер действительно чудесный.

Она откинула голову, наслаждаясь зрелищем звезд и влажным морским воздухом.

— Снимай платье.

Она не изменила позу.

— Извини, не поняла.

— Давай поплаваем.

Майя откусила верхушку конуса.

— Я понимаю, что тебе, как гостю острова, на это наплевать, но у нас есть закон, запрещающий купаться в обнаженном виде на глазах у публики.

— Законы — это те же должностные инструкции, верно? — Он пропустил ее слова мимо ушей и обвел взглядом берег. Конечно, они были не одни, но толпы вокруг не наблюдалось. — Только не говори, что ты стесняешься.

— Я не стесняюсь. Просто соблюдаю осторожность, — поправила она.

— Ладно, уважим твою стыдливость. — Сэм развел руки, и их окутал огромный мыльный пузырь. — Мы видим всех, а нас — никто.

Логан шагнул к ней, обнял и медленно расстегнул

«молнию» на спине платья. Майя задумчиво доедала мороженое.

— Плавание в лунной дорожке может стать достойным завершением вечера. Ты еще не разучилась нырять?

— Вряд ли. — Она сняла туфли и сбросила платье, под которым не было ничего, кроме янтарного ожерелья. Потом повернулась, шагнула в прибой и нырнула в темное море.

Она плыла быстро, разрезая буруны и двигаясь легко, как русалка. Только когда душа запела от радости, Майя поняла, чего ей так не хватало.

Свободы, веселья и желания подурачиться.

Она обогнула буй, прислушалась к его гулкой пустоте, а потом перевернулась на спину и залюбовалась звездным небом. Вода нежно лизала ее грудь.

— Тебе когда-нибудь удавалось опередить Рипли в заплыве?

— Увы, нет. — Майя лениво провела ладонью по воде. — Она чувствует себя в море так же, как пуля в воздухе.

— Я следил за вами в бухте Тоддов. Гулял там с Заком и делал вид, что не замечаю вас.

— Серьезно? Я никогда тебя там не видела.

Когда ее голова оказалась под водой, Майя ничуть не удивилась. Этого следовало ожидать. Она извернулась как угорь и дернула Сэма за лодыжки.

Вынырнув, она повертела головой, откидывая с лица волосы.

— Ты всегда был простофилей.

— Зато ты до меня дотронулась. Так кто из нас простофиля? — Сэм плавал вокруг нее; его волосы были черными и блестящими, как у котика. — Я помню, как в первый раз заставил тебя бороться со мной. Мы были мокрыми, а твой синий купальник был вырезан так высоко, что я видел твои ноги до самых ушей. Эта сексуальная золотая родинка в виде пентаграммы свела меня с ума. Тогда тебе было пятнадцать.

— Купальник я помню. А что меня заставили бороться, нет.

— Вы с Рип прохлаждались в воде. А Зак возился со своей лодкой. Он просто бредил ею. Быстрой маленькой яхтой длиной четырнадцать футов.

Она это прекрасно помнила. Помнила, как сердце колотилось в ребра, когда на причал вышел высокий и дочерна загорелый Сэм, на котором не было ничего, кроме обрезанных джинсов и самодовольной усмешки.

— Я много раз плавала с Рипли в бухте, когда Зак возился со своей лодкой, а ты крутился рядом.

— В тот день, — продолжил Сэм, — я плавал с Заком на яхте и пытался что-то придумать. Уговорил его сделать перерыв и подплыть к причалу. Предполагалось, что мы начнем обливать вас водой и что вы с Рипли разозлитесь. Так ты и попала в мои ловкие руки.

Майя последовала примеру Логана и начала описывать круги. Ей нравилось, когда у Сэма было игривое настроение. В юности такое случалось редко. А сейчас, видимо, еще реже.

— По-моему, это мания величия. Память тебя обманывает.

— В этом моя память ясна как чистое стеклышко. Я уговорил Зака поплавать наперегонки с Рип, после чего мы остались одни. Было вполне естественно вызвать на соревнование тебя.

— Да, смутно припоминаю.

Смутно? Майя прекрасно помнила дрожь, сотрясавшую ее тело, когда Сэм плыл рядом, не сводя с нее глаз цвета моря. И желание, бушевавшее в ее крови, как летняя гроза.

— Конечно, я сдерживался и поэтому опередил тебя только на один гребок.

— Сдерживался? — Она запрокинула голову и начала изучать звезды. — Брось.

— Нет. Я хорошо знал, что делаю. Ты сказала, что у нас ничья, а я — что победа осталась за мной. Когда ты начала дуться, я окунул тебя в воду.

— Кажется, ты окунул меня, когда я заявила, что ты играл нечестно, — сказала Майя.

— Как я и ожидал, ты отомстила мне, схватив за коленки и утянув под воду. После этого я навязал тебе сражение, которое позволило мне коснуться твоей обворожительной юной попки. А потом ты захихикала.

Майя надменно фыркнула:

— Я не хихикала ни разу в жизни!

— Еще как хихикала. Хихикала, корчилась и извивалась так, что я чуть не кончил.

Майя снова легла на спину.

— Глупый мальчишка. Когда ты борешься с девушкой обнаженным, она прекрасно знает, каким местом ты соображаешь.

— Тебе было пятнадцать. Что ты знала?

Настала ее очередь самодовольно улыбаться.

— Вполне достаточно. Я корчилась и извивалась, пока не добилась нужного результата.

— Значит, ты делала это нарочно?

— Конечно. А потом мы с Рипли обсуждали это во всех подробностях.

— Врешь! — Сэм протянул руку и схватил ее за волосы.

— Мы очень веселились. Но в завершение этого долгого воспоминания польщу твоему самолюбию и признаюсь, что после этого меня неделю мучили эротические сны.

Сэм взял ее за шею и притянул к себе, так что их тела столкнулись. А потом положил ладонь на ее грудь.

— Меня тоже. — Он скользнул пальцем по ее груди сначала вниз, а потом вверх. — Майя...

— Гм-м?

— Держу пари, что я еще могу заставить тебя хихикать.

Не успела Майя сообразить, как он схватил ее за талию и повернул лицом вниз. Захваченная врасплох, она заколотила руками и ногами и перевернулась, когда пальцы Сэма безошибочно нашли ее ребра.

— Прекрати! — Волосы упали на ее лицо, глаза залила морская вода.

— Хихикай! — велел Логан, продолжая ее щекотать. — Корчись и извивайся!

— Идиот! — С трудом сдерживающая хохот, Майя пыталась освободиться, но над водой все равно раздался ее звонкий беспомощный смех.

Ей удалось схватить Сэма за волосы и как следует дернуть. Но он продолжал вертеть ее в воде. Вдруг Майя почувствовала головокружение, потеряла ориентировку в пространстве и ощутила жгучее возбуждение.

— Осьминог несчастный! — Его руки были повсюду.

— Ты корчилась как следует. И это все еще действует. Только на этот раз обойдемся без снов. — Он обхватил бедра Майи и вошел в нее.

Они поехали в дом на скалах и жадно, как дети, съели по тарелке холодной пасты. Когда голод был утолен, они легли в постель и снова набросились друг на друга.

Майя уснула в его объятиях и увидела сон. Она

плыла в темном море так же безмятежно, как луна плыла по ночному небу, наслаждаясь прохладной водой и ароматным воздухом. Вдали был виден ее остров. Он спал, охраняемый от темноты лучом маяка.

Шум волн убаюкивал ее, даря покой и умиротворение.

А потом вдруг звезды взорвались и превратились в молнии, бившие в ее остров. Море забурлило и понесло ее прочь от дома.

Она боролась и отчаянно гребла в сторону грязного тумана, начавшего воздвигать стену на берегу. Волны заливали ее, засасывали в темноту, били по спине и толкали в глубину.

Раздался грохот. Последовавшие за ним крики надрывали ей душу. Собрав все оставшиеся силы, она потянулась к огню, горевшему внутри. Но его было недостаточно, чтобы рассеять тьму.

Она следила за тем, как остров уходил в море. Когда Майя заплакала, он увлек ее с собой...

Майя проснулась рядом с Сэмом, сжавшаяся в комок и вцепившаяся в простыню. Дрожа всем телом, она подошла к окну и успокоилась. Внизу раскинулся сад; луч маяка горел ясно, как всегда.

Неужели кончится именно этим? Вдруг она сделает все, что в ее силах, но этого окажется недостаточно?

В темноте послышался волчий вой, протяжный и ликующий. Зная, что ее хотят напугать, Майя вышла на балкон.

— Я — огонь, — раздельно сказала она. — И этот огонь однажды очистит тебя.

— Майя...

Она повернулась и увидела Сэма, сидевшего на кровати.

— Я здесь.

— Что там?

— Ничего. — Она вернулась, но оставила балконную дверь открытой. — Просто не спится.

— Возвращайся в постель. — Он протянул руку. — Я помогу тебе уснуть.

— Ладно. — Она легла и призывно повернулась к нему.

Но Сэм только привлек ее к себе и погладил по голове.

— Закрой глаза. И забудь, что отвечаешь за остров. Хотя бы на одну ночь.

— Я не...

— Забудь, — повторил он и гладил Майю по голове до тех пор, пока она не уснула глубоким и спокойным сном без всяких сновидений.

13

— Это для нас, — сказала Майя, когда на востоке солнце выпустило в небо свою первую огненную стрелу. — Праздник летнего солнцестояния, праздник щедрой земли, теплого воздуха и всевластного солнца. Мы — Трое.

— Да, да, — протяжно зевнув, ответила Рипли. — И чем скорее мы с этим покончим, тем скорее я смогу вернуться домой и поспать еще часок.

— Твое отношение к делу вдохновляет. Как всегда.

— Позволь напомнить, что я голосовала против устройства круга на рассвете. Сегодня воскресенье. Вы сможете вернуться в постель, а мне целый день дежурить.

— Рипли... — Нелл сумела придать своему голосу оттенок мягкости. — Сегодня солнцестояние. Начинать празднование самого длинного дня в году нужно с рассвета.

— Я здесь, верно? — Рипли злобно посмотрела на Нелл. — Ты что-то слишком жизнерадостная для беременной. Почему у тебя нет утреннего токсикоза?

— Я в жизни не чувствовала себя лучше.

— И не выглядела счастливее, — сказала Майя. — Сегодня мы будем праздновать плодородие. Земли и твое. Первый костер зажигают на рассвете. Начинай.

Она подняла венок из лаванды и водрузила его на голову Нелл.

— Ты первой из нас зачала новую жизнь и передала нашу сущность новому поколению. Будь благословенна, сестренка.

Она поцеловала Нелл в обе щеки и сделала шаг назад.

— О’кей, ты меня растрогала. — Рипли тоже поцеловала Нелл и подала руку Майе.

Нелл подняла руки и приняла в себя силу.

— От рассвета до заката пусть костер пылает ярко. С неба пусть огонь слетит, землю снова возродит. Не коснется его жар ни травинки, ни листа. Воля твердая сильна, пусть исполнится она.

Из земли ударил огонь, яркий, как золото.

Майя взяла другой венок, лежавший на куске белой ткани, и надела его на голову Рипли.

Для проформы закатив глаза, Рипли подняла руки. Сила была теплой и желанной.

— В землю семя упало, чтоб урожая больше стало. Сегодня вплоть до самой короткой ночи ясный свет будет озарять наши очи. Воля твердая сильна, пусть исполнится она.

Из земли выросли полевые цветы и образовали круг.

Наклониться за третьим венком Майя не успела. Рипли подняла его и поцеловала сестру.

— Все должно быть по правилам, — сказала она и опустила венок на голову Майи.

— Спасибо. — Майя тоже подняла руки. Сила была естественной, как дыхание. — Сегодня солнце владеет всем. Его сила и свет, останьтесь с нами насовсем. Сегодня будут согреты и небо и земля. Так хотим мы, так хочу я. Пусть живое пламя родит новую жизнь. Сегодня праздник огня, с утра и до первой звезды. Воля твердая сильна, пусть исполнится она.

Из кончиков ее пальцев ударили лучи и переплелись с лучами солнца. Так продолжалось до тех пор, пока с рождением дня на поляне не появился круг.

Майя взяла за руки Нелл и Рипли.

— Он следит, — сказала она. — И ждет.

— Почему мы ничего не делаем? — сердито спросила Рипли. — Нас здесь трое, а сегодня солнцестояние. Мы можем нанести ему сильный удар.

— Сейчас не то время... — начала Майя, но осеклась, когда Нелл сжала ее руку.

— Майя, мы можем показать ему свою силу. Почему бы это не сделать? Наш круг замкнут.

«Действительно, почему? — подумала Майя. — Может быть, неразорванный круг должен проявить себя. И именно сейчас». Благодаря связи она кожей чувствовала решимость Нелл и страстность Рипли.

— Что ж, не будем церемониться. — Она объединила свою силу с силой сестер.

— Мы — Трое одной крови, — начала Рипли, вместе с сестрами образовав круг в круге. — От нас исходят сила и свет.

— Пусть эти сила и свет поразят тьму и мрак. — Голосу Нелл отозвалось эхо. — Пусть стрела света понесется к тому, что носит нашу метку.

— Смотри, мы здесь. — Майя подняла их соединенные руки. — Узнай, что такое гнев трех сестер.

Свет вырвался из центра круга как из воронки и с ревом ударил вверх. А потом, как и просила Нелл, стрелой вылетел с поляны и вонзился в тень летних деревьев.

Из тени донесся злобный вой.

А затем наступила тишина, которую нарушал лишь мелодичный звон кристаллов, висевших на ветках.

— Это означает, что он убрался, — заметила Майя.

— Приятно слышать. — Рипли стала разминать плечи.

— И чувствовать. — Нелл сделала глубокий вдох и обвела взглядом поляну. — Чувствовать, что все правильно.

— Мы действительно поступили правильно. Сегодня он не сможет причинить вред ни нам, ни тем, кто нам дорог. — «Что бы ни было дальше, — думала Майя, — но начало положено. Мы проявили себя». Она подняла лицо к солнцу. — День сегодня чудесный.

* * *

Майя собиралась провести этот день в своем саду, вдали от толпы наводнивших поселок туристов и пробок на дорогах. Собиралась посвятить его самым простым вещам. Работе, которая доставляла ей удовольствие.

«День без забот, — думала она. — Чистый и ясный день без тени, выметенной, как пыль».

Она собрала урожай, срезав цветы и травы изогнутым ножом с белой ручкой. Их форма и запах всегда доставляли ей удовольствие. Как и разнообразие способов использования.

Некоторые она высушит, повесив часть на кухне, а часть — в комнате башни.

Из некоторых можно будет сделать талисманы, из

других — зелье. Мыло, кремы, бальзамы и средства, усиливающие дар предсказания. А некоторые просто добавлять в соусы и салаты для вкуса или составлять из них смеси для ароматизации воздуха.

Незадолго до двенадцати часов Майя сделала перерыв, чтобы зажечь полуденный костер. Она устроила его на своих скалах, как маяк. И какое-то время постояла рядом с ним, глядя на море и бороздившие его прогулочные яхты.

Время от времени она замечала блеск биноклей и понимала, что за ней наблюдают. «Смотрите! — говорили друг другу туристы. — Там, на скалах, стоит женщина. Наверное, она ведьма».

Триста лет назад на нее объявили бы охоту и вскоре повесили. «А сейчас, — думала Майя, — даже намек на магию притягивает людей к острову и моему магазину. Колесо вертится. Круг вращается».

Она вернулась к своему саду. Когда все сорванные травы были связаны в пучки и подвешены, она с помощью солнца заварила ромашковый чай, охладила его и добавила щепотку свежей мяты. И тут на дорожке появился Сэм.

— Пробки ужасные, — сказал он.

— Что поделаешь, Мабон...[1] — Майя налила чай в чашку. — Туристы падки на такие вещи, — добавила она. — Ты зажигал костер?

— Сегодня утром, около твоего круга в моей роще... В твоей роще, — поправился Сэм, когда Майя выгнула брови. Логан рассеянно опустил руку и погладил Исиду, трущуюся о его ноги. Он заметил новый ошейник с амулетом, на одной стороне которого была вырезана пентаграмма, а на другой — солнечное колесо.

---

[1] Кельтский праздник в честь летнего солнцестояния.

— Новый?

— В честь летнего солнцестояния. — Майя отрезала от буханки кусок хлеба, полила его медом и протянула Сэму. — Я сделала больше, чем требуется от феи.

Он откусил кусочек и обвел взглядом пышный сад. Летний ветерок колыхал высокие стебли, землю покрывало разноцветное море. Прилетела колибри и начала пить нектар из фиолетовых колокольчиков наперстянки.

Алые розы карабкались по шпалере к окну спальни, в которое он когда-то лазил, рискуя свернуть себе шею.

От запаха этих роз у него до сих пор сжималось сердце.

Теперь они сидели в тенистом саду. Взрослые и обремененные такими заботами, которых в детстве не могли себе и представить.

Майя надела платье без рукавов, зеленое, как окружавшая их листва. И ее лицо, прекрасное и спокойное, было совершенно бесстрастным.

— Где мы, Майя?

— В моем саду. Пьем чай с хлебом и медом. Сегодня для этого самый подходящий день. — Она подняла чашку. — Но, судя по твоему настроению, мне следовало подать вино.

Сэм встал и сделал несколько шагов в сторону. Майя знала, что скоро он ей все расскажет. Независимо от того, хочет она слушать или нет. Всего несколько вечеров назад он был весел, шутил и даже уговорил ее искупаться. Но сегодня его окутывала туча.

Он всегда был человеком настроения.

— Сегодня утром мне позвонил отец, — наконец сказал он.

— Ах...

— Ах, — повторил Сэм, ухитрившись произнести

односложное слово саркастически. — Он «недоволен моими действиями». Передаю дословно. Я посвящаю местной гостинице слишком много времени и вкладываю в нее слишком много денег.

— Это твоя гостиница.

— Я сказал ему то же самое. Это моя гостиница, мое время и мои деньги. — Сэм сунул руки в карманы. — Но толку я не добился. Мне сказали, что я принимаю необдуманные и опасные финансовые и деловые решения. Его разозлило, что я продал свою квартиру в Нью-Йорке, слишком много вложил в переоборудование гостиницы и прислал на июньское собрание совета директоров своего представителя, а не прибыл лично.

Понимая чувства Сэма, Майя встала и начала растирать ему плечи.

— Мне очень жаль. Неодобрение родителей — вещь неприятная. Непонимание всегда причиняет их детям боль. Даже взрослым.

— «Мэджик-Инн» — наша первая и самая старая собственность. Отец считает, что я приобрел ее с помощью хитрости. Теперь гостиница стала костью, которую он хочет у меня отнять.

— А ты решил не выпускать ее из зубов.

Сэм стукнул кулаком о кулак.

— Верно, будь я проклят. Отец продал бы гостиницу чужим людям еще несколько лет назад, если бы не был обязан сохранить ее как семейное достояние. Он продал мне «Мэджик-Инн» с радостью, но разозлился, когда понял, что я хочу там все переделать.

— Сэм... — На мгновение она прижалась щекой к его спине и снова стала шестнадцатилетней девочкой, утешающей своего мрачного и несчастного возлюбленного. — Иногда с такими вещами приходится мириться.

— Иногда приходится. — Логан повернулся к ней. — Но он никогда не был способен на это. Ни он, ни мать никогда не мирились с моей сущностью. Они всегда стеснялись меня.

Разгневанный и раздосадованный ситуацией, в которой он оказался, Сэм сделал несколько шагов по дорожке.

— В его крови этого не меньше, чем в моей. — Он заметил, что Майя хотела что-то сказать, но остановилась. — Что? Говори!

— Сэм... Ладно, я скажу. У вас с ним нет ничего общего. Ты ценишь то, что имеешь, и радуешься ему. А он считает это... э-э... плохой чертой, доставшейся тебе по наследству. Как и многие другие. Поэтому ты представляешь собой нечто гораздо большее и ценное, чем он.

— Он стыдится этого. И меня тоже.

— Да. — Ее сердце заныло от жалости. — Я знаю, это всегда причиняло тебе боль. И причиняет до сих пор. Ты не можешь заставить его думать и чувствовать по-другому. Но можешь изменить собственные чувства.

— Именно так ты обращалась со своими родными?

Майя не сразу поняла, что Сэм имеет в виду ее родителей, а не Лулу, Рипли и Нелл.

— Я в чем-то завидовала тебе. Твои старики интересовались тобой и пытались как-то направлять тебя, пусть и неправильно. А здесь никогда не спорили. — Она повернулась и посмотрела на дом, который любила. — Они просто не обращали на меня внимания. Бунтовать было бессмысленно. А потом я решила, что в этом отсутствии интереса нет ничего личного.

— Ох, ради бога...

— Я знаю, о чем говорю. Так им было проще, удобнее и спокойнее. Зачем было расстраиваться, если они ничего не замечали? А если бы заметили, это сбило бы их с толку. Люди они неплохие, вот только родители никудышные. Я стала тем, кто я есть, в какой-то степени благодаря им. С меня этого достаточно.

— Ты всегда была благоразумной, — ответил он. — Я никогда не мог понять, восхищает меня это или злит. И не могу понять до сих пор.

— А ты всегда слишком поддавался настроению. — Она села на скамью. — И остался таким. И все же очень жаль, что этот звонок испортил тебе праздник.

— Ничего, пройдет. — Сэм снова сунул руки в карманы и нащупал кристаллы, которые забыл вынуть. — Он хочет, чтобы я не позднее чем через месяц вернулся в Нью-Йорк и занял свое место в компании.

Ее мир закачался. Боясь потерять равновесие, Майя вцепилась в скамью. Потом она с трудом встала и заставила замолчать часть своей души, которую тронула его боль.

— Понятно... Когда ты уезжаешь?

— Что? Я никуда не уеду. Майя, я же сказал тебе, что останусь здесь. Думай как хочешь, но это правда.

Она небрежно пожала плечами и пошла к дому.

— Проклятие, Майя! — Сэм схватил ее за руку и развернул лицом к себе.

— Веди себя как следует, — холодно сказала она.

— Значит, ты ждала, что я соберу вещи и уеду? — спросил он. — Так, да?

— Я ничего не ждала.

— Что мне сделать, чтобы ты отказалась от этой мысли раз и навсегда?

— Для начала отпустить мою руку.

— Именно этого ты и ждешь. — Чтобы доказать ее ошибку, Сэм схватил Майю за другую руку, и они застыли на тропинке лицом друг к другу. — Именно поэтому ты не позволяешь прикасаться к себе. Даже тогда, когда это важнее всего на свете. Ты ложишься со мной в постель, но в свою, а не в мою. Обедаешь со мной в ресторане только тогда, когда это имеет вид деловой встречи. Не разрешаешь рассказывать про годы, проведенные вдали от тебя. И не делишься со мной магией, когда мы занимаемся любовью. Потому что не веришь, что я останусь.

— С какой стати? Зачем мне это делать? Я предпочитаю собственную постель. Не хочу ходить к тебе на свидания. Мне неинтересна жизнь, которую ты вел вдали от острова. А магия во время любовного акта — слишком интимная вещь, чтобы делиться ею с тобой.

Она оттолкнула его руки и сделала шаг назад.

— Мы сотрудничаем в бизнесе, составляем друг другу компанию и занимаемся сексом. Это меня устраивает. Если ты недоволен, то найди себе для игр кого-нибудь другого.

— Это не игра, мать-перемать!

— Да неужели? — Ее голос прозвучал резко. Когда Сэм шагнул к ней, Майя подняла руки вверх, и их разделило раскаленное докрасна пламя. — Осторожнее.

Он тоже поднял руки, и огонь залил поток голубой воды. Раздалось шипение, и в воздух поднялась струя пара.

— Разве я когда-нибудь был осторожным?

— Нет. Ты всегда хотел слишком многого.

— Может быть. Проблема заключалась в том, что я сам не знал, чего хотел. А ты знала. Всегда. Проклятие, Майя, тебе всегда все было ясно. Ты хотела того, в чем нуждалась. Временами я задыхался от твоих видений.

Изумленная Майя опустила руки.

— Задыхался? Да как ты можешь? Я любила тебя.

— Без вопросов, без сомнений. Казалось, ты видела в хрустальном шаре всю нашу жизнь до самого конца. Ты все решала за меня. Так же, как мои родители.

Лицо Майи побелело.

— Это жестоко. Все, хватит с меня! — Она побежала по тропинке.

— Хватит, когда я закончу. Бегство ничего не изменит.

— Ты убежал сам! — Майя стремительно повернулась. Боль, причиненная им много лет назад, ударила ее с новой силой. — И это изменило все!

— Я не мог быть таким, как тебе хотелось. Не мог дать тебе то, что ты считала самым важным. Ты заглядывала вперед на десять-двадцать лет, а я не знал, что будет завтра.

— Значит, это я виновата в том, что ты уехал?

— Я не мог остаться здесь. Ради бога, Майя, в то время мы были почти детьми, а ты говорила о семье. О детях. Когда ты лежала рядом со мной, мне отказывали мозги. Я говорил только о том, как мы купим коттедж в роще и...

Фраза осталась неоконченной. Обеим в голову пришла одна и та же мысль. Маленький желтый коттедж в роще, в который она не приходила с тех пор, как там поселился Сэм.

— Влюбленные девушки, — дрогнувшим голосом сказала Майя, — всегда мечтают о семье, детях и симпатичных коттеджах.

— Ты не мечтала. — Он вернулся к столу, сел и провел пальцами по волосам. — Для тебя это было судьбой. Когда я был рядом с тобой, то верил в это. Видел. И мне становилось душно.

— Ты никогда не говорил, что не хочешь этого.

— Я не знал, как это сделать. Когда я пытался, то смотрел на тебя и видел твою уверенность в том, что так должно быть. А потом я шел домой, смотрел на своих родителей и видел, что такое семейная жизнь. Думал о твоих родителях и их семейной жизни. Она была мелкой и душной. Мысль о том, что мы можем повторить их судьбу, сводила меня с ума. Я не мог сказать тебе об этом. Не знал, как это сделать.

— И вместо этого просто уехал.

— Уехал. Когда я начал учиться в колледже, то чувствовал, что разрываюсь надвое. Часть моей души хотела быть там, а часть — здесь. С тобой. Я думал о тебе постоянно.

Сэм посмотрел на нее. Этой женщине можно было сказать то, чего он не смог сказать девушке.

— Когда я ехал домой на уик-энды или каникулы, то представлял себе, что ты ждешь меня на пристани, и едва не терял рассудок. Весь первый год слился для меня в одно туманное пятно.

— Тогда ты перестал приезжать домой каждый уик-энд, — в ней закипал гнев. — Придумывал предлоги, почему тебе нужно остаться на материке. То занятия, то лекция...

— Это было испытание. Я мог не видеть тебя сначала две недели, потом месяц. Мне все легче было убедить себя, что, оставаясь вдали от тебя и острова, я сумею не попасть в мышеловку. Я не хотел жениться. Не хотел создавать семью. Не хотел любить одну девушку всю свою жизнь. И осесть на маленьком острове, так и не увидев большого мира. В колледже я знакомился с другими людьми, узнавал что-то новое. Мне хотелось большего.

— Что ж, ты получил это большее. Мышеловка пустовала много лет. Теперь мы живем в разных местах и цели у нас разные.

Сэм посмотрел ей в глаза.

— Я приехал за тобой.

— Это была твоя ошибка. Сэм, ты по-прежнему

хочешь большего, а я — уже нет. Если бы ты сказал мне это одиннадцать лет назад, я бы попыталась понять. Попыталась бы дать тебе время и пространство, в котором ты нуждался. Или отпустить тебя, не испытывая горечи. Не знаю, получилось бы у меня это или нет, но я достаточно любила тебя, чтобы сделать такую попытку. А теперь ты перестал быть главным в моей жизни. И уже довольно давно.

— Я не уеду и не сдамся.

— Это твое дело. — Она стала собирать чайную посуду, не обращая внимания на головную боль. — Мне нравится спать с тобой. Если ты будешь пытаться придать нашим отношениям другое направление, мне придется порвать с тобой. Я буду жалеть, но сделаю это... Пожалуй, все же схожу за вином.

Она отнесла посуду в дом и вымыла ее. Головная боль становилась сильнее, поэтому Майя приняла обезболивающее, а потом достала вино и бокалы.

Она не позволяла себе думать. Не позволяла чувствовать. Поскольку вернуться назад и снова пройти по давно заросшим тропинкам было нельзя, оставалось только одно — идти вперед.

Но когда она вышла из дома, Сэм уже ушел.

У Майи похолодело в животе, но она села за стол в летнем саду и выпила за свою независимость.

Вино оказалось горьким, как полынь.

На следующий день Сэм прислал ей в магазин букет простых и жизнерадостных цинний, на языке цветов означавших, что он думает о ней. Майя сомневалась, что он знал магическое значение такого букета, но тем не менее размышляла над этим, выбирая подходящую вазу.

Присылать цветы было не в его стиле. Даже когда

они были безумно влюблены друг в друга, он редко делал такие романтические жесты.

Впрочем, карточка многое объясняла. В ней было написано:

«Мне очень жаль.
Сэм».

Поняв, что она не работает, а улыбается, Майя отнесла вазу вниз и поставила ее на стол рядом с камином.

— Какие чудесные цветы! — глядя на букет, проворковала остановившаяся рядом Глэдис Мейси. — Из твоего сада?

— Нет. Это подарок.

— Ничто не улучшает женщине настроение быстрее, чем цветы. За исключением чего-то блестящего, — подмигнув, добавила Глэдис. При этом она осторожно покосилась на левую руку Майи[1]. Однако ее взгляд не остался незамеченным.

— Женщина, которая сама зарабатывает себе на хлеб, обычно может купить себе что-то блестящее в соответствии со своим вкусом.

— Это совсем другое дело. — Глэдис слегка сжала руку Майи. — На прошлый день рождения Карл подарил мне пару серег. Конечно, страшных как смертный грех. Но когда я их надеваю, то прекрасно себя чувствую... Я остановилась только на минутку. По пути в кафе. Хотела посмотреть, как себя чувствует Нелл.

— Нелл чувствует себя прекрасно. Когда она станет утверждать, что ее живот уже прекрасно заметен, не разубеждайте ее. Это доставляет ей удовольствие.

— Еще бы... Я уже заказала новую книгу Кэролайн

---

[1] В США, Великобритании, Канаде, Италии, Франции и некоторых других странах обручальное кольцо носят на безымянном пальце левой руки.

Трамп. Мы все не можем дождаться ее приезда. Книжный клуб поручил мне узнать, согласится ли она провести читательскую конференцию перед раздачей автографов.

— Я постараюсь устроить такую конференцию.

— Тогда сообщишь нам. Мы обеспечим ей прием, достойный Трех Сестер.

— Очень на это рассчитываю.

Майя сама позвонила в Нью-Йорк. Затем она проверила заказы, позвонила распространителю, пожаловалась на задержку доставки нот, а потом взялась за пачку заказов, поступивших по электронной почте.

Поскольку Лулу была занята, Майя заполнила их сама, добавив к каждому сообщение о том, что можно будет заказать экземпляры с подписью Кэролайн Трамп, и отнесла открытки на почту.

На обратном пути она столкнулась с Маком.

— Привет, красавчик.

— Ты — именно та женщина, которую я искал.

Майя улыбнулась и взяла его под руку.

— Все вы так говорите... Идешь в кафе, чтобы пообедать с Рипли?

— Я шел в магазин, чтобы поговорить с тобой. — Он опустил взгляд и увидел ее туфли на высоких каблуках. — Раз так, нет смысла приглашать тебя на прогулку по берегу.

— Туфли можно снять.

— Порвешь колготки.

— Я их не надела.

— Ох... — Мак слегка покраснел, что доставило ей удовольствие. — Раз так, пошли. Конечно, если у тебя есть несколько свободных минут.

— Для симпатичного мужчины у меня всегда найдется время... Как продвигается твоя книга?

— Так себе.

— Когда закончишь, будешь надписывать ее в кафе «Бук».

— Раздача автографов автором научной книги о паранормальных явлениях вряд ли привлечет толпу поклонников.

— В кафе «Бук» соберется толпа, — заверила его она.

Они перешли улицу и двинулись к берегу, лавируя между пешеходами. С пляжа возвращались обгоревшие на солнце семьи, шедшие в поселок перекусить или выпить чего-нибудь холодного. Навстречу им шли другие, нагруженные сумками-холодильниками, зонтиками, полотенцами и ширмами.

Майя сбросила туфли.

— Толпа приехавших на солнцестояние скоро схлынет, но на Четвертое июля прибудет новая. Лето для Трех Сестер выдалось удачное.

— Обычно лето проходит быстро.

— Ты думаешь о сентябре. Понимаю твое волнение, но у меня все под контролем. — Не услышав ответа, Майя опустила темные очки и посмотрела на него поверх стекол. — Ты во мне сомневаешься?

Мак ощущал чувство вины за то, что скрыл от Майи случай с Лулу, не желая ее тревожить.

— Конечно, ты можешь справиться со всем...

— Но?

— Но... — Он положил ладонь на ее руку. — Ты играешь по правилам.

— Если понадобится, я нарушу любые правила.

— Согласен. Я забочусь о тебе, Майя.

Она положила голову ему на плечо. К этому человеку так и хотелось прижаться.

— Знаю. После твоего приезда мне стало намного легче. Вы с Рипли сняли с меня огромную тяжесть.

— Мне нравится Сэм.

Майя подняла голову.

— Послушай, я не вмешиваюсь... О'кей, вмешиваюсь, — с улыбкой поправился он, — но только с практическими и научными целями.

— Чушь, — смеясь, ответила она.

— Ладно, *главным образом* с этими целями. Если я не буду знать, как складываются ваши отношения, то не смогу проверить свои теории и гипотезы. Не смогу высчитать, что нам нужно будет делать.

— Раз так, скажу, что мы большей частью ладим друг с другом. Наша связь удобна, но не слишком серьезна. Что касается меня, то я предпочла бы, чтобы она такой и осталась.

— Ясно.

— Тебе это не нравится?

— Дело не во мне. Выбор за тобой.

— Вот именно. Всепожирающая и маниакальная любовь уничтожила последнюю сестру. Она не захотела жить без этой любви. А я не хочу жить с такой любовью.

— Если бы этого было достаточно, все уже кончилось бы.

— Скоро кончится, — пообещала она.

— Послушай, Майя... Когда-то я верил, что все будет просто.

— А теперь не веришь?

— Теперь не верю, — кивнул он. — Сегодня утром я был у тебя. Ты сказала, что после солнцестояния я смогу снять показания.

— И?

— Я взял с собой Малдера, чтобы он прогулялся. И для примера начал снимать показания прямо на краю твоего переднего газона. Выступы положительной и отрицательной энергии. Вот так... — Для наглядности он сложил основания ладоней. — Один утыкается в другой. Те же показания были вокруг поляны и на тропе, ведущей к скалам по ту сторону маяка и уходящей в лес.

— Я не пренебрегла защитой.

— Я знаю, и это прекрасно. Но когда мы углубились в лес, мои приборы словно взбесились. И Малдер тоже. Он чуть не сорвался с поводка. Там была одна отрицательная энергия. Я прошел по тропе до самого конца. Получилось кольцо. Так хищник окружает свою жертву.

— Мак, я знаю, что оно там было. Я слежу за ним.

— Майя, оно набирает силу. На тропе встречались места, где все было мертвым. Кусты, деревья, птицы. Щенок перестал рваться с поводка, съежился и заскулил. Пришлось нести его на руках, но он дрожал всем телом, пока мы не сошли с тропы. Она закончилась на северном конце твоих скал.

— Пусть Рипли очистит тебя и щенка. Если она забыла ритуал...

— Майя! — Он крепко сжал ее руку. — Ты что, не поняла? Оно окружило тебя.

14

— И что она на это ответила? — спросил Сэм, расхаживая по кабинету.

Мак поднял руку.

— Что оно окружало ее всю жизнь, но сейчас просто обнаглело.

— Да. Представляю себе ее тон. Пару раз мы обсуждали с ней эту тему. Еще до моего отъезда с острова. Тогда она читала об этом больше, чем я. Возможно, так обстоит дело и теперь. Женщина может проглотить книгу целиком, пока большинство мужчин добирается до второй главы. Она была уверена во всем. Добро побеждает зло до тех пор, пока оно сильно и уверено в себе.

— У нее есть и то и другое. Правда, я не сказал ей, что мои приборы зарегистрировали... скажем так, чье-то присутствие в ее внутреннем мире. Догадываюсь, что это был ты.

— Если она не хочет моей помощи, это еще не значит, что я не должен ее оказывать.

— Что бы ты ни делал, продолжай.

Сэм подошел к окну и посмотрел на новую террасу. Майя убрала столы, которые выставляла на уик-энд, и теперь строители покрывали пол плиткой.

— Как она сегодня выглядела?

— Замечательно.

— Видел бы ты ее, когда она использует силу... — Тут он посмотрел на Мака. — Подозреваю, что ты это уже видел.

— Этой зимой. Когда они вызывали четыре стихии. Потом полдня приходил в себя. Думаю, она использует на каждый день что-то вроде викканского эквивалента ближнего и дальнего света.

— Нет. Просто сила прорывается наружу. Как будто недостаточно одной красоты. Такая красота ослепляет мужчину, мутит разум. Я думаю, именно это меня к ней и влекло.

— Я не могу ответить на этот вопрос.

— Зато я могу. Я любил ее всю свою жизнь. Еще до того, как узнал, что это любовь. Тогда я пытался называть это по-другому. И именно поэтому для меня стало жестоким ударом то, что она не любит меня. И не полюбит.

Он повернулся и присел на край стола.

— Ладно. Говоря научно, академически, теоретически или как там... мое пребывание здесь... нет, моя любовь к ней... подвергает ее большему риску?

— Твои чувства тут ни при чем. — Сказав это, Мак поморщился. — Извини, я не хотел...

— Я понял. Чашу весов перевесят ее чувства. В одну сторону или в другую. Если так, то попытка вновь разжечь ее чувства или хотя бы смягчить их Майе не повредит. Если ты думаешь по-другому, я приму окончательное решение после сентября.

— Я не могу давать тебе советы.

— Тогда я буду действовать так, как мне подсказывает интуиция. Мне остается только одно: когда дойдет до дела, держаться как можно ближе к ней. Даже кругу может понадобиться цепная собака.

Вечером он позвонил Майе домой, когда она сидела на диване с книгой и бокалом вина.

— Я не вовремя?

— В самый раз. — Майя подняла бокал, изучая игру света на дне. — Спасибо за чудесные цветы.

— Рад, что они тебе понравились. Извини за вчерашнее. Просто у меня было плохое настроение.

— Извиняю.

— Вот и хорошо. Раз так, пообедай со мной. Мы можем назвать это деловой встречей по обсуждению деталей приезда Кэролайн. Завтрашний вечер тебя устроит?

«Как любезно, — подумала она. — Как вежливо. Придется следить за ним в оба глаза».

— Пожалуй, да.

— Тогда я заеду за тобой в половине восьмого.

— В этом нет необходимости. Я просто перейду через дорогу.

— Майя, я знаю, что по вторникам ты после обеда

обычно не работаешь. Зачем менять привычный распорядок? Я заеду за тобой. Форма одежды неофициальная.

Она чуть не спросила почему, но решила, что именно это ему и надо.

— Хорошо. Тогда до завтра.

Майя положила трубку, взяла книгу, но обнаружила, что не может сосредоточиться.

«Вчера мы копались в прошлом со всеми его ранами и горечью, — подумала она. — Неужели я была так слепо влюблена и так уверена в своих и его чувствах, что заманила его в ловушку? Неужели ему хватило бездушия и эгоизма, чтобы бросить меня, не поделившись тем, что было у него на уме и на душе, и не дав мне возможности понять это? Какими же глупыми и близорукими мы тогда были...»

Но обвинения и объяснения не могли изменить случившееся. Ничто не изменилось. Лично она ничего менять не собиралась. Следовало похоронить былое и оставаться теми, кем они стали теперь. Осторожными друзьями, не слишком пылкими любовниками, не стремящимися к чему-то большему.

Судя по его сегодняшнему поведению, в этом Сэм был с ней согласен.

И все же...

Как следует подумав, Майя сказала кошке:

— Он что-то задумал.

* * *

На другом конце поселка Сэм сделал еще один короткий звонок.

— Нелл? Это Сэм Логан. Нам нужно поговорить. Причем срочно.

Требовалось обсудить некоторые детали. Для этого Сэму пришлось дождаться, когда Майя уйдет из магазина. Он решил, что иметь дело с Лулу можно только одним способом — действуя в лоб. Войдя в магазин, Логан жестом подозвал ее к витрине с компакт-дисками. В ячейке с надписью «Прослушать срочно» стоял диск с названием «Лесная безмятежность».

— Какой из них ее любимый?

Лулу поправила очки.

— А что?

— То, что я хочу купить ее любимый компакт-диск.

Лулу, любившая торговать оптом, задумчиво оглядела витрину.

— Если купишь пять, получишь шестой за полцены.

— Мне столько не нужно... — Он осекся. — Ладно, пусть будет шесть. Какие из *них* ее любимые?

— Она любит их все, иначе бы их здесь не было. Это ведь ее магазин, не так ли?

— Так. — Он схватил первые попавшиеся диски.

— Не торопись. — Лулу отвела его руки. — Она брала для себя вот эти три.

— Ладно, я беру их. И эти тоже.

— А еще у нас есть книги.

— Я знаю, что у вас есть книги. Просто... Ладно. Что ты порекомендуешь?

Она выдоила его, но Сэм решил, что потратил деньги с толком. Или почти с толком. Он найдет применение стодолларовой книге об искусстве Ренессанса, десяти бестселлерам этой недели, шести компакт-дискам, трем видеокассетам и всему остальному.

Пробивая чек, Лулу впервые засмеялась. Причем сделала это от души.

Он ушел из кафе «Бук», обеднев на несколько сотен долларов. За оставшееся время нужно было переделать кучу дел.

Несмотря на это, он подъехал к дверям Майи ровно в семь тридцать.

Майя была уже готова и вышла на крыльцо с тонкой папкой в руках.

— Наброски, — объяснила она. — Копии листовок, которые будут распространять, газета магазина и афиша, которую расклеят за две недели до встречи.

— Не могу дождаться, когда их увижу. — Он показал на машину. — Поднять крышу?

— Нет. Пусть остается опущенной.

Она заметила, что Сэм одет непринужденно. На нем были темные брюки и голубая тенниска. Майя снова подавила желание спросить, куда они едут обедать.

— Кстати... — Сэм небрежно поцеловал ее, а потом открыл дверь машины. — Ты замечательно выглядишь.

«Все ясно, — подумала она. — Легкий флирт. Что ж, в эту игру сыграть можно».

— Я хотела сказать тебе то же самое, — сказала она, сев в машину. — Прекрасный вечер для поездки на берег.

— Ты повторяешь мои мысли. — Сэм обошел машину и сел за руль. — Включить музыку?

— Да.

Майя откинулась на спинку кресла и стала высчитывать, сколько времени она позволит соблазнять себя. Когда из колонок донеслись звуки флейты, она подняла брови.

— Странный выбор, — промолвила Майя. — Ты всегда любил рок. Особенно такой, от которого лопались барабанные перепонки.

— Со временем вкусы меняются. Время от времени нужно пробовать что-то новое. — Сэм поднес к губам ее руку и поцеловал. — Расширять горизонты. Но если ты предпочитаешь что-то другое...

— Нет, это в самый раз. Тем более что ехать недалеко. — Волосы упали ей на глаза. — Похоже, этой машиной легко управлять.

— Хочешь попробовать?

— Может быть, на обратном пути. — Майя отказалась от намерения разгадывать загадки и решила насладиться остатком поездки.

Но когда Сэм проехал поселок без остановки, она напряглась снова.

Машина припарковалась у желтого коттеджа.

— Странно... Я не знала, что ты превратил его в ресторан. По-моему, это нарушение договора.

— Только на время. — Он вылез и обошел машину. — Пока ничего не говори, ладно? — Логан снова взял ее руку и провел губами по ямочкам между пальцев. — Если ты решишь, что хочешь отправиться в другое место, мы туда поедем. Но сначала посмотри.

Продолжая держать Майю за руку, он начал обходить дом.

На свежескошенном газоне был расстелен кусок белой ткани, вокруг которого стояли незажженные свечи и лежали разноцветные подушки. Рядом стояла высокая корзина, полная сирени.

Сэм поднял ее.

— Это тебе.

Майя посмотрела на цветы, а потом на его лицо.

— Сезон сирени уже прошел.

— Думаешь, я не знаю? — Сэм заставил ее взять корзину. — Ты всегда любила сирень.

— Да, всегда. Сэм, что все это значит?

— Я подумал, что мы можем устроить пикник. Совместить бизнес и удовольствие, общественное и личное.

— Пикник?

— Пикники ты тоже всегда любила. — Логан наклонился и скользнул губами по ее щеке. — Давай выпьем по бокалу вина, а заодно обсудим идеи.

Отказать ему было бы невежливо. И трусливо. Если когда-то она представляла себе, что они с Сэмом счастливо женаты и устраивают пикники на газоне собственного маленького коттеджа, это еще не причина обижать человека, который хочет устроить ей приятный вечер.

— Я бы выпила немного.

— Сейчас принесу.

Когда Сэм отошел подальше, она позволила себе негромкий вздох. А когда за ним захлопнулась задняя дверь, Майя взяла корзину и зарылась лицом в цветы.

Через мгновение из дома донеслись звуки арфы и флейты. Она покачала головой, села на подушку, поставила рядом корзину и стала ждать его возвращения.

Логан принес не только вино, но и черную икру.

— Ничего себе пикник.

Он сел и зажег свечи.

— Если мы сидим на траве, это еще не значит, что мы не можем поесть как следует. — Сэм налил вино в бокалы и чокнулся с ней. — *Slainte.*

Узнав ирландский тост, она кивнула.

— Я вижу, ты ухаживал за палисадником.

— В меру своих сил. Это ты его посадила?

— Часть я, а часть Нелл.

— Я до сих пор ощущаю в доме ее присутствие. — Сэм нанизал на вилку для тостов кусочек белуги. — Точнее, ее радость. — Он протянул Майе икру.

— Радость — один из ее величайших даров. Когда

смотришь на нее, не чувствуешь, через какой ужас ей пришлось пройти. Я многому научилась, следя за тем, как она заканчивала открывать себя.

— Что ты имеешь в виду?

— У нас это было всегда. В смысле, знание. А Нелл сначала отперла дверь, потом вошла в нее и обнаружила комнату, полную чарующих сокровищ. Первой магией, которую я ей показала, было перемешивание воздуха. Когда она сделала это, ее лицо... Это было настоящее чудо.

— Я никогда никого не учил. Правда, несколько лет назад посетил проводившийся в уик-энд викканский семинар.

— Серьезно? — Она слизнула икру с кончика пальца. — И как это было?

— Это было... серьезно. Я пришел туда, повинуясь импульсу, и познакомился с несколькими интересными людьми. У некоторых из них была сила. Один из лекторов занимался сейлемскими процессами и их связью с островом Трех Сестер.

Сэм зачерпнул немного икры.

— Они знали многие факты, но не дух. Это место... — Он обвел взглядом рощу и прислушался к шуму прибоя. — Это не вместишь в пятидесятиминутную лекцию. — Сэм снова посмотрел на Майю. — Ты останешься?

— Я никуда не уезжала.

— Нет. — Логан погладил ее по руке. — На обед.

Она взяла вторую вилку для тостов.

— Да.

Он долил ей вина в бокал и встал.

— Подожди минутку.

— Я помогу.

— Нет. Я справлюсь сам.

«Справлюсь сам, — думал он, возвращаясь на кухню. — Благодаря Нелл». Она не только все приготовила и помогла доставить это в коттедж, но и вручила ему целый перечень инструкций, которые мог выполнить даже полный профан в кулинарии.

Благодаря Нелл он сумел подать на стол ломтики помидоров с маслом и травами и холодного омара.

— Замечательно. — Майя села поудобнее и с удовольствием принялась за еду. — Я понятия не имела, что ты умеешь так готовить.

— Скрытые таланты, — ответил он и ловко сменил тему: — Я подумываю купить яхту.

— Серьезно? Джон Байглоу все еще делает на заказ деревянные яхты. Правда, теперь не больше одной-двух в год.

— Я зайду к нему. А ты еще плаваешь под парусом?

— Время от времени. Но это никогда не было моей страстью.

— Помню. — Он поправил ей волосы. — Ты предпочитала следить за яхтами, а не плавать на них.

— Точнее, быть в воде, а не *на* воде. — Майя посмотрела на группу подростков, плывшую наперегонки от одного из сдаваемых внаем домиков до пляжа. — Мастер Байглоу дает яхты и напрокат, но если ты хочешь снова набить руку перед покупкой, то сходи к Дрейку в «Моряка». У него очень неплохой прокатный бизнес.

— К Дрейку Бирмингему? После возвращения я его еще не видел. И Стейси тоже. Как они поживают?

— Развелись. Стейси забрала детей — у них было двое — и уехала в Бостон. Шесть лет назад Дрейк женился снова. На Конни Рипли. У них мальчик.

— Конни Рипли... — Сэм на мгновение задумался. — Пышная зубастая брюнетка?

— Точно.

— Она окончила школу на год раньше меня, — вспомнил он. — А Дрейку по меньшей мере...

— Ему уже за пятьдесят. — Майя крутила в руках бокал. — Да, разница в возрасте солидная. Роман, закончившийся браком, был скоропалительным. На острове обсуждали его целых полгода. — Она положила в рот еще один кусочек омара. — Ей-богу, Нелл превзошла себя. Омар просто восхитителен.

Сэм поморщился.

— Извини, не понял.

— Все ты понял. Что ж, обратившись к услугам местной компании по организации банкетов, ты поступил мудро и проявил хороший вкус... А теперь перейдем к делу. — Она скрестила ноги и взяла папку.

— Я люблю смотреть на тебя. — Логан провел пальцем по ее лодыжке. — При любом свете, под любым углом. Но сейчас, на закате и при свечах, особенно.

Его слова, тон и взгляд не оставили Майю равнодушной. Сэм придвинулся ближе, обхватил ладонью ее затылок и прильнул губами к губам.

Майя растаяла. От его запаха, смешанного с запахом сирени и свечного воска, у нее кружилась голова и подгибались колени.

— Извини. — Сэм поцеловал ее в лоб и отодвинулся. — Иногда я не могу справиться с руками... Посмотрим, что у тебя там.

Это окончательно сбило ее с толку. Только что целовал, а теперь деловито просматривает содержимое папки...

— Что это, Сэм?

— Совмещение приятного с полезным, — рассеянно ответил он, погладил ее по спине и достал копию рекламного объявления. — Отлично. Сама придумала?

Майя была разочарована.

— Да.

— Тебе следовало отослать копию ее агенту по рекламе.

— Уже сделано.

— Хорошо. Я видел листовку, но, кажется, не успел сказать, что ты и тут не ударила в грязь лицом.

— Спасибо.

— Какие-то проблемы? — небрежно спросил он.

Этот хладнокровный вопрос заставил Майю стиснуть зубы. Она разозлилась на собственную досаду и взяла себя в руки.

— Нет. Твоя помощь неоценима. — Она сделала глубокий вдох. — Честное слово. Для магазина это большое событие. Я хочу, чтобы все прошло не просто хорошо, а идеально.

— Я не сомневаюсь, что Кэролайн у нас понравится.

В том, как Сэм произнес ее имя, было что-то неуловимо интимное.

— Ты знаешь ее лично?

— Гм-м... Да. Знаешь, попросить Нелл испечь торт, повторяющий суперобложку книги, — это отличная мысль. Теперь цветы. Может быть, заменить их розовыми розами. Кажется, я припоминаю, что она предпочитает именно их.

— Припоминаешь?

— Угу. Теперь насчет шампанского и шоколадных конфет в номер как подарка от магазина. Я вот что подумал... Поскольку гостиница делает ей подарок от себя, нужно добавить пару вещиц и объединить их в общий подарок от гостиницы и магазина.

Майя забарабанила пальцами по колену, но потом велела себе прекратить.

— Отличная мысль. Может быть, несколько свеч, книгу об острове или что-нибудь в этом роде...

— Прекрасно. — Он просмотрел факсы и переписку по электронной почте между Майей и агентом по рекламе и кивнул. — По-моему, ты ничего не упустила. А теперь... — Логан отложил папку и снова потянулся к ней.

Когда губы Сэма оказались рядом, Майя прижала ладонь к его груди и улыбнулась.

— Мне нужно освежиться.

Она встала, взяла бокал и пошла в дом.

Оказавшись на кухне, Майя тщательно осмотрела ее. Там царил идеальный порядок, но вряд ли Сэм пользовался ею. Разве что для приготовления утреннего кофе. В смысле готовки он был безнадежен. Напоминал человека из поговорки, который способен сжечь даже воду.

Но тут она увидела лежавшую на стойке записку с инструкциями Нелл и смягчилась.

Потом Майя прошла в гостиную и состроила гримасу, увидев книгу, лежавшую на кофейном столике. Здесь тоже стояли свечи, которыми явно пользовались. Интересно, какие ритуалы и технику медитации использовал он, когда оставался один?

Как и сама Майя, Сэм всегда был одиноким колдуном.

Фотографий не было, но она этого и не ждала. Однако пара симпатичных акварелей на стене ее удивила. «Садовые пейзажи, — подумала она. — Нежные и безмятежные. Странно, что он не выбрал что-то более драматичное и дерзкое».

Кроме свеч, акварелей и книги, явно новой и еще непрочитанной, никаких следов Сэма Логана в гостиной не было. Он не окружал себя удобствами, которые имели большое значение для самой Майи.

Ни цветов, ни горшков с растениями, ни ваз из цветного камня или стекла.

Осматривать чужие комнаты было нехорошо, но Майя напомнила себе, что она не только его любовница, но и квартирная хозяйка, и пошла в спальню.

Здесь пребывание Сэма чувствовалось сильнее. Запах, ощущение... Старая железная койка, купленная Майей для коттеджа, была по-военному аккуратно застелена темно-синим покрывалом. Коврика на полу не было. Зато на тумбочке лежала книга. Триллер, который нравился ей самой, заложенный его визитной карточкой.

Единственная здешняя картина была дерзкой и драматичной. Древний каменный алтарь, стоящий на скалах и тянущийся к алому рассветному небу.

На комоде лежал большой и красивый кусок содалита — скорее всего, использовавшийся для медитации. Окна были открыты, и Майя ощущала запах посаженной ею лаванды.

От этой простоты, этого аромата и поразительного ощущения мужественности у Майи сжалось сердце.

Она отправилась в крошечную ванную, подкрасила губы и слегка надушила шею и запястья ароматическим маслом собственного изготовления. Поскольку Сэм собирался ее соблазнить, она решила подыграть ему. Но это случится только у нее дома, на ее территории.

Она умеет играть и дразнить не хуже, чем он.

Когда Майя вернулась, на импровизированном столе уже стояли стеклянные миски со спелой клубникой и взбитыми сливками.

— Я не знал, чего ты захочешь — кофе или вина.

— Вина.

«Уверенной в себе женщине позволительно быть немного безрассудной», — подумала Майя.

Тем временем спустился вечер. Майя села, провела рукой по его волосам и взяла ягоду.

— Я понятия не имела, что тебя интересует искусство Возрождения... — Тщательно следя за Сэмом, Майя лизнула клубнику, а потом надкусила ее.

В мозгу у Сэма что-то перегорело. Во всяком случае, он услышал шипение.

— Что?

— Искусство Возрождения. — Она сунула палец в сливки и облизала его. — Книга. У тебя в гостиной.

— Книга... да. — Логан с трудом оторвал взгляд от ее рта. — Поразительная эпоха.

Когда он окунул ягоду в сливки, Майя шаловливо нагнулась и откусила от нее кусочек.

— М-мм... — по-кошачьи промурлыкала она и эротично облизала верхнюю губу. — И чье «Благовещение» тебе нравится больше? Тинторетто или Эрте?

Перегорел еще один предохранитель.

— Прекрасны оба.

— Да, конечно. За исключением того, что Эрте[1] ваял скульптуры в стиле ар-деко и родился через несколько веков после Ренессанса.

— Я думал, ты имеешь в виду Джованни Эрте, малоизвестного нищего художника эпохи Возрождения, трагически умершего от цинги. Он так и остался непризнанным.

Майя издала смешок, от которого у Логана свело живот.

— Ах, того Эрте... Спасибо, что напомнил. — На этот раз она прикусила вместо ягоды его нижнюю губу. — Ты ужасно милый. Честное слово.

— Я переплатил за эту книгу. Наверно, Лулу до сих пор хихикает надо мной. — Сэм стал жевать клуб-

---

[1] Эрте (от «РТ»; настоящие имя и фамилия Роман Тыртов, 1892—1990) — французский художник, выходец из России, с 1912 г. в Париже. Виртуозный рисовальщик и театральный художник, один из известнейших мастеров ар-деко.

нику, которую Майя сунула ему в рот. — Зашел купить несколько дисков с записями музыки, а унес двадцать килограммов книг.

— Музыка мне нравится. — Майя легла на белое покрывало и положила голову на изумрудно-зеленую подушку. — Она успокаивает. Создает впечатление, что я плыву по теплой реке на утлом деревянном плоту. М-мм... Голова кружится от вина.

Майя лениво закинула руки за голову, и тонкая ткань обтянула ее тело.

— Вряд ли я сумею сегодня вечером вести твою сексуальную машину.

Она ждала предложения поводить машину утром, войти в дом и остаться на ночь и улыбнулась, когда Сэм лег рядом и провел пальцем по ее шее и верхней части груди.

— Мы можем прогуляться. Морской воздух освежит тебя. — Когда на лице Майи мелькнуло удивление, он потянулся к ее рту.

Сэм смаковал ее губы, покусывал их и одновременно поглаживал ее тело. Майя расслабилась, ее пульс зачастил. Сладостная пытка продолжалась. Он погладил ее голень, затем приподнял подол платья и обвел пальцем родинку на бедре.

— Если только... — Палец проник в трусики, а зубы слегка сжали обтянутый тканью сосок. — Если только у тебя есть настроение для прогулки.

Теперь это было нечто большее, чем безрассудство. Майя приподняла бедра.

— Настроения для прогулки у меня нет.

— Ну, тогда... — Зубы сжались чуть сильнее. — Я поведу машину сам.

Когда он поднялся и протянул ей руку, Майя ахнула.

— Поведешь?

— Должен же я отвезти тебя домой. «Видеть ее потрясение почти так же приятно, как... Нет, совсем не так, — довольно подумал он. — Но именно на такую реакцию я и надеялся».

Сэм помог ей встать, а потом нагнулся за папкой и цветами.

— Не хочу, чтобы ты их забыла.

Майя думала всю обратную дорогу. Сэм правильно рассудил, что в коттедже она с ним не останется. И решил — тоже правильно, — что для завершения обольщения нужно будет заманить Майю в ее собственную постель.

«Иными словами, именно туда, куда следует», — думала Майя, откинувшись на спинку сиденья и глядя на звезды. Раз уж он затратил столько трудов и был так мил, что ж, придется позволить убедить себя... После секса ее ум и тело успокоятся.

Когда машина подъехала к ее дому, Майя полностью овладела собой.

— Вечер был чудесный. Просто чудесный, — сказала она, когда Сэм проводил ее до дверей. Ее голос и взгляд были теплыми. — Еще раз спасибо за цветы.

— Пожалуйста.

Когда забренчали колокольчики и в окнах зажегся свет, Сэм погладил ее предплечья.

— Давай куда-нибудь съездим. Я возьму напрокат яхту, и мы проведем день на море. Поплаваем.

— Может быть.

Он взял ее лицо в ладони, вплел пальцы в волосы и поцеловал. Когда она негромко застонала от удовольствия, поцелуй стал более страстным. Но едва Майя сладострастно прижалась к нему, как Логан протянул руку и открыл дверь.

— Тебе лучше войти, — пробормотал он, не отрываясь от ее губ.

— Да... Лучше... — Сгорая от желания, она переступила порог, повернулась и погладила его по щеке.

«Именно так выглядели сирены», — подумал он.

— Я позвоню тебе. — Решительность, с которой Сэм закрыл дверь, поразила его самого.

«Ну, вот и состоялось наше первое официальное свидание за одиннадцать лет, — подумал он, возвращаясь к машине. — Завершившееся сногсшибательным успехом».

15

Подлый ублюдок. Никому не удавалось так возбудить ее со времен... «Да, — призналась себе Майя, — никому не удавалось так возбудить меня со времен Сэма Логана».

А сейчас его мастерство возросло.

С другой стороны, она тоже научилась сама справляться со своими сексуальными потребностями.

За прошедшие годы у Майи были любовники, но немного и с большими перерывами. Со временем она поняла, что получает удовольствие от флирта, но после секса очень редко испытывает настоящее удовлетворение.

Поэтому флиртовать она перестала.

Это решение было скорее практичным, чем эмоциональным. Энергия и сила, которые она могла направить в это русло, сублимировались в ее ремесло. Майя не сомневалась, что наложенное на себя целомудрие шло на пользу ее дару.

Причины изменять многолетней привычке не было.

Поскольку она не спала с Сэмом уже третью неделю, такой выбор был самым логичным.

К тому же она была слишком занята, чтобы думать о Сэме, сексе и том, почему такая замечательная прелюдия закончилась ничем.

— Тебе не следовало возвращаться, — сказала она Нелл, переставляя столы в кафе.

— Я хотела вернуться. Завтрашнее мероприятие волнует меня не меньше твоего... Я поставлю кресло сюда.

— Нет. Никаких тяжестей. И точка. — Майя пнула ногой кресло, в котором развалилась Рипли. — Могла бы поднять задницу и помочь.

— Эй, ты мне не платишь. Я пришла сюда, чтобы не маячить в доме, где эти остолопы устраивают барбекю. Очень надеюсь, что у Мака ничего не взорвется.

— Это решетка на угольях, — напомнила ей Нелл. — Уголь не взрывается.

— Ты не знаешь моего мужа так, как его знаю я.

— Ну, их там трое. Мясо поджарить они как-нибудь сумеют. — Нелл представила себе, что Зак жарит мясо у них на веранде, и ее передернуло. — Пусть Господь сжалится над твоей бедной кухней.

— Это самая меньшая из моих забот. — Рипли вытянула ноги, скрестила их в лодыжках и начала с удовольствием наблюдать за Майей, продолжавшей переставлять столы.

— Видишь ее? — Она ткнула большим пальцем в сторону Майи. — У нее полно забот. Посмотри на эту морщинку на переносице. Это означает, что она злится.

— У меня нет морщинки на переносице. — Тщеславие тут же заставило Майю ее разгладить. — И вовсе я не злюсь. Просто немного нервничаю.

— Именно поэтому я и одобрила идею с барбекю. — Нелл подошла к витрине и начала мысленно составлять рисунок, напоминающий суперобложку книги Трамп. — Ты расслабишься, проведешь вечер с друзьями и очистишь мозги для завтрашнего дня. Хорошо, что Сэм подумал об этом.

— Он всегда думает обо всем, — сердито проворчала Майя. Ее тон заставил Рипли и Нелл насторожиться.

— Как тебе понравился вчерашний концерт на берегу? — спросила ее Рипли.

— Понравился.

— А прогулка на яхте при луне после салюта в честь Четвертого июля?

— Это было потрясающе.

— Теперь ясно? — Рипли кивнула Нелл. — Я же говорила, что она злится!

— Ничего я не злюсь! — Майя поставила кресло и сердито хлопнула по нему. — Хочешь поссориться?

— Нет. Я хочу пива, — ответила Рипли и затопала на кухню.

— Майя, все замечательно, — успокоила подругу Нелл, складывая книги в стопки. — А когда завтра ты принесешь сюда цветы, станет еще лучше. С закусками полный порядок. Посмотрим, что ты скажешь, когда увидишь торт!

— Меня волнуют не цветы и не закуски.

— Когда покупатели выстроятся в очередь, тебе станет легче.

— Покупатели меня тоже не волнуют. Точнее, не больше, чем обычно. — Майя опустилась в кресло. — Впервые в жизни Рипли оказалась права. Я действительно злюсь.

— Это что, признание? — спросила Рипли, появившаяся из кухни с бутылкой пива в руке.

— Ох, замолчи... — Майя провела рукой по волосам. — Он использует секс. Точнее, использует отсутствие секса, чтобы возбуждать меня. Пикник при свечах. Плавание под парусом при луне. Долгие прогулки. Присылает цветы каждые два дня.

— Но не спит с тобой?

Майя посмотрела Рипли в глаза и выпалила:

— Он проводит тщательную предварительную подготовку, потом высаживает меня у парадного и уходит. На следующий день я получаю цветы. Звонит каждый день. Дважды по возвращении домой я находила на крыльце маленький подарок. Горшок с розмарином в форме сердца и фаянсового дракончика. Когда мы куда-нибудь выходим, он бывает просто очарователен.

— Ублюдок! — Рипли стукнула кулаком по столу. — Повесить его мало!

— Он использует секс, — жалобно повторила Майя.

— Нет. — Нелл с мечтательной улыбкой погладила Майю по голове. — Секс тут совершенно ни при чем. Он использует романтику. Ухаживает за тобой.

— Неправда!

— Цветы, свечи, долгие прогулки, тщательно выбранные маленькие подарки. — Нелл начала загибать пальцы. — Время и внимание. Это и есть ухаживание.

— Мы с Сэмом прошли стадию ухаживания много лет назад. И то ухаживание не включало в себя ни цветов, ни маленьких подарков.

— Может быть, он пытается искупить это.

— Ему нечего искупать. Я не хочу, чтобы он что-то искупал! — Майя вскочила и закрыла дверь террасы. — Все эти традиционные аксессуары не нужны ни ему, ни мне. Он просто хочет...

В этом и была загвоздка. Майя понятия не имела, чего он хочет.

— Он пугает тебя, — тихо сказала Рипли.

— Нет. Ничего подобного.

— Он никогда не пугал тебя раньше. Ты всегда твердо держалась своего курса.

— И держусь сейчас. Я знаю, что делаю. Знаю, куда иду. Это не изменилось. — Едва Майя произнесла эти слова, как по ее коже побежали мурашки.

— Майя... — В голосе Нелл слышались сочувствие и терпение. — Ты все еще любишь его?

— Думаешь, я рискну снова доверить ему свое сердце? Зная, что стоит на кону? — Майя взяла себя в руки и стала заканчивать книжную выставку. — Я отвечаю за этот остров, за людей, за свой дар. Любовь для меня всё. Я не смогу снова пережить это. А я должна жить, чтобы встретить свою судьбу.

— А если твоя судьба — это он?

— Когда-то я так думала. Но ошиблась. Когда придет время, круг будет полон.

В доме на утесе трое мужчин следили за огнем, взвившимся над решеткой, так же зачарованно, как обитатели пещер следили за племенным костром.

— Горит хорошо, — прокомментировал Зак и кивнул Сэму. — Видел? Я же говорил, что старый добрый янки умеет все и не нуждается в твоих фокусах-покусах.

— Старый добрый янки... — протянул Сэм. — Ты истратил целый пакет древесного угля и полгаллона жидкости для зажигалок.

— Я не виноват в том, что решетка была неисправна.

— Решетка с иголочки, — возразил Мак. — Это ее боевое крещение.

— Именно поэтому ей требовалось сильное пламя. Она должна была обжариться. — Зак долил стакан с пивом.

Мак с грустью посмотрел на почерневшие внутренности блестящей красной решетки.

— Если эта зараза расплавится, Рипли меня убьет.

— Проклятие, это же чугун. — Зак постучал по решетке ногой. — Кстати, о Рипли. Где их носит?

— Они уже едут, — ответил Сэм, увидев хмурый взгляд Зака. — Маленький фокус-покус. Мне нужно знать, где находится Майя. С тех пор как Мистер Ученый позвал нас на замеры вокруг ее дома, я настроился на нее.

— Если она об этом узнает, то надерет тебе задницу, — усмехнулся Зак.

— Не узнает. Когда дело касается меня, она ничего не видит. Не хочет видеть, а заставить Майю сделать то, чего она не хочет, жутко трудно.

— Кстати, как у вас идут дела?

Сэм сделал глоток, не сводя глаз с Мака.

— Это личный или профессиональный интерес?

— Пожалуй, и то и другое.

— Логично. Мне нравится, как они идут. Правда, не могу сказать, что мне удается следить за ходом ее мыслей. За прошедшее время она стала намного сложнее, и узнавать все повороты и неожиданные перемены этих мыслей оказалось куда интереснее, чем я думал.

Зак поскреб подбородок.

— Слушай, ты ведь не собираешься говорить про зрелые связи, поиски своего второго «я» и прочую чушь?

— Тс-с... они едут. — Мак показал на свет фар, показавшийся на каменистой дороге. — Давайте вести себя так, словно мы знаем, что делаем.

Люси, развалившаяся на веранде, вскочила и побежала по лестнице, на несколько дюймов опередив Малдера.

— Красивые женщины, — сказал Зак. — Две симпатичные псины и мясо. Полный джентльменский набор.

Мясо слегка подгорело, а картошка немного недожарилась, но аппетита это никому не испортило. Они ели на веранде при свечах и свете, пробивавшемся из гостиной. В стереоколонках звучала музыка.

Когда Сэм взял бутылку, чтобы долить Майе вина, она покачала головой и прикрыла бокал ладонью.

— Нет, я за рулем. А завтра мне понадобится ясная голова.

— Я приду утром и помогу тебе.

— Не нужно. Почти все уже сделано, и времени у нас будет уйма. Я уже продала тридцать восемь экземпляров в твердой обложке, получила такое же количество заказов, и почти столько же народу купило ее предыдущие книги. Завтра ей придется изрядно поработать. Думаю, она...

Увидев лицо Нелл, Майя прервалась на полуслове. Подруга напряглась и привстала со стула.

— Малыш толкнулся. — На смену потрясению и изумлению пришло ощущение чуда. — Я чувствую его. Какую-то дрожь внутри... — Она засмеялась и прижала ладонь к животу. — Быструю и сильную. Зак! — Она схватила его руку и приложила ее к животу рядом со своей. — Наш малыш толкнулся!

— Тебе не нужно прилечь?

— Нет. — Она вскочила и потянула его за руку. — Я хочу танцевать.

— Танцевать?

— Да! Потанцуй со мной. — Она обняла Зака за шею. — Мы будем танцевать с Ионой.

— Мы еще не знаем, мальчик ли это. — В порыве

любви Зак обхватил ее за талию, заставил подняться на цыпочки и крепко обнял. — С таким же успехом это может быть и девочка. Ребекка.

— Боже, какие сантименты... — Рипли вытерла глаза, встала и велела Маку: — Идем танцевать.

— Кто-то непременно покалечится, — пробормотал Мак.

Сэм мгновение следил за ними, а потом протянул руку Майе.

— Когда-то у нас неплохо получалось.

— Что?

Майя смотрела на Нелл с завистью, и выражение ее лица было таким беззащитным, что у Логана сжалось сердце. На ее ресницах блестели слезы, в глазах были любовь и тоска.

— Пойдем танцевать. — Он стоял, держа Майю за руку. — Когда-то у нас неплохо получалось. Посмотрим, как получится сейчас.

Повинуясь порыву, Сэм свел ее по лестнице, развернул к себе лицом и положил руку на ее талию.

Рука Майя сама легла на его плечо, тело прижалось к телу.

— О да. — Он положил ладони на бедра Майи, и они закружились в танце. — Получается.

Прошло много времени, но она не забыла его ритм. Как и острое удовольствие от движения в такт музыке. Отдаваясь этому удовольствию, она сбросила туфли. Пара поворачивалась, кружилась, и песок мягко шелестел у них под ногами.

Танцы всегда были их радостным и невинным ритуалом спаривания. Взрывы энергии. Соединение. Ожидание.

Теперь она слышала музыку не только ушами. Музыка чувствовалась в прикосновении его руки к спине, в переплетении их пальцев, в поворотах ее тела.

Когда Сэм поднял ее на руки, Майя откинула голову и засмеялась. А потом впервые за десять с лишним лет обвила руками его шею. Их объятия были простыми и исполненными искреннего чувства.

Аплодисменты и свист, донесшиеся с веранды, заставили Майю повернуть голову. Она пыталась отдышаться, прижавшись щекой к виску Сэма.

— Я же говорила тебе, что они показушники. — Рипли подтолкнула локтем Мака и широко улыбнулась.

— Я не желаю выслушивать оскорбления. Пойдем отсюда! — Сэм схватил Майю за руку и начал спускаться к пляжу с такой скоростью, что ей пришлось бежать.

— Медленнее! Мы свернем себе шеи!

— Я тебя поймаю. — В доказательство Сэм снова поднял ее и закружил. — Поплаваем?

— Нет!

— О’кей. Тогда потанцуем. — Он опустил Майю, привлек к себе и крепко обнял. Над пляжем плыли медленные, обольстительные звуки «Моря любви».

— Боже, какое старье, — сказала Майя.

— Классика, — поправил ее Сэм. — Смена ритма.

Когда они закружились на песке, Логан зарылся лицом в ее волосы. Их сердца бились в унисон. Она встала на цыпочки, и их ноги соприкоснулись. В лунном свете их тени слились в одну.

В мозгу Сэма звучало эхо воспоминаний.

— В школьном спортзале еще устраивают танцы?

— Да.

— И подростки все еще тайком выбираются наружу, чтобы пообжиматься?

— Наверное.

— Давай попробуем. — Он повернул голову, провел губами по ее подбородку, а потом поцеловал в губы. — Вернемся в прошлое.

Не успела Майя возразить, как у нее закружилась голова. Они больше не танцевали на песке, а стояли в тени здания школьного спортзала. В холодном осеннем воздухе чувствовался запах палых листьев и цветущих хризантем.

Из зала доносились воинственный бой барабанов и громкие аккорды гитар. Руки Майи ощущали прохладную кожу его куртки и тепло шелковистых волос.

Его тело было более стройным, рот — менее искусным, но ее губы жарко отвечали на его поцелуи.

Внутри ослепительно горел факел любви.

Она бездумно шептала его имя. И отдавала всё.

Вспыхнувшая в душе пронзительная боль заставила ее отпрянуть.

Тяжело дыша, Майя оттолкнула его.

— Будь ты проклят! Это нечестно!

— Верно. Извини. — У Сэма кружилась голова. Какое-то мгновение он еще ощущал осеннюю прохладу в знойном летнем воздухе. — Да, это было нечестно. Я просто не подумал. Не уходи. — Когда Майя отвернулась, он прижал пальцы к вискам.

Логан не ждал этого, иначе он сумел бы справиться с порывом, который унес их в прошлое. Откуда он мог знать силу ее тогдашней любви?

Было невыразимо больно сознавать, что он сам отказался от этой любви и больше никогда ее не вернет.

Когда он справился с собой, Майя стояла у края воды, обхватив себя руками, и смотрела в темноту.

— Майя... — Сэм подошел, но не прикоснулся к ней. Он был уверен, что кто-нибудь из них этого не выдержал бы. — Я не оправдываюсь и не прошу прощения. Просто хочу сказать, что это вышло нечаянно.

— Ты причинил мне боль, Сэм.

— Знаю.

«И себе тоже, — подумал он. — И эта боль оказалась сильнее, чем я подозревал».

— Время нельзя стереть. Не стоит и пытаться. — Майя повернулась к нему; ее лицо было бледным. — Я не хочу возвращаться к той девочке и к тому мальчику. Хочу остаться такой, какой я стала.

— Я тоже не хочу, чтобы ты изменилась. Ты — самая поразительная женщина на свете.

— Сказать можно что угодно.

— Нет. Некоторые слова мне всегда было трудно произнести. Майя...

Но когда он потянулся к ней, Майя снова отвернулась. И замерла на месте, увидев бледно-голубой свет, пробивавшийся из пещеры.

— Прекрати. Ты слишком далеко зашел.

Сэм тоже заметил свет и на этот раз прикоснулся к ней, желая, чтобы Майя почувствовала это и поверила ему.

— Я этого не делал. Подожди здесь.

Логан оставил ее, быстро пошел к пещере и остановился у входа, омытого светом. Услышав за спиной шаги, он не обернулся, и они вместе заглянули внутрь.

Свет в пещере был нежным и голубым, тени — глубокими и неподвижными. Там были два человека. На фоне света их лица казались вырезанными из камня.

А потом они задышали.

Мужчина был прекрасен. Гладкие мышцы его обнаженного тела блестели от воды. Его волосы были иссиня-черными, влажными и падали на плечи. Он лежал на боку и крепко спал.

Женщина была прекрасна. Высокая и стройная, в

темном плаще, она стояла и смотрела на него сверху вниз. Капюшон был откинут, и буйные рыжие кудри падали ей на спину, достигая талии.

В руках она держала шкуру, черную как полночь и еще влажную от морской воды.

Когда она обернулась, Майя увидела собственное лицо, светившееся так, словно под кожей горела тысяча свеч.

— Любовь не всегда мудра, — сказала та, которую звали Огонь, и пошла к ним, баюкая шкуру как ребенка. — Любовь ни о чем не жалеет и не ставит условий. — Выйдя из пещеры, она потерлась о шкуру щекой. — Время короче, чем ты думаешь.

Майя подняла руку, успокаивая и в то же время требуя.

— Мать? — спросила она.

Та, которую звали Огонь, остановилась, улыбнулась, и ее красота засияла еще сильнее.

— Дочь.

— Я не подведу тебя.

— Дело не во мне. — Огонь провела пальцами по щеке Майи, и Майя ощутила тепло. — Постарайся не подвести себя. Ты сильнее, чем была я.

Женщина оглянулась на пещеру.

— Ты слишком часто забываешь, что он — это тоже ты. — Продолжая прижимать к себе шкуру, она повернулась и посмотрела на Сэма. — А ты — это я.

Она пошла по песку.

— Оно следит из темноты, — сказала женщина и исчезла как дым.

Свет в пещере погас.

— Я ощущаю ее запах. — Майя сложила ладони в воздухе так, словно тот был водой, и поднесла их к лицу. — Лаванда и розмарин. Ты видел ее амулет?

Сэм поднял серебряный диск с авантюрином[1], который Майя носила на цепочке.

— Такой же. Я смотрел на ее лицо и видел твое, — сказал он, взяв Майю за подбородок.

— Мне нужно обдумать это. — Она сделала шаг в сторону и вдруг подняла взгляд. Яркие края луны затмила черная пелена.

— Приближается беда, — прошептала она, и через несколько секунд послышалось рычание.

С моря надвинулся туман и накрыл песок. Из тумана соткался волк с белой пентаграммой на черной шкуре и оскалил зубы.

Сэм прикрыл Майю своим телом как щитом.

— Уходи. Немедленно. Ступай в дом.

— Я не побегу от него. — Майя шагнула в сторону, чтобы лучше видеть, и посмотрела прямо в желтые глаза волка. Чертить круг было некогда, поэтому она прибегла к заклинанию.

— Воздух, вейся и кружи, плач и горе унеси! Подними стеною море, защити меня от горя!

Майя подняла руки вверх, и ее охватил смерч. Волосы, напоминавшие языки пламени, разлетелись в стороны. Повинуясь ее голосу, тихие воды грота стали вздыматься все выше и выше.

Раздался грохот.

— Воздух, море и земля, призываю вас сюда. Огонь, в груди моей горя, создай же круг, храни меня. Тварь, подойди ко мне сюда, смотри в глаза, смотри в глаза!

С неба сорвалась шаровая молния, полыхавшая как комета, и описала огненную дугу. За мгновение до того, как она ударила в землю, волк исчез в тумане.

---

[1] Прозрачный кварц с желтыми прожилками.

— Трус! — крикнула Майя, гневно щелкнув плетью собственной силы.

— Майя. — Голос Сэма был твердым как кремень. — Ты можешь что-то сделать с этим?

— Уже сделала.

— Нет, малышка. С волной.

— Ах... — Майя посмотрела на приближавшуюся стену воды высотой в добрых двадцать футов; гнавший ее ветер бешено щелкал зубами. Она вытянула руки, направила в них энергию, как в дуло ружья, и выпустила ее наружу.

Волна рухнула, превратившись в пелену серебристых капель. Когда Майя повернула сжатую в кулак руку, собирая вырвавшийся наружу вихрь, берег омыл прохладный дождь, заодно оросивший ее волосы и кожу.

Ночь снова стала ясной, как стекло, а ветерок — игривым, как фея.

Майя откинула голову и сделала глубокий вдох, пытаясь справиться с жаром в крови.

— Это научит его уму-разуму, верно?

Сэм, стиснувший плечо Майи в тот момент, когда она вышла из-за его спины, не мог разжать пальцы.

— И давно ты применяешь это заклинание?

— Вообще-то я прибегла к нему впервые. Свела четыре стихии воедино. — Она с трудом выдохнула и засмеялась. — Должна сказать, это лучше, чем секс!

Когда сверху донеслись крики и топот, Майя подняла голову и помахала друзьям, успокаивая их.

— Ты уверена, что с тобой все в порядке?

Майя сжала руку Нелл, гладившую ее по голове.

— Я цела и невредима.

— Ну, раз так, я могу выпить. — Рипли открыла бутылку пива и повернулась к Майе: — Будешь?

— Нет, спасибо. — Она и без того чувствовала себя пьяной. Пьяной вдребезги.

— А будущей мамочке дадим лимонаду. — Рипли наполнила стакан. — Нелл, сядь, ради бога. Ты заставляешь меня нервничать.

— Я думаю, мы должны спуститься и посмотреть, что они делают.

— Пусть играют в свои игрушки. — Рипли беспокойно расхаживала по веранде. Мак и другие мужчины понесли на пляж оборудование. Даже сейчас она слышала гудки и пощелкивание.

— Там были жутко сильные чары. Что ты чувствовала?

Майя лениво и самодовольно улыбнулась.

— Лучше не спрашивай. Я испытала сильнейшее возбуждение. Впрочем, это всегда заставляет меня желать еще большего.

— Я тебя понимаю. Сегодня ночью Зак будет очень счастлив. — Нелл фыркнула, но тут же остановилась. — Как можно стоять здесь, смеяться и говорить о сексе? Майя, это было потрясающе. Мы не могли к тебе спуститься. Твой ветер налетел как торнадо.

— Легкий летний ветер тут был бы бесполезен. И вы помогли мне. Я вас чувствовала. — Майя взялась за перила, высунулась наружу и посмотрела на небо. — Казалось, внутри меня бились тысячи сердец, в мозгу звучали тысячи голосов. И каждая клетка, каждый мускул, каждая капля крови были полны жизни. Когда он посмотрел на меня... — Она вернулась на веранду. — Когда он смотрел на меня, это было страшно.

— Может быть, с ним покончено? — сказала Нелл.

Майя покачала головой.

— Еще нет.

— Ну, покончено или нет, не знаю, но могу сказать только одно. — Рипли опорожнила стакан. — Мне и в голову не приходило, что ты обладаешь такой силой. А ведь я знаю тебя всю жизнь. После этого вечера я стала лучше понимать, почему ты такая разборчивая и осторожная. Вокруг слишком много горючего материала.

— Это комплимент?

— Просто констатация факта. И предупреждение. В следующий раз дождись нас. О'кей. — Она взяла со стола три бутылки. — Все, игра окончена. Посмотрим, чем там занимаются Мак и его дружки.

Весь пляж был усеян сенсорами и мониторами; повсюду тянулись провода. Мак сидел на земле и барабанил по клавиатуре ноутбука.

Конечно, переноска приборов вниз и их установка в местах, указанных Маком, сделали свое дело. Но до полного успокоения Сэму было еще далеко.

— Послушай, аппаратура у тебя классная, но, ради бога, что она делает?

— Измеряет. Проводит тригонометрическую съемку. Документирует. — Мак нажал несколько клавиш, потом прищурился и сквозь очки посмотрел на экран ближайшего монитора. — Проклятие, жаль, что я не успел заснять это на камеру. Я оцениваю высоту волны в двадцать футов. Но это был взгляд сверху.

— Двадцать — это минимум, — миролюбиво ответил Сэм. — Правда, я смотрел на нее снизу.

— Гм-м. Угу... — Мак уставился на термометр. — Лучше скажи, какая была температура окружающей среды в самый разгар событий.

Сэм посмотрел на Зака, но тот только пожал плечами.

— Температура окружающей среды? О господи! Было жарко.

— А жар был сухой или влажный? — спросил Зак, заставив Сэма рассмеяться.

— Это имеет значение. — Мак сдвинул очки на лоб и нахмурился. — Температура среды, окружающей отрицательную энергию, снижается. Становится холодно. Чтобы восстановить и рассчитать столкновение ионов и определить направление силы, мне нужно объективно оценить состояние среды.

— Было жарко, — повторил Сэм. — Проклятие, я колдун, а не метеоролог!

— Очень смешно. А теперь возьми этот сенсор и сними показания в том месте, куда угодила шаровая молния... Уй! — Когда один из приборов зажужжал как шмель, Мак вскочил и споткнулся о провод. Он нагнулся, пытаясь освободиться, но тут увидел трех женщин, спускавшихся по лестнице.

— Ну вот. Я так и знал. — Мак кивнул им и наклонился к экрану.

— Я собираюсь взглянуть на пещеру, — сообщила Маку Нелл. — И помочь, если смогу.

Он что-то буркнул и поманил пальцем Майю. Та с улыбкой подошла и остановилась, когда Мак поднял руку.

— Ну и ну, малышка. Ты только глянь сюда. Это феноменально. Ты применяешь какие-то внутренние чары? Что-то делаешь с собой?

— В данный момент нет.

— Твои показатели зашкаливают. У тебя всегда был высокий уровень, даже в состоянии покоя, но сегодня ты превзошла себя. Постой минутку. Я хочу снять жизненно важные параметры.

Он измерил ей давление, температуру и пульс. Когда вокруг собрались остальные члены группы, Мак изучал длину волны ее мозгового излучения.

— Как ты это делаешь? — на сей раз спокойно и серьезно спросил он.

Майя наклонилась и, передразнивая его тон, деловито спросила:

— Что именно, профессор?

— Уровень адреналина в твоей крови сейчас такой же, как у человека, прыгающего с высочайшего утеса. Но все твои жизненно важные показатели в норме. Ты уже десять минут сидишь здесь, холодная как лед.

— Просто я умею владеть собой... Ну, друзья мои, вечер был замечательный, но мне пора. — Она грациозно встала и стряхнула с подола песок. — Завтра у меня трудный день.

— Может быть, переночуешь в спальне для гостей?

— Мак, не волнуйся за меня.

— С ним не покончено.

— Да, не покончено. Но сегодня ему крепко досталось.

16

Рассчитывать на сон не приходилось. Поэтому Майя занялась кухонной магией с помощью карманных амулетов, отполировала мебель, выскребла полы, а потом сделала себе маникюр.

На рассвете она отправилась в сад, где отобрала и срезала цветы для украшения магазина.

Когда к восьми часам Майя приехала в кафе «Бук», уровень ее энергии не снизился ни на йоту.

Нелл, пунктуальная, как восход солнца, прибыла в девять, нагруженная продуктами.

— Потрясающе выглядишь, — сказала она, когда Майя начала помогать ей носить коробки и ящики.

— Я и чувствую себя потрясающе. Похоже, день будет удачный.

— Майя... — Нелл поставила коробку с тортом на стол для закусок. — Я доверяю тебе. Но мне не нравится, что ты так беспечно относишься к случившемуся вчера вечером. Сила магии, ее уровень...

— Это то же самое, что дергать дракона за хвост, — закончила Майя. — Я отношусь к случившемуся очень серьезно. Мне требовалось вызвать эту волну, сестренка. Другого выхода у меня не было. Это не значит, что я беспечна, легкомысленна и не помню, что скоро от меня потребуется вся моя сила.

«Дергать дракона за хвост? — подумала Нелл. — Скорее совать прутики целой стае драконов в морды».

— Я видела, какую энергию ты сумела вызвать вчера вечером. Она коснулась меня только краешком, но я чуть не упала. А теперь ты готовишься к раздаче автографов так хладнокровно, словно это самая главная вещь на свете.

— Сегодня так оно и есть. — Она достала из коробки яблоко в тесте. — Никак не могу наесться. Думаю, все дело в энергии, которую, как я догадываюсь, ты очень удачно использовала с Заком сегодня ночью. — Майя слегка улыбнулась и откусила яблоко. — Лично я применяю другие способы разрядки. Сегодня утром ты могла бы готовить канапе на моей кухне.

— Я думала, вы уедете вместе с Сэмом...

— Я тоже. — Майя задумчиво слизнула сахар с пальцев. — Наверно, у него были другие дела.

— После твоего отъезда Мак измерял параметры Сэма. Сэму это не нравилось. Заку пришлось нажать на него. Сама знаешь, как в таких случаях поступают мужчины.

— Задают вопросы о размере и мощи пениса собеседника.

— Вот именно. И называют его «Мэри».

— Ну да. — Майя хихикнула и впилась зубами в яблоко. — Это действует безотказно.

— Показатели Сэма были почти такими же высокими, как твои.

Когда с яблоком было покончено, Майя задумалась, не стоит ли взять второе.

— Серьезно?

— Согласно одной из гипотез Мака Сэм находился на нулевом уровне и впитал часть выделившейся энергии. Конечно, теперь нужно выждать несколько дней, а потом снова измерить показатели Сэма для сравнения. Стандартные и все остальные.

Майя махнула рукой, взяла второе яблоко и пообещала себе, что завтра лишний час прозанимается йогой.

— Сэм возражать не станет.

— Ему это очень не понравилось. Но я думаю, что он согласится сотрудничать. Мак умеет убеждать. Причем использует тебя.

— Меня?

— Он говорит, что все данные, каждый клочок информации позволит ему создать общую картину и поможет — только не злись! — защитить тебя.

Майя вытерла пальцы и полюбовалась коралловым лаком на собственных ногтях.

— Разве вчера вечером у кого-то сложилось впечатление, что я нуждаюсь в защите?

— Они — мужчины, — просто сказала Нелл, отчего к Майе вернулось чувство юмора.

— Как вы можете жить с такими болванами?

Убедившись, что подготовка к мероприятию идет полным ходом, Майя отправилась встречать десятичасовой паром. Пес Пита Стьюбенса снова сорвался с поводка и бегал по пристани, держа в пасти остатки несчастной рыбины, давно отдавшей концы.

Заметив у причала лодку Карла Мейси, Майя представила себе, как рыбаки будут выгружать свежий, куда более аппетитный улов.

Может быть, подойти и попросить отложить для нее рыбку-другую? Вряд ли к концу дня ее голод уменьшится.

— Привет, мисс Девлин. — Велосипед Денниса Рипли остановился в нескольких дюймах от носков ее туфель от Прада.

— Привет, мистер Рипли.

Привычный ритуал заставил мальчика улыбнуться. «Растет как трава, — подумала Майя. — Типичный гадкий утенок. Пройдет еще пара лет, и он сменит велосипед на подержанный автомобиль».

Эта мысль заставила ее вздохнуть.

— Моя ма сегодня придет в ваш магазин посмотреть на писательницу.

— Рада слышать.

— Моя тетя Пат работает в гостинице и говорит, что для нее приготовили шикарный номер с джакузи и телевизором в ванной.

— Да ну?

— Она говорит, что писатели зарабатывают кучу денег и живут припеваючи.

— Думаю, кое-кто из них действительно живет неплохо.

— Например, Стивен Кинг. Книги у него классные. Может быть, я тоже напишу книгу, которая будет продаваться в вашем магазине.

— И тогда мы оба разбогатеем. — Майя нахлобучила бейсболку ему на нос, заставив мальчика рассмеяться.

— Вообще-то я предпочел бы играть за «Ред Сокс».. Ладно, я поехал.

Он свистнул псу Пита, и тот помчался за велосипедом. Майя посмотрела им вслед и увидела Сэма.

Какое-то мгновение оба молчали, но в воздухе что-то щелкнуло.

— Привет, мисс Девлин.

— Привет, мистер Логан.

— Можно тебя на минутку? — Сэм обнял ее и крепко поцеловал в губы.

Воздух зашипел.

— Вчера у меня не было возможности это сделать.

— Зато у тебя неплохо получилось сегодня.

Его рот обжигал. Майя отстранилась, для чего ей потребовалось проявить немалую силу воли, потому что энергия била из нее ключом, и стала следить за паромом, подходившим к пристани.

— Пришел вовремя.

— Нам нужно поговорить о вчерашнем.

— Да, и не только. Но не сегодня.

— Тогда завтра. Когда ничто не будет нас отвлекать.

— Это намек? — лукаво спросила Майя и пошла к парому.

По сходням съехал черный седан. Не успел водитель выйти и обойти машину, как из задней двери выпорхнула хорошенькая блондинка.

Она засмеялась, устремилась вперед, бросилась в объятия Сэма и смачно поцеловала его.

— Боже, как я рада тебя видеть! Чудесно выглядишь! Не могу поверить, что я здесь, на твоем острове. Если бы ты знал, как я вымоталась за эту недельную рекламную поездку! Давай поцелуемся еще раз.

«Валяйте, валяйте», — саркастически подумала Майя, следя за обменом приветствиями. Фотография на суперобложке не лгала: Кэролайн Трамп действительно была привлекательна. Длинные светлые волосы обрамляли прелестное лицо эльфа с медово-карими глазами и пухлым алым ротиком. В данный момент не отрывавшимся от губ Сэма.

Кэролайн напоминала веселую старшеклассницу, хотя в биографии говорилось, что ей тридцать шесть лет.

Кроме того, в биографии не упоминалось, что Сэм Логан был ее любовником.

— Рассказывай, что ты тут делаешь, — потребовала Кэролайн. — Не могу дождаться, когда увижу твою гостиницу. У тебя будет время показать мне остров? Это потрясающе! Думаю, раздача автографов окажется мурой — один бог знает, зачем они включают в маршрут такие жалкие дыры, — и я смогу освободиться пораньше. Мы пойдем на пляж.

— Ты по-прежнему слишком много болтаешь. — Сэм разомкнул объятия и положил руку ей на плечи. — Добро пожаловать на Три Сестры. Кэролайн, это Майя Девлин, владелица местного книжного магазина.

— Вот тебе и раз! — Кэролайн жизнерадостно улыбнулась Майе. — Я действительно слишком много болтаю. Все, что в голову взбредет. — Она сжала руку Майи. — На самом деле я ничего такого не думала. Просто переволновалась. Не видела Мистера Секси уже больше шести месяцев и с утра выпила целый галлон кофе. Я очень рада, что вы меня пригласили.

— А мы просто счастливы, — сказала Майя любезным тоном, который заставил Сэма поморщиться, и освободила руку. — Надеюсь, поездка на пароме была приятной.

— Все было замечательно. Я...

— Тогда я присоединюсь к приветствию Сэма. Устраивайтесь. Если вам что-нибудь понадобится, найдете меня в кафе «Бук». Сэм... — Она царственно кивнула и ушла.

— Уй! — Кэролайн постучала себя кулаком по лбу. — Боже, какая я дура! Называется, наладила отношения с книжной торговлей!

— Не переживай, — не слишком убежденно сказал ей Сэм. — Поехали в гостиницу. Надеюсь, номер тебе понравится.

Через час Сэм, решивший принять удар на себя, пришел в кафе «Бук».

— Наверху, — сказала Лулу, бойко выбивавшая чеки. — Рвет и мечет.

Майя стояла у дополнительного прилавка и давала указания продавщице, нанятой на неполный рабочий день. Она не рвала и не метала. Вела себя как хладнокровный бизнесмен, заботящийся обо всех деталях. Но Лулу видела ее насквозь.

Майя отошла, чтобы пополнить поредевший запас книг на витрине.

— Наша очень важная персона уже устроилась?

— Да. Она переодевается. Когда я вернусь, то поведу ее на ленч.

— Надеюсь, наше маленькое мероприятие не помешает вашему воссоединению.

— Может быть, мы обсудим это в менее людном месте?

— Боюсь, что нет. — Майя отвернулась и профессионально улыбнулась женщине, взявшей книгу с витрины. — Пожалуйста, не забудьте заполнить анкету участника лотереи. Мы будем разыгрывать призы в течение всего мероприятия, — сказала она покупательлице. — Сам видишь, — продолжила она, повернувшись к Сэму, — я слишком занята подготовкой к муре в жалкой дыре, чтобы болтать с тобой.

— Майя, она не хотела тебя обидеть.

— Конечно, в лицо она бы мне этого не сказала. Но ты вовсе не обязан просить у меня прощения за поведение твоей подруги. Ни в коем случае.

— Я хотел пригласить тебя на совместный ленч. — Долгий и пристальный взгляд Майи он встретил не моргнув глазом. — Дай ей шанс искупить свою неловкость.

— Одного ленча для этого будет недостаточно. Тем более что у меня на него нет ни времени, ни желания. Я не собираюсь участвовать в каком-нибудь маленьком ménage à trois[1], даже в самом цивилизованном.

«О'кей, — подумал он. — Клюет».

— У нас с Кэролайн совсем другие отношения. Но я не собираюсь объяснять тебе такие вещи посреди этого проклятого магазина.

Майя отодвинула его в сторону, чтобы поговорить с группой таращивших глаза туристов.

— Доброе утро. Надеюсь, вы примете участие в мероприятии, которое состоится у нас во второй половине дня. — Она взяла книгу и показала ее потенциальным покупателям. — Мисс Трамп будет обсуждать с читателями свою книгу и надписывать ее.

Когда она закончила беседу и покупатели перекочевали к прилавку с книгами в бумажных обложках, Сэм уже ушел.

— Я тебе еще припомню «муру в дыре», — пробормотала Майя.

---

[1] Сожительство втроем (*фр.*).

— Я готова сделать все, чтобы заставить ее забыть мой ляпсус.

— Кэролайн, перестань изводить себя.

— Не могу. — Она ковыряла салат. — Неужели ты забыл, что это моя главная черта? Я всегда извожу себя. Но я заглажу свою вину перед ней. Вот увидишь.

— Ешь ленч.

— Я нервничаю. Она заставила меня нервничать. О господи, Сэм, я трещу без передышки.

— Ты трещишь всегда. — Он отодвинул чашку с кофе и подтолкнул к ней тарелку с салатом.

— Нет, обычно я болтаю. А сейчас трещу. Это совсем другое дело... Это она, верно?

— Что «она»?

— Та самая, по которой ты всегда вздыхал. — Кэролайн изучала его, склонив голову набок. — Я всегда знала о ее существовании. Даже тогда, когда мы были вместе.

— Да, это она. Как поживает Майк?

— Ах... — Она вытянула ладонь и полюбовалась на новенькое обручальное кольцо. Брак был вторым, но Кэролайн твердо решила, что с *этим* кольцом она не расстанется. — Отлично. Когда я уезжаю в турне, он скучает, а это льстит моему самолюбию. Пожалуй, я привезу его сюда в отпуск. Тут замечательно... Но ты нарочно сменил тему, чтобы меня отвлечь, — после паузы сказала Кэролайн. — Ты не хочешь говорить о Майе Девлин.

— Кэролайн, ты чудесно выглядишь. Счастливая, добившаяся успеха. Мне очень понравился твой новый роман.

— О'кей, не будем говорить о ней. Ты действительно не собираешься возвращаться в Нью-Йорк?

— Да, не собираюсь.

— Ну что ж... — Она обвела взглядом столовую. — У тебя тут настоящий рай.

Наткнувшись взглядом на портрет трех женщин, Кэролайн вопросительно посмотрела на Сэма. Увидев, что он продолжает есть, она бросила салфетку на стол.

— Я не успокоюсь до тех пор, пока не помирюсь с ней!

— Кажется, я никогда не видел тебя спокойной. — Сэм встал и подал знак официанту. — У нас есть время прогуляться по поселку.

— Давай отложим это. Сейчас я пойду на встречу с читателями. Остров осмотрим позже.

Они миновали вестибюль и вышли на улицу.

— Потрясающее здание, — сказала Кэролайн, глядя на кафе «Бук». — Ладно, пошли.

— Кэролайн, она тебя не съест. — Сэм переждал поток машин и перевел ее через улицу. — Она не меньше твоего хочет, чтобы встреча прошла успешно.

— Братец, ты не знаешь женщин. — Кэролайн вошла в магазин и захлопала глазами. — Боже! Вот это да! Потрясающий магазин. И повсюду я! Сэм, тут полно народу. Не могу поверить, что я назвала это место захолустьем.

— Не захолустьем, а жалкой дырой.

— Да, да. Я уже сказала, что сваляла дурака.

— Боюсь, что так... Лулу, это Кэролайн Трамп.

— Рада познакомиться. — Лулу положила выручку в сумку и протянула руку. — Ваши книги продаются как горячие пирожки. Ваш последний роман я прочитала на прошлой неделе. Это сногсшибательно.

— Спасибо. Я просто влюбилась в ваш магазин. — Кэролайн пошла по кругу. — Я хочу жить здесь. Ах, какие свечи! Сэм, мне нужно десять минут.

Сэм оперся о прилавок и стал добродушно следить

за Кэролайн, бродившей между стеллажами. Отвести ее наверх удалось только через пятнадцать минут.

— Ну что ж, покорить Лулу тебе удалось, — резюмировал он.

— Это побочный результат. У нее великолепный вкус. Он проявляется не только в отличном выборе книг, но и во всем остальном. Класс есть класс. А это что?

Она остановилась на лестничной площадке и захлопала глазами. В кафе было яблоку упасть негде. Все столики и стулья были уже заняты. Обрывки разговоров не мешали слышать уверенный голос Майи, объявлявший о скором начале встречи с известной писательницей Кэролайн Трамп.

— Просто чудо, что она не дала мне пинка под зад, — пробормотала Кэролайн. — Тут не меньше ста человек...

— Раз уж ты решила искупить свою вину перед человеком, который ради этого мероприятия вылезал вон из кожи, я подскажу, как это сделать. Расскажи об этом своему агенту по рекламе. Если ты привлечешь в кафе «Бук» других авторов, то с лихвой искупишь свой ляпсус.

— Можешь считать, что это уже сделано... О'кей, а вот и она. — Кэролайн заставила себя широко улыбнуться и пошла навстречу Майе.

— Магазин у вас просто невероятный. Чем я могу заслужить ваше прощение?

— Выкиньте это из головы. Хотите что-нибудь съесть или выпить? Мы очень гордимся нашим кафе.

— А яду у вас нет?

Майя положила руку ей на плечо.

— Можно устроить.

— Я бы выпила диетическую колу, а потом могла бы взяться за дело.

— Если хотите сэкономить время для пляжа, то можете надписать книги, проданные заранее. Я отведу вас в хранилище... Пам! — окликнула она официантку. — Пожалуйста, принеси мисс Трамп диетическую колу. Мы будем в хранилище. Сэм, если хочешь остаться, то поищи себе стул. Сюда, мисс Трамп.

— Пожалуйста, называйте меня Кэролайн. Я достаточно поездила по стране и знаю, сколько сил требует подготовка такой встречи. Хочу поблагодарить вас.

— Мы ждали вас с нетерпением.

Кэролайн прошла с Майей в хранилище. Она хорошо знала закулисную сторону жизни книжных магазинов и с первого взгляда поняла, что порядок здесь царит образцовый.

— Я положила закладки на титульных листах, — начала Майя. — Если вы предпочитаете надписывать книги в других местах, я поменяю.

Кэролайн облизала губы.

— Все это продано заранее?

— Да. На данный момент пятьдесят три экземпляра. Для них требуется личное обращение. Мне сказали, что это возможно.

— Да, конечно. Нет проблем.

— К закладкам приклеена этикетка «Пост-итс». Ваш агент по рекламе сказал, что ручки этой фирмы...

— Подождите минутку. — Кэролайн поставила кейс и опустилась на табуретку. — Я никогда не надписывала больше ста книг за одну встречу.

— Значит, сегодня вы побьете свой личный рекорд.

— Вижу. Так же четко, как свою любимую ручку и розовые розы на столике в кафе.

— Посмотрим, что вы скажете, когда увидите торт.

— Торт? — Кэролайн была ошеломлена. — Вы подарили мне пену для ванны, свечи, встретили у парома, а теперь еще и торт?

— Я уже говорила, что мы ждали вас с нетерпением.

— Я еще не закончила. Ваш магазин — кстати говоря, восхитительный — битком набит людьми, многие из которых держат в руках мои книги. А вы ненавидите меня, потому что я сказала что-то беспечное, грубое и глупое.

— Нет. Это вызвало у меня не ненависть, а всего лишь досаду. — Майя подошла к двери и взяла у Пам диетическую колу.

— И потому, что у меня когда-то был роман с Сэмом.

— Да. — Майя любезно протянула ей бокал. — За это я вас действительно ненавижу.

— И справедливо. — Кэролайн сделала глоток. — Но поскольку мы с Сэмом уже четыре с лишним года всего лишь друзья, поскольку я замужем, причем удачно... — Она пошевелила пальцами левой руки. — И поскольку он вздыхает по вас, которая красивее, умнее и моложе меня и у которой такие потрясающие туфли, у меня гораздо больше причин ненавидеть вас.

Ее слова заставили Майю задуматься.

— Что ж, это разумно. — Она протянула Кэролайн ручку. — Я буду открывать вам книги.

* * *

Спустя четыре часа Майя сидела у себя в кабинете и подводила итоги. Когда в понедельник позвонит издатель и спросит, как прошла встреча, у него глаза на лоб полезут...

Вошла Нелл, опустилась в кресло и погладила себя по животу — который, как ей казалось, уже заметно округлился.

— Все было великолепно. Потрясающе. Но очень утомительно.

— Я заметила, что, несмотря на бесплатные закуски, кафе получило изрядную прибыль.

— Это ты мне говоришь? — Нелл протяжно зевнула. — Хочешь подсчитать выручку?

— Дождемся закрытия. Но количество книг Трамп, проданных во время ее выступления, я уже подсчитала.

— И сколько их?

— Экземпляров новой книги, в твердом переплете, включая проданные предварительно? Двести двенадцать. А старых, в мягкой обложке, тоже включая проданные предварительно, — триста три.

— Неудивительно, что она вышла отсюда сама не своя. Поздравляю, Майя. Кэролайн — просто прелесть, правда? Веселая, дружелюбная. Она мне очень понравилась.

— Да. — Майя постучала ручкой по столу. — И мне тоже. У нее был роман с Сэмом.

— Ох... — Нелл выпрямилась в кресле. — Ох...

— После более близкого знакомства я поняла, что он в ней нашел. Она очень умная, городская, энергичная. Я не ревную.

— Я и не говорила...

— Я не ревную, — повторила Майя. — Просто жалею, что она понравилась мне слишком сильно.

— Может, пойдем ко мне? Посидим, поговорим о мужчинах и съедим по мороженому с горячей подливкой.

— Я уже съела свою дневную норму сахара. Наверно, поэтому и никак не могу успокоиться. А ты иди. Мне нужно закончить дела. Потом я поеду домой и просплю двенадцать часов подряд.

— Если передумаешь, у меня есть замечательный

домашний сироп. — Нелл заставила себя встать. — Майя, ты проделала поразительную работу.

— Мы проделали. И совершили очень важное дело.

Она повернулась к клавиатуре и проработала до шести часов вечера. Практическая работа позволила Майе еще раз обдумать произошедшее. И понять, что владеющее ею возбуждение само по себе не пройдет.

Поскольку способов борьбы с ним было несколько, она выбрала самый приятный.

Сэм, оставшийся в одних шортах, задумчиво осматривал внутренности холодильника, где не было ничего, кроме остатков блюда, купленного навынос в китайском ресторане. Он весь день умирал с голоду и не знал, что делать — то ли заказать пиццу, то ли удовольствоваться бутербродом с мясом и свининой с жареным рисом.

Когда Кэролайн отвергла приглашение на обед, он почувствовал облегчение. Как бы ни нравилась ему эта женщина, сосредоточиться на светской беседе и вести ее весь вечер было выше его сил.

Особенно после такого дня. И прошлой ночи.

Сначала он помог Заку перетащить в дом на скале все оборудование, а потом целый час плавал изо всех сил. По дороге домой зашел в гостиницу, отправился в оздоровительный клуб и еще час занимался на тренажерах, пытаясь справиться с возбуждением. Сделал пятьдесят кругов в бассейне, принял холодный душ.

Но так и не смог уснуть.

После встречи с читателями он отвел Кэролайн в гостиницу, где она заявила, что хочет принять пенную ванну. Потом Сэм снова пошел в оздоровительный клуб, где поработал до седьмого пота. После чего принял душ и еще около часа проплавал в бассейне.

Но возбуждение не проходило.

Сэм не любил снотворные, даже собственного изготовления, но во время еды понял, что другого выхода нет.

«Точнее, другого практического выхода», — поправился он. Куда приятнее было бы найти Майю, вытащить ее оттуда, сорвать с нее одежду и потратить энергию на безумный, бешеный секс.

Но это поставило бы крест на его планах установить с ней отношения, не основанные на безумном, бешеном сексе.

Кроме того, он не был уверен, что его изнуренный организм справится с такой задачей.

Логан решил заказать пиццу.

Закрыв холодильник и направившись к телефону, он увидел у задней двери Майю, и его тело тут же сжалось, как кулак.

«Самое подходящее время, — мрачно подумал он, — чтобы несколько часов сражаться со своими бунтующими гормонами».

Но когда Сэм пошел к двери, его лицо было веселым и беспечным.

— Вот это сюрприз! Я думал, ты сидишь где-нибудь, задрав ноги вверх и держа в руке бокал вина.

— Ничего, что я заехала?

— Конечно. — Он открыл дверь и поклялся, что будет вести себя прилично.

— Я принесла тебе подарок. — Она протянула коробку из темно-синей фольги с пышным белым бантом на крышке. — От владельца кафе «Бук» владельцу гостиницы «Мэджик-Инн». — Майя прошла, слегка прикоснувшись к Сэму телом.

И ощутила дрожь.

— Подарок?

— За участие в сегодняшнем мероприятии, которое прошло с громадным успехом для всех.

— Кэролайн едва доплелась до номера. Чтобы утомить ее до такой степени, нужно было очень постараться.

— Кому это знать, как не тебе, — парировала Майя.

— Она замужем. Мы с ней друзья, вот и все.

— Ну вот, обиделся. — Она щелкнула языком. — Может быть, выпьем?

— Ладно. — Он достал бутылку вина и штопор. — Проклятие, Майя, я не мог прожить эти десять лет как монах. Думаю, и ты тоже.

— Естественно. Хочешь, чтобы я устроила здесь парад своих любовников? — Она пошла к буфету за бокалами и получила огромное удовольствие, увидев горящий взгляд Сэма.

Если он начнет злиться, соблазнить его будет легче и забавнее.

— Я не выставлял Кэролайн на парад.

— Нет. Но и меня ты тоже не предупредил заранее. Это создало неловкую ситуацию. Однако я решила простить тебя.

— И на том спасибо.

— Снова надулся... Давай я разолью вино, а ты тем временем развернешь подарок. Надеюсь, он улучшит тебе настроение.

— Настроение у меня улучшится только тогда, когда я стукну тебя головой о стенку.

— Для этого ты слишком хорошо воспитан.

— На твоем месте я бы на это не рассчитывал. — Но он все же снял крышку. И достал набор колокольчиков, отлитых в форме смешных латунных лягушек.

— По-моему, это очень подходит к коттеджу. Кроме того, мне захотелось на несколько дней превратить тебя вот в такую лягушку. — Она постучала пальцем по колокольчику, заставив его закачаться и издать мелодичный звон, а потом подняла бокал.

— Уникальная вещь. Я буду смотреть на этих лягушек и думать о тебе.

— На внешней стене кухни есть крючок. Повесь колокольчики туда и посмотри, как они будут выглядеть.

Сэм подчинился, вышел наружу и повесил набор на пустой крючок.

— От тебя пахнет морем, — сказала Майя, проведя пальцем по его обнаженной спине.

— Я плавал.

— Помогло?

— Нет.

— А я могла бы. — Она прижалась к Сэму и слегка укусила его за плечо. — Почему бы нам не помочь друг другу?

— Потому что это всего лишь секс.

— А что в нем плохого?

Она кружила ему голову. Женская магия. Сэм повернулся и схватил ее за руки.

— У нас было нечто большее. И я хочу это вернуть.

— Мы оба — взрослые люди и знаем, что все на свете иметь нельзя. А потому нужно брать то, что дают. — Она провела ладонями по его груди и удивилась, когда Сэм отпрянул. — Ты хочешь меня, а я — тебя. Зачем все усложнять?

— Майя, это всегда было сложно.

— Так давай упростим. Я должна избавиться от того, что случилось вчера вечером. И ты тоже.

— Нам нужно поговорить о том, что случилось вчера вечером.

— В последнее время ты стал любителем разговоров. — Она откинула волосы. — Нелл считает, что ты за мной ухаживаешь.

На щеке Сэма забилась какая-то жилка.

— Я пользуюсь другим выражением. Мы с тобой встречаемся.

— Ну, раз так... — Она скрестила ноги, сбросила с плеч бретельки, и платье упало на пол. — Наших встреч было вполне достаточно.

17

Он был готов поклясться, что мир застыл на месте. Все остановилось, умолкло и исчезло. Осталась одна Майя, высокая, гибкая и прекрасная, огонь и снег. На ней не было ничего, кроме тонкой серебряной цепочки с лунным камнем, лежавшим между грудями, и ножного браслета в виде крошечных кельтских узлов над босоножкой, которая представляла собой три узкие полоски кожи и высокий каблук.

Его рот наполнился слюной.

— Ты хочешь меня. — Ее голос напоминал негромкое мурлыканье. — Твое тело ноет так же, как и мое. И кровь бурлит так же.

— Хотеть тебя всегда было проще простого.

Она шагнула к нему.

— Тогда все будет легко и быстро. — Майя провела ладонями по его груди. — Ты дрожишь. — Прижавшись к Сэму, она провела губами по его плечу и затвердевшим мышцам. — И я тоже.

Его руки согнулись и сжались в кулаки.

— Это твой ответ?

— А в чем вопрос? — Она подняла голову и посмотрела ему в глаза. — У меня есть потребности, и у тебя тоже. Во мне горит желание. И в тебе тоже. Мы можем получить то, что нам требуется, и никто не останется внакладе.

Майя прильнула к нему и больно укусила за нижнюю губу.

— Пойдем в рощу.

Когда Сэм дернул ее за руку, Майя ощутила ликование. Очутившись в его объятиях, она испустила короткий смешок. Победа была сладка и желанна.

— Здесь, — сказал он. — В этом доме. В моей постели.

Кипевшее в крови желание затуманило ее сознание. Всего на мгновение, но этого мгновения Сэму хватило, чтобы застать ее врасплох и утащить из кухни.

— Нет, не здесь.

— Думаешь, всегда будет по-твоему?

— Здесь не стану. — Она упала на кровать, попыталась перекатиться на бок, но Сэм держал крепко.

— Станешь.

Майя боролась. Инстинкт велел ей биться под ним и вырываться. Она чувствовала нежный запах лаванды, посаженной под окном, и этот запах надрывал ей душу.

Она пришла сюда не за нежностью, не за близостью, а за сексом.

Оказавшись под Сэмом, она прибегла к насмешке.

— И что ты этим доказал? Что ты сильнее меня?

— Да. Именно это, — ответил он. Тон Майи был холодным, но зато кожа горела огнем. — Теперь тебе не уйти. Учитывая наше с тобой состояние, твое сопротивление мне только на руку. Валяй, сопротивляйся! — Он закинул ей руки за голову. — Я не хочу, чтобы это было легко. И не хочу, чтобы это было быстро.

Сэм стиснул запястья Майи и набросился на ее губы.

Она продолжала бороться, потому что Сэм был

прав. Прав, будь он проклят! Привкус насилия только разжигал бушевавшее в ней желание. Майя могла ненавидеть себя за это, но в глубине души она хотела, чтобы ее одолели и победили. Отрицать это было невозможно.

Рот Сэма продолжал терзать ее. Кожа Майи покрылась испариной, тело таяло от наслаждения. Она извивалась и выгибалась, но для Сэма это были просто новые места, которые можно было ласкать.

Горевшая внутри энергия выплеснулась наружу, и Майя издала гортанный крик. Сэм довел ее до оргазма, пользуясь всего лишь поцелуями.

Но этот быстрый и сильный оргазм только разжег ее голод.

Логан ощущал трепет ее тела, слышал ее шумное дыхание. Ее пульс под его губами бился как бешеный. Ее кожа была влажной, душистой, горячей и липкой. Ощущение борьбы только усиливало его возбуждение.

Он продолжал мучить ее, пока обоих не бросило в дрожь.

Жадный поцелуй в губы чуть не свел ее с ума. В мозгу не осталось ни одной мысли. Началась война губ, языков и зубов. Когда Майя кончила во второй раз, Сэм отпустил ее руки, желая большего.

Они все сильнее возбуждали друг друга, катаясь по кровати и стараясь оказаться сверху. Врывавшийся в окна солнечный свет покрывал их тела позолотой.

Наконец Майя оседлала его. Сэм приподнялся и втянул в рот ее сосок.

Это заставило ее забыть обо всем на свете. Хотелось только брать и отдавать. Не осталось ничего, кроме яростного желания и мужчины, который смог его вызвать. Это животное желание и ощущение собственного тела сводили ее с ума.

Когда внутри в очередной раз разразилась буря, время ускорило бег и рванулось вперед.

С трудом втягивая в себя воздух, Майя упала на Сэма и вцепилась в него изо всех сил. Сердце бешено стучало и грозило разорваться.

Логан что-то бормотал, продолжая целовать ее лицо и шею. Узнав гэльские слова, пронзавшие ей душу, Майя вцепилась в простыню.

Тело Сэма окуталось теплым синим светом.

— Нет. Не надо.

Но он уже не мог остановиться. То, что происходило между ними, вышло из-под его контроля. Эту близость нужно было довести до предела.

— *A ghra. A amhain.* — Моя любовь. Только моя.

Эти слова вырвались у него сами собой. Его сила мерцала, разыскивая равную себе и изнывая от голода так же, как и тело. Но когда Сэм провел губами по ее щеке, то ощутил вкус слез и крепко зажмурился.

— Извини. — Тяжело дыша, он зарылся лицом в ее волосы. — Подожди минутку. Я сейчас.

Логан пытался восстановить власть над собой, пытался справиться с вырвавшейся наружу магией. Кем бы они ни были друг для друга, он не имел права заставлять Майю делиться с ним этой частью ее души.

Она чувствовала его дрожь и понимала, что Сэм ощущает боль. Сильную физическую боль, вызванную борьбой с собственным телом и душой.

Наконец он справился с собой, но так и не выпустил Майю из объятий. Она слышала его дыхание, часто вырывавшееся из груди.

И не вынесла этого.

Подняв его голову, она посмотрела Сэму в глаза и отдала ему свою магию.

— Поделись со мной. — Она припала к его рту. — Поделись всем.

Ее свет был не темно-синим, а золотисто-красным. Когда их силы переплелись, слились и заструились внутри каждого из них, Майя ощутила блаженный трепет и дала себе волю.

Раздался звук, похожий на аккорд сотни арф. Воздух сгустился, и их сущности раскрылись полностью.

Тела влюбленных засияли. Овладевая Майей и наслаждаясь каждым движением, Сэм схватил ее за руки. Из кончиков их пальцев вылетели искры и заплясали в воздухе.

Свет становился все ярче и наконец вспыхнул как молния. В этот миг Сэм нашел губы Майи и устремился в полет вместе с ней.

Он утыкался в ее плечо, терся щекой о щеку и шептал нежные слова. Она тоже продолжала ощущать в себе его силу. Ее тело млело. Сердце продолжало стучать, но теперь Майя знала, что оно стучит не только для нее.

Что она наделала?

Сама лишила себя последней защиты. Отдала ему всю себя и взяла взамен всего его.

Позволила себе полюбить его снова.

«Дура, — думала она. — Совсем потеряла голову. И подвергла себя опасности».

Но эта мысль не мешала ей лежать, ощущая тяжесть Сэма, и чувствовать блаженное эхо того, что они пережили вместе.

Нужно было уйти, выбросить из головы мысли о нем и подумать, что делать дальше.

Она подняла руку, чтобы оттолкнуть Сэма, но вместо этого вплела пальцы в его волосы.

— Майя... — Его голос был глухим и сонным. —

Allaina. Такая нежная, такая милая... Останься на ночь. И проснись рядом со мной утром.

Сердце Майи сжалось, но когда она заговорила, ее тон был бодрым и ровным.

— Ты говоришь по-гэльски.

— Гм-м?

— Ты говоришь по-гэльски. — Майя слегка толкнула его в плечо. — Это значит, что ты готов уснуть на мне.

— Нет. — Сэм оперся на локти и посмотрел на нее сверху вниз. — Просто ты вскружила мне голову. — Он поцеловал ее в лоб, а потом в кончик носа. — Я рад, что ты заехала.

Сопротивляться соблазну было трудно.

— Я тоже. Но теперь мне пора.

— Угу. — Он лениво играл волосами Майи и изучал выражение ее лица. — К сожалению, ничего не выйдет. Если попытаешься уйти, я снова прибегну к силе. Тебе это нравится. Сама знаешь.

— Попробуй. — Майя толкнула его сильнее и попыталась освободиться.

— Я вижу, тебе действительно понравилось. — Сэм опустил голову и нежно укусил ее за плечо.

— Может быть, в данных обстоятельствах это действительно было... возбуждающе. Я должна была дать выход энергии, которую вызвало вчерашнее заклинание.

— Рассказывай. — Сэм взял ее за подбородок. — Я не шучу. Хочу, чтобы ты рассказала мне всё. Но в данную минуту я умираю от голода. А ты? У меня есть остатки еды, купленной навынос в китайском ресторане.

— Заманчиво. Но...

— Майя, нам нужно поговорить.

— Как можно разговаривать, когда мы лежим в постели голые и ты все еще во мне?

— Так и есть. — Сэм провел руками по бедрам Майи, приподнял их и вонзился в нее еще глубже. — Скажи, что останешься.

У нее перехватило дыхание.

— Я не...

— Я хочу следить за тем, как ты кончишь еще раз. — Его движения были медленными и плавными. — Смотри мне в глаза.

Выхода не было. Сэм пользовался ее слабостью и с беспощадной нежностью подавлял ее волю.

Логан следил за тем, как она сдавалась ему, самой себе и силе собственных ощущений. Когда тело Майи свела долгая сладкая судорога, он кончил вместе с ней, потом поднял ее и заключил в объятия.

— Останься.

Она вздохнула и положила голову ему на плечо.

— Так и быть, только накорми меня.

Они быстро доели китайские остатки и взялись за остальное. Их голод притупился лишь тогда, когда осталась последняя коробка с концентратом рисовой каши. Последнюю горсть съел Сэм.

— Сильная магия и хороший секс. Ничто так не обостряет аппетит.

— Я съела две булочки, сандвич, пирог и миску рожков. Дай сюда. — Майя отняла коробку у Сэма и посмотрела, не осталось ли там чего-нибудь.

— Да, заклинание было мощное. Теперь, когда на моей кухне не осталось ничего съедобного, давай прогуляемся в рощу.

— Уже поздновато, Сэм.

— Да. В том-то и дело. — Он посмотрел на ее босые ноги. — Впрочем, твои туфли для рощи не годятся.

Тогда давай съездим на берег. Там твоим ногам будет легче.

— Ничего, я привыкла ходить по роще босиком.

«Все к лучшему, — подумала она. — Пока мы разговариваем, едим и соблазняем друг друга, мне не придется думать о своей любви. И о том, что с ней делать».

— Ты хочешь, чтобы я объяснила заклинание, но я не уверена, что смогу это сделать.

— Подробности мне не нужны. — Сэм вел ее к тропинке. — Во-первых, я хочу выяснить, давно ли ты знала, что обладаешь такой силой.

— Я не уверена, что знала это. Скорее чувствовала, — продолжила она. — Как будто внутри меня был выключатель, ждавший, когда я на него нажму.

— Это не так просто.

— Да. — Майя ощущала запах деревьев и моря. «Впрочем, в такой вечер можно ощущать даже запах звезд, — подумала она. — И их холодное прикосновение...» — Я работала над этим, изучала себя и тренировалась. Концентрировалась. Ты понимаешь.

— Я понимаю только одно: иметь дело с такой силой, которую ты вызвала вчера вечером, мне еще не приходилось.

— Я готовилась к этому всю свою жизнь. — «Последние десять лет магия была моей единственной любовью», — подумала она. — Но так и не смогла покончить с ним. Этой силы оказалось недостаточно. — В ее голосе прозвучала решимость. — Но покончу обязательно.

— Все не так просто, Майя. То, что ты делала вчера, опасно. Для тебя. Так не должно было быть.

— Риск был минимальный.

— Если бы я знал, что ты можешь и собираешься предпринять, то мог бы подготовиться и помочь тебе. Но ты не хочешь помощи.

Они подошли к ручью, берега которого заросли наперстянкой.

— Когда-то я рассчитывала на твою помощь. Но с тех пор прошло много времени.

— Майя, я вернулся два с лишним месяца назад.

— А отсутствовал десять лет. За это время я научилась рассчитывать только на себя... Рипли тоже отдалилась от меня и от того, что мы делили с ней в то время, — добавила она. — Я воспользовалась тем, что у меня было, и отточила свое мастерство.

— Да, верно. Я думаю вот о чем... Вряд ли ты овладела бы такой силой, если бы я остался на острове.

Она резко повернулась и вспыхнула.

— Это что, новое оправдание тому, что ты сделал?

— Нет. — Голос Сэма был совершенно спокойным. — Причины, заставившие меня уехать, были совершено эгоистическими. Но результат от этого не меняется. Ты стала намного сильнее, чем была.

— Я должна сказать тебе за это спасибо? — Она наклонила голову. — Может быть. Может быть, мне пора понять, что твой отъезд был благом для нас обоих. Я считала, что на тебе свет сошелся клином. Но это было не так. Я выжила без тебя. И буду жить дальше, уедешь ты или нет. Буду продолжать жить и работать. Быть. Теперь я могу спать с тобой, не питая иллюзий. Приятно делить постель с тем, кто понимает силу и в то же время не ждет от тебя ничего, кроме удовольствия.

Сэм понимал, что она пытается разозлить его.

— Не торопись благодарить меня. Ты прекрасно знаешь, почему я заставил тебя встречаться со мной. Я должен был доказать тебе — и, возможно, себе тоже, — что нас объединяет не только секс.

— Конечно, не только. — Майя успокоилась и пошла дальше. — Магия. Общее прошлое. Любовь к острову, хотя сначала я в это не верила. И общие друзья.

— Когда-то мы сами были друзьями.

— Мы друзья и теперь. — Она сделала глубокий вдох. — Как люди живут вдали от моря? Как умудряются дышать?

— Майя... — Сэм притронулся к ее волосам. — Когда мы занимались любовью, я не просил тебя делиться со мной магией. Это вышло нечаянно.

— Знаю. — Майя остановилась, но не обернулась.

— Почему ты это сделала?

— Потому что когда я попросила, ты перестал. Это для меня много значило. И, наверно, потому, что я тосковала по этому. Объединение сил возбуждает и приносит удовлетворение.

— Значит, за все эти годы у тебя не было никого другого?

— Ты не имеешь права задавать мне такие вопросы.

— Да, не имею. Вместо этого я отвечу на вопрос, которого ты не задавала. У меня не было этого ни с кем, кроме тебя. Никогда и ни с кем.

— Это не имеет значения.

— Если так, то ты сможешь меня выслушать спокойно. — Сэм схватил ее за руку, не дав уйти. — Я так и не смог забыть тебя. Когда я спал с другими женщинами, это не имело ничего общего с тем, что было у нас с тобой. Каждая из них заслуживала больше того, что я мог ей дать. Но я не мог дать им большего, потому что никто из них не был тобой.

— Ничего этого не нужно... — начала она.

— Это нужно мне. Я любил тебя всю свою жизнь. Этого не смогли изменить ни чары, ни заклинания, ни усилия воли.

У Майи замерло сердце. Чтобы заставить его забиться снова, понадобились все ее силы.

— Но ты пытался.

— Пытался. С помощью женщин, работы, путешествий. Однако так и не смог разлюбить тебя.

— Сэм, даже если бы на кону стояло только мое сердце, я не смогла бы отдать его в твои руки.

— Тогда возьми мое. Я все равно не могу сделать с ним ничего другого.

— Нет. Боюсь, что мои нынешние чувства являются всего лишь эхом прежних, к которым примешался гнев. Более того, — добавила Майя, повернувшись к нему спиной, — я не знаю, можно ли верить в истинность чувств, о которых ты говоришь. Сейчас все поставлено на кон, а в такой ситуации эмоциональная неразбериха очень опасна.

— Теперь я в своих чувствах не сомневаюсь. Правда, для этого мне потребовалось много времени.

— А я сомневаюсь. Я научилась жить без них. Я не могу не переживать за тебя. Для этого наша связь слишком сильна. Но любить тебя снова не хочу. Это мой выбор. Если ты не можешь смириться с этим, нам лучше расстаться.

— Если таков твой выбор, я смогу с ним смириться. На время. Но сделаю все, чтобы ты передумала.

Она с досадой развела руками.

— Присылая мне цветы и устраивая пикники? Все это западни и ловушки.

— Нет. Это романтика.

— Мне не нужна романтика.

— Тебе так только кажется. Раньше я был слишком молод и глуп, но теперь стал старше и умнее. Когда-то мне было трудно сказать, что я тебя люблю. Просто язык не поворачивался. Тем более что у меня дома эта фраза была не в ходу.

— Я не хочу, чтобы ты мне об этом рассказывал.

— Ты всегда говорила эти слова первой. — Увидев

ее удивление, Сэм продолжил: — Ты этого не замечала, верно? Я мог повторить их только вслед за тобой. Времена меняются. И люди тоже. Но некоторые делают это позже остальных. Майя, теперь мне все ясно. Я хотел, чтобы ты снова сказала это первой. Так мне было бы легче. Ты всегда облегчала мне жизнь, и я привык к этому.

— К счастью, это изменилось. Все, мне пора ехать. Уже поздно.

— Да, поздно. Я люблю тебя, Майя. Я люблю тебя. И буду повторять это сотни раз. Пока ты мне не поверишь.

Слова Логана причинили ей острую боль. Она воспользовалась этой болью, чтобы сохранить спокойствие.

— Сэм, ты уже говорил это, — холодно ответила Майя. — И я тоже. Но слов оказалось недостаточно. Я не могу дать тебе то, чего ты хочешь.

Она побежала по тропинке.

Майя очнулась только в машине. Ей и в голову не пришло возвращаться в дом за туфлями. Она думала только об одном: нужно как можно скорее уехать отсюда и собраться с мыслями.

Она позволила себе снова полюбить его. Точнее, уступила своему сердцу, когда оказалась беззащитной перед его страстью. Но это ее трудности, и она сама будет с ними справляться.

Разумно и трезво. Если бы любовь была правильным выбором, она бы не чувствовала себя такой несчастной.

Если решение проблемы — это любовь, то почему слова Сэма причинили ей такую боль?

Она не станет жертвой собственных чувств. Хватит и одного раза. Не бросится в омут любви, рискуя собой и всем, что ей дорого.

«Душевное равновесие и ясная голова, — твердила себе Майя. — Это самое главное при принятии жизненно важного решения. Может быть, пора взять несколько отгулов и перегруппировать силы».

Она решила, что слишком вымоталась. Ей нужно побыть наедине с собой.

То есть в одиночестве.

— С чего тебе взбрело в голову, что она уехала? — рявкнула в трубку Рипли, раздосадованная тем, что ее разбудили раньше половины девятого в воскресенье — единственный день, когда она могла позволить себе выспаться.

— С того, что ее нет на острове. — Горло Сэма сжалось так, что было больно говорить. — Куда она уехала?

— Не знаю. — Рипли села и потерла лицо. — Я еще толком не проснулась. Откуда ты знаешь, что ее нет на острове?

«Знаю, — подумал Сэм, — потому что я настроился на нее». Именно разрыв связи и заставил его проснуться. Он мрачно решил, что в следующий раз ограничиваться пределами острова не станет.

— Просто знаю, и все. Я был с ней вчера вечером. Она не говорила, что собирается на материк.

— Ну, я не ее секретарь по связям с общественностью. Вы что, поссорились?

— Нет, не поссорились. — Их отношения нельзя было определить с помощью такого простого слова. — Если ты имеешь хоть малейшее представление, куда она могла поехать...

— Не имею. — Но тревога, звучавшая в голосе Сэма, заставила ее смягчиться. — Послушай, спроси Лулу. Майя никуда не уехала бы, не поставив ее в известность. Может быть, она отправилась за покупками или чем-нибудь в этом роде... — В трубке раздались частые гудки. — Ладно, и тебе тоже счастливо, — проворчала она.

На этот раз Сэм не стал связываться с телефоном. Просто прыгнул в машину и помчался к Лулу. Едва заметив, что домик, который в пору его детства был тыквенно-оранжевым, стал ярко-фиолетовым, он постучал в переднюю дверь.

— У тебя есть ровно две секунды, чтобы объяснить, почему ты не дал мне досмотреть сон, в котором мы голыми танцевали с Чарльзом Бронсоном. Иначе я дам тебе пинка под...

— Где Майя? — рявкнул он.

Сэм успел упереться ладонью в дверь раньше, чем Лулу успела захлопнуть ее у него перед носом.

— Скажи мне только, что она в порядке.

— А почему она не должна быть в порядке?

— Она сказала тебе, куда поехала?

— Если и сказала, это не твое дело. — Лулу почувствовала его гнев и его страх. — Только попробуй применить ко мне свои фокусы-покусы! Ты узнал все, что хотел? А теперь вали отсюда.

Сэм сделал шаг назад. Когда дверь захлопнулась, он просто сел на ступеньку крыльца и положил голову на руки.

Неужели он заставил ее уехать? Неужели судьба продолжает свои злые шутки, заставляя одного из них любить так, что другому приходится спасаться бегством?

«Это неважно, — сказал он себе. — В данный момент куда важнее, чтобы Майя была в безопасности».

Когда дверь открылась снова, он встал.

— Можешь не говорить, где она, что делает и почему уехала. Мне просто нужно знать, что она жива и здорова.

— Что заставляет тебя в этом сомневаться?

— Вчера вечером я расстроил ее.

Лулу фыркнула и пнула его босой ногой.

— Я так и знала! Что ты сделал?

— Сказал, что я ее люблю.

Лулу, стоявшая за его спиной, поджала губы.

— И что она тебе ответила?

— Что не хочет этого слышать.

— Она разумная женщина, — сказала Лулу, но тут же поняла, что перегнула палку, и ощутила угрызения совести. — Майя взяла несколько отгулов, вот и все. Решила побаловать себя. Походить по магазинам и немного развеяться. В последнее время она работала круглые сутки.

— О'кей. — Он вытер руки о джинсы и повернулся лицом к Лулу. — О'кей. Спасибо.

— Ты сказал Майе, что любишь ее, чтобы запудрить ей мозги?

— Сказал, потому что действительно люблю. Запудривание мозгов — это всего лишь побочный эффект.

— Ты мне всегда нравился. Разрази меня гром, если я знаю, за что.

Сэм захлопал глазами.

— Серьезно?

— Если бы не это, я содрала бы с тебя шкуру за то, что ты посмел прикоснуться к моей девочке... Ладно, я пошла. — Она запустила обе руки в свою растрепанную шевелюру и почесала голову. — Если хочешь, можешь войти и выпить кофе.

Любопытство помешало Сэму отказаться и заставило пройти на кухню.

— Меня всегда интересовало, почему ты не живешь в доме на скалах.

— Сначала я уехала, потому что не выносила этих напыщенных и самовлюбленных Девлинов. — Она достала кофе из банки в виде поросенка. — Я могла прожить там несколько дней, когда они отправлялись в одно из своих путешествий, но когда эти типы возвращались, мне требовался свой дом. Иначе я придушила бы их во сне.

— А когда они уехали насовсем?

— Через несколько месяцев после тебя.

— После... но Майе было всего девятнадцать.

— Смылись, даже не дождавшись, когда ей исполнится двадцать. Черт знает куда. Потом пару раз возвращались — думаю, для проформы. А когда Майе исполнился двадцать один, все кончилось. Они решили, что сделали свое дело.

— Они никогда его не делали, — заявил Сэм. — Все делала ты.

— Это верно. Майя была моей с тех пор, как бабушка положила ее мне в руки. Она и сейчас моя. — Лулу обернулась и бросила на него вызывающий взгляд.

— Знаю. И очень рад этому.

— Похоже, в конце концов, ты взялся за ум. — Она вылила в кофеварку воду из вишнево-красного чайника. — В общем, после их отъезда с острова Майя спросила, не хочу ли я жить с ней. Мол, места достаточно. Но я люблю свой дом, а она любит жить там одна.

Пока кофеварка пыхтела и булькала, Лулу изучала его взглядом.

— Ты хочешь жить там с ней?

— Э-э... Так далеко я не загадываю.

— Похоже, ты не слишком изменился. До сих пор шарахаешься от того, что тебе предназначено судьбой.

— А что мне предназначено судьбой?

— Эта девочка, — сказала она и ткнула его пальцем в грудь. — Моя девочка. Она хочет завести семью и родить детей. Ей нужен мужчина, с которым она могла бы прожить всю жизнь в радостях и горестях, а не тот, кто бледнеет, едва услышав слово «брак». Вроде тебя.

— Брак — дело слишком серьезное...

— Кому ты вешаешь лапшу на уши? Ей или себе?

— Многие люди сходятся и живут, не заключая законного брака. Нас с Майей вряд ли можно назвать консерваторами.

Пронзительный взгляд Лулу заставил Сэма снова почувствовать себя подростком, доставившим Майю домой после назначенного часа.

— Я не даю воли таким мыслям. Пока что она не позволяет мне даже заикнуться о своей любви.

— Вот это уже дело. Звучит немного запальчиво, но неплохо.

— Что хорошего в браке? — недовольно спросил он. — Ты сама в разводе.

— Тут ты меня уел. — Она улыбнулась и достала две веселые желтые кружки. — Забавная штука жизнь.

— Да. — Подавленный Сэм взял кружку. — Где-то я это уже слышал. Причем совсем недавно.

18

Она собиралась расслабиться, походить по магазинам, провести день в гидромассажной ванне или салоне красоты. Собиралась три дня и три ночи думать как можно меньше и заниматься своим эмоциональным и физическим состоянием.

Она не собиралась тратить время и силы на получение допуска в федеральную клинику, где держали Ивена Ремингтона.

Но поскольку она это сделала, то могла обосновать свое решение. Время идет. Если судьба ведет ее к Ремингтону, она пройдет по этой тропе. Настоящая опасность ей не грозит, но существует возможность, хоть и небольшая, что из этого визита выйдет что-нибудь путное.

Майю не удивляло, что она сумела получить разрешение на встречу с ним без особых хлопот. Существовали силы, способные преодолеть бюрократические препоны, и она была частью этих сил.

Они сидели друг напротив друга за широкой стойкой, разделенной баррикадой из толстого закаленного стекла. Майя взяла трубку; он сделал то же самое.

— Мистер Ремингтон, вы меня помните?

— Шлюха, — прошипел он.

— Вижу, что помните. И что за проведенные здесь месяцы ваше состояние не улучшилось.

— Я скоро выйду отсюда.

— Это он вам так говорит? — Майя слегка наклонилась вперед. — Он лжет.

На щеке Ремингтона задергался мускул.

— Я скоро выйду отсюда, — повторил он. — И все вы умрете.

— Мы разбили его дважды. Всего несколько вечеров назад он убежал от меня, поджав хвост. Он говорил вам это?

— Я знаю, что будет. Я видел это. Знаю, что все вы умрете, издавая страшные вопли. Ты видишь?

На мгновение она увидела в разделявшем их стекле клубящиеся темные тучи, удары молний, ревущий вихрь и голодную пасть моря, проглатывающую острова целиком.

— Он показывает тебе свое желание, а не реальность.

— Я получу Элен. — Его голос стал мечтательным, как у ребенка, повторяющего стишок. — Она приползет ко мне на коленях. И дорого заплатит за свой обман. За свою измену.

— До Нелл тебе не добраться. Смотри на меня. На меня! — велела Майя. Она не позволит ему прикоснуться к Нелл даже в мыслях. — Ты будешь иметь дело только со мной. Он использует тебя, Ивен. Как куклу или злую собачонку. Использует твою болезнь, твой гнев. Это уничтожит тебя. А я могу тебе помочь.

— Он сначала трахнет тебя, а потом убьет. Хочешь посмотреть анонс?

Это произошло мгновенно. Грудь сжалась от боли так, словно в ее плечо вонзились когти. Ледяное копье с хрустом вошло ей между ног. Едва не вскрикнув от боли и ужаса, Майя воспользовалась своей силой как доспехами и нанесла ответный удар.

Голова Ремингтона дернулась, глаза расширились.

— Он тебя использует, — спокойно повторила Майя. — А платишь за все ты. Думаешь, я боюсь твоих угроз? Я — одна из Трех, и со мной тебе не сладить. Но я могу помочь тебе. Могу спасти от ужаса, который он тебе принес. Если ты доверишься мне и поможешь себе, я смогу освободить тебя от него. Прикрою щитом, чтобы он не мог использовать тебя и причинять тебе вред.

— Почему?

— Я должна спасти тебя, чтобы спасти себя и тех, кого люблю.

Ремингтон приник к стеклу. Она слышала в трубже его хриплое дыхание. На мгновение ее охватила жалость.

— Майя Девлин. — Ивен облизал губы, после чего на них появилась улыбка, широкая и безумная. — Тебя сожгут! Сожгите ведьму! — Ремингтон продолжал хихикать даже тогда, когда к нему устремился охранник. — Ты будешь умирать, испуская жуткие вопли, а я буду следить за этим!

Охранник уволок Ивена, но Майя продолжала слышать дикий смех даже тогда, когда за ними захлопнулась дверь.

«Смех проклятого», — подумала она.

Сэм встречался со своим бухгалтером. Выручка увеличилась, но одновременно возросли и расходы, в том числе накладные. Впервые за тридцать лет «Мэджик-Инн» оказался на грани банкротства, но Сэм считал, что скоро все изменится. Он заключил на осень два договора и рассчитывал возместить часть потерь в период зимних каникул, традиционно считавшийся мертвым сезоном.

До тех пор он будет продолжать вкладывать в гостиницу собственные деньги.

Если через несколько недель гостиница и весь остров пойдут ко дну, это произойдет не из-за его недостаточной веры в свою правоту.

Проклятие, где ее носит? Неужели нельзя заняться каким-то дурацким шопингом после того, как их жизням, судьбам и будущему ничто не будет угрожать?

О господи, сколько пар обуви нужно женщине?

«Это всего лишь предлог, чтобы избавиться от меня, — думал он. — Я сказал ей, что люблю ее, а она убежала как кролик. Возникли сложности, но она не захотела иметь с ними дело, удрала на материк и...»

Логан остановился и стал рассматривать собственную незаконченную подпись на лежавшем перед ним документе.

— Дурак, — пробормотал он.

— Простите, что? — спросила секретарша.

— Ничего. — Он покачал головой и завершил подпись. — Миссис Фарли, проверьте, пожалуйста, зимние брошюры. Я должен быть уверен, что исправления внесут до конца месяца. Завтра я хочу встретиться с менеджером по продажам. Найдите для этого время.

Она заглянула в календарь.

— Ты свободен в одиннадцать и в два.

— В одиннадцать. И отправьте служебную записку в административно-хозяйственный отдел... Давно в браке?

— Ты хочешь знать, сколько лет состоит в браке начальник административно-хозяйственного отдела?

— Нет, миссис Фарли. Не он, а вы.

— В феврале исполнилось тридцать девять.

— Тридцать девять... Как вам это удалось?

Миссис Фарли отложила блокнот и сняла очки.

— Знаешь, это похоже на алкоголизм. Привыкаешь постепенно.

— Это никогда не приходило мне в голову. Брак как пагубная привычка.

— Так оно и есть. Кроме того, это работа, требующая внимания, сотрудничества и творчества.

— Звучит не слишком романтично.

— Нет ничего более романтичного, чем идти по жизни с тем, кого ты любишь. С тем, кто любит и понимает тебя. Разделяет с тобой ее приятные стороны. Детей, внуков, новый дом, заслуженное повышение. И неприятные тоже. Болезни, подгоревший обед, неудачно сложившийся рабочий день.

— Есть люди, которые предпочитают справляться

с приятными и неприятными сторонами жизни в одиночку.

— Независимость — вещь замечательная. Мир был бы куда прочнее, если бы все умели управлять собственной жизнью. Но такое умение вовсе не означает отсутствие способности делиться с другими или чувствовать свою зависимость от них. Это и есть романтика.

— Я никогда не замечал, чтобы мои родители делились друг с другом чем-то кроме любви к итальянской моде или ложе в опере.

— Тем хуже для них. Некоторые люди просто не умеют говорить другим о своей любви.

— Потому что иногда им отвечают отказом.

— А иногда нет. — В ее голосе прозвучала легкая досада. — Некоторые ждут, что удача свалится на них сама. Они даже согласны немного поработать ради этого. Например, трясти дерево до тех пор, пока красное яблоко не упадет им на голову. Им и в голову не приходит, что на это проклятое дерево нужно залезть, пару раз упасть, набить несколько шишек и только потом сорвать плод. Потому что если яблоко стоит того, чтобы его хотели, оно стоит и того, чтобы ради него рискнуть шеей.

Она шумно выдохнула и встала.

— Пойду печатать докладную записку.

Когда миссис Фарли вышла из кабинета и тщательно закрыла за собой дверь, Сэм глубоко задумался. Продиктовать записку он так и не успел.

— Вот что бывает, когда я завожу разговор о браке, — вслух сказал он. — Собственная секретарша готова откусить мне голову. Я умею лазить на деревья. Тысячу раз лазил.

Но в данную минуту он чувствовал себя так, словно висел, уцепившись кончиками пальцев за ненадежную ветку. А желанное красное яблоко все еще было далеко.

Он взял папку, собираясь отвлечься от досады с помощью работы. И вдруг почувствовал, что внутри его вспыхнул свет.

Майя вернулась на Три Сестры.

Она позвонила Лулу еще с парома и узнала последние новости о жизни магазина и острова. Поскольку Майя попросила Лулу вечером прийти к ней домой и рассказать все в подробностях, заезжать на работу не было смысла. Разобраться с кучей телефонных звонков и невыполненных заказов можно будет и завтра.

Кроме того, она позвонила Рипли и Нелл. Рассудив, что лучше всего обсудить подробности ее встречи с Ремингтоном завтра вечером за приличным обедом у нее дома, она отправилась в «Айленд-Маркет» за продуктами.

Оставался только Сэм.

Она позвонит ему. Майя прошла в овощной отдел и остановилась, глядя на эруку. Позвонит, как только решит, что ему сказать.

Тщательно составленный, но при этом гибкий план сильно облегчает жизнь.

— Все еще занимаешься шопингом?

Повернувшись, Майя увидела Сэма и поняла, что иногда судьба не соглашается ждать, пока такой план будет составлен.

— Аппетит приходит во время еды. — Она взяла латук и задумчиво посмотрела на римские томаты. — Странно видеть бизнесмена в таком месте в разгар рабочего дня.

— У меня кончилось молоко.

— Вряд ли ты найдешь его в овощном отделе.

— А еще я хотел купить яблоко. Красивое красное яблоко.

Она продолжила выбирать продукты для салата.

— Сегодня у них неплохие сливы.

— Иногда хочется чего-то конкретного. — Сэм вплел пальцы в ее волосы. — Хорошо провела время?

— Э-э... С пользой. — Почувствовав себя неуютно, Майя прошла в молочный отдел. — Обнаружила симпатичный викканский магазинчик. У них отличный выбор колокольчиков.

— У тебя их и так девать некуда.

— Да, это моя слабость, — согласилась Майя и протянула ему кварту молока.

— Спасибо. — Сэм взял у нее пакет и сунул его под мышку. — Может, пообедаем вечером? Заодно расскажешь мне про поездку.

Он вел себя не так, как она ожидала. Не было ни вспышки гнева из-за ее внезапного отъезда, ни расспросов о том, где она была и что делала. В результате Майя почувствовала себя пристыженной.

Очень умно с его стороны.

— Вообще-то сегодня вечером ко мне придет Лулу, и мы займемся делами магазина. Но завтра я устраиваю у себя маленький обед. Собиралась позвонить тебе. — Она положила в тележку круг сыра «Бри». — Мне нужно кое-что обсудить со всеми. В семь часов, идет?

— Конечно.

Сэм наклонился, свободной рукой взял ее за щеку и прижался губами к губам. Поцелуй был нежным, но с каждым мгновением становился все более страстным.

— Я люблю тебя, Майя. — Сэм погладил ее по щеке, а потом сделал шаг назад. — До завтра.

Она застыла на месте, стиснув ручку тележки и

глядя вслед Сэму, уходившему с пакетом молока под мышкой.

Когда-то она отдала бы за такой взгляд и такие слова несколько лет жизни.

Наконец она дождалась этого, но тогда почему ей так тяжело?

Так тяжело, что хочется плакать.

Лулу села за руль своего любимого старого оранжевого «Фольксвагена». После неожиданного ночного заплыва ей стало намного легче и спокойнее.

Она толком не знала, что именно сделали Рипли и Нелл, однако без магии тут не обошлось. Называть штуку, которая нависла над островом, можно было по-разному, но ее девочки собирались дать ей по рогам.

И все же она испытывала облегчение, зная, что Майя снова на острове, в своем доме на скалах, и вернулась к обычному распорядку жизни. Хотя проглотить эту пилюлю было трудно, однако знание того, что Сэм заботится о Майе, доставляло ей облегчение.

«Конечно, парень свалял дурака, — решила она, проезжая поселок под классические звуки «Пинк Флойд», несшиеся из стереоколонок. — Но он был молод. Я сама в молодости наделала немало глупостей».

Именно эти глупости и привели ее сюда. Честно говоря, все, что делал Сэм, тоже вело его обратно на Три Сестры, к Майе.

Нет, она не перешла на его сторону. Просто немного смягчилась.

В конце концов, имеет значение только одно. Чтобы Майя была счастлива. Если это счастье зовут Сэмом Логаном, то ему придется очень постараться, чтобы добиться своего.

А если для этого ему нужно будет дать хорошего пинка под зад — что ж, за ней не заржавеет.

Эта мысль заставила ее хитро улыбнуться. Лулу свернула к скалам, не обратив внимания на ползший за ней туман.

Когда в колонках раздался треск статического электричества, она с досадой стукнула ладонью по встроенному маленькому плееру.

— Проклятый дешевый ублюдок, только попробуй у меня зажевать «Стенку»!

Протяжное и низкое рычание, донесшееся в ответ, заставило ее вцепиться в руль. Машина дрогнула, когда в ее открытые окна проникла дымка, холодная, как смерть.

Потеряв видимость, Лулу вскрикнула и ударила по тормозам. Но вместо того чтобы остановиться, маленький «Фольксваген» увеличил скорость. Веселое шуршание шин сменилось звуком, похожим на пулеметную очередь. Руль дрогнул и начал вращаться самостоятельно. Она стиснула его, как ледяную змею, и резко вывернула в сторону. Шины заскрежетали. Когда Лулу увидела край обрыва, к визгу шин добавился ее собственный.

Впереди вспыхнула новая звезда. Лобовое стекло треснуло, как лед в половодье. А потом звезда начала чернеть.

Ложка, которой Майя размешивала соус к пасте, приготовленной для Лулу, выпала из ее онемевших пальцев. Когда она упала на пол, в мозгу Майи возникла картина, яркая и болезненная. Горло стиснула чья-то невидимая рука. Майя вскрикнула и бросилась к двери.

Она вылетела из дома, бледная от страха, и помчалась к проходившей внизу дороге. Заметив грязный туман, клубившийся за оранжевой машинкой, Майя побежала еще быстрее. Внезапно «Фольксваген» потерял управление и устремился к обрыву.

— Нет, нет, нет! — Страх туманил рассудок, желудок сводили спазмы. — Помоги мне. Помоги мне, — раз за разом взывала она к собственной силе, скрытой стеной ужаса.

Она собрала все, что имела и чем была, и направила свою внутреннюю магию к машине, врезавшейся в ограждение и перевернувшейся, как игрушка, брошенная сердитым ребенком.

— Держись, держись. — Господи, она с трудом могла соображать. — Подуй, ветер, создай мост. Спаси ее, убереги от зла. Пожалуйста, пожалуйста, — нараспев начала она, с трудом произнося слова. — Сеть, мост, крепкая стена, не дайте ей упасть.

Тяжело дыша и ничего не видя от слез, Майя пробежала последние ярды, которые отделяли ее от машины, качавшейся на сломанном ограждении над обрывом.

— Этого не случится с тем, кто мне дорог. Этого не произойдет... Будь ты проклят!

Добравшись до ограждения, она дрожащим голосом позвала:

— Лулу!

Машина лежала на крыше и опасно покачивалась. Когда Майя начала перелезать через ограждение, поднялся ветер и стал трепать ей волосы.

— Не прикасайся к ней!

Когда она обернулась на крик, с ненадежного карниза посыпались щебень и комья земли. Из притормозившей рядом машины выпрыгнул Сэм.

— Я не знаю, сколько она продержится. Чувствую, что она скользит.

— Ты можешь ее удержать. — Логан пробился сквозь ветер, перелез через ограждение и тоже остановился на узком карнизе. — Соберись. Ты должна собраться. Я ее вытащу.

— Нет. Она моя.

— В том-то и дело. — Тратя драгоценное время, он взял Майю за руки и встряхнул. Сэм знал, что машина вот-вот рухнет. Как и карниз, на котором они стоят. — Вот именно. Держи ее. Ты единственная, кто может это сделать. Лезь обратно.

— Я не брошу ее! — крикнула она. — И тебя тоже!

Когда Майя перелезала через ограждение, у нее подгибались колени. Она подняла вверх дрожавшие руки и увидела, что туман начал подниматься снова, превращаясь в черного волка.

Она окаменела. Разгоревшийся внутри гнев победил страх.

— Ты ее не получишь. — Майя выбросила вперед руку, ставшую твердой как камень, и повернулась лицом к волку, чувствуя на плечах тяжесть вызванной ею магии. — Ты можешь получить меня, если таков мой удел. Но клянусь всем, что я имею, клянусь собой, ее ты не получишь.

Волк зарычал и шагнул к ней. «Давай попробуй, — со злостью подумала она. — Моя магия выдержит». Майя покосилась на Сэма и с ужасом увидела, что он вытаскивает из машины окровавленную, потерявшую сознание Лулу, а «Фольксваген» качается и сползает вниз.

Она собрала всю свою силу и направила ее в сторону обрыва, оставшись совершенно беззащитной.

Волк присел.

Когда он прыгнул, в Майю хлынула энергия, вылетела наружу, и в волка ударила молния. Он яростно завыл и исчез в тумане.

— Что, ублюдок? Ты забыл про моих сестер?

Ветер развеял туман, и Майя увидела выскочивших из машин Рипли и Нелл. Потом она повернулась и побежала к Сэму.

Он держал Лулу на руках. Карниз крошился под его ногами. Когда под откос полетел очередной кусок земли, Сэм споткнулся и наклонился вперед. Майя протянула руку и схватила его. В этот момент машина потеряла равновесие и рухнула вниз. Когда Сэм начал перебираться через ограждение, топливный бак взорвался.

— Она жива, — выдавил Логан.

— Знаю. — Майя поцеловала Лулу в бледную щеку и приложила руку к ее сердцу. — Мы отвезем ее в больницу.

Воздух в приемном покое был свежим и прохладным. Нелл лечила порезанные ступни Майи.

— У человека шесть миллионов пар обуви, — проворчала беспокойно расхаживавшая взад и вперед Рипли. — А он ходит босиком по битому стеклу.

— Да. Глупо, правда? — Когда Майя бежала к разбившейся машине, никакой боли она не чувствовала. А сейчас, после вмешательства Нелл, и подавно.

— Теперь можешь отрубиться. — Тон Рипли смягчился. Она положила руку на плечо Майи. — Имеешь право.

— Спать я не буду, но за совет спасибо... Лулу оправится. — Майя на мгновение закрыла глаза, собираясь с силами. — Я осмотрела ее раны. Конечно, она будет тяжело переживать потерю машины, но скоро придет в себя. Я никогда не думала, что ей могут причинить вред. Использовать ее таким образом.

— Она — это тоже ты. Мак говорит, что... — Рипли осеклась и поморщилась.

— Мак? Ты о чем? — Майя поднялась, не обращая внимания на протесты Нелл. Ощутив слабый проблеск внутри, она побелела как мел. — Что-то уже было. На берегу. — Она рассердилась и схватила Рипли за руки. — Что случилось?

— Не ругай ее. Мы все виноваты. — Нелл встала рядом с Рипли. — Лулу не хотела, чтобы ты об этом узнала, и мы согласились.

— Узнала о чем? — спросил Сэм, подошедший с подносом кофе.

— Как ты смел скрыть от меня то, что случилось с Лулу? — гневно спросила его Майя.

— Он тоже ничего не знал, — вмешалась Нелл. — Мы ничего не говорили и ему.

Рипли вкратце пересказала произошедшее, после чего бледные щеки Майи покрылись гневным румянцем.

— Лулу могли убить, а я бросила ее и отправилась на материк! Думаете, я сделала бы это, если бы знала, что она тоже стала мишенью? Вы не имели никакого права скрывать от меня правду!

— Прости. — Нелл беспомощно развела руками. — Мы думали, что так будет лучше, но ошиблись.

— Не слишком... Тебе придется с этим смириться, — добавил Сэм, когда Майя повернулась к нему. — Сегодня вечером ты чуть не погибла, потому что разделила свою энергию. Причем разделила плохо. Все выплеснула, а сама осталась пустой.

— Думаешь, я не отдала бы свою жизнь, чтобы защитить Лулу и тех, кто мне дорог?

— Это неправильно. — Сэм прикоснулся к ее щеке. Когда Майя отпрянула, он просто подошел и решительно взял в ладони ее лицо. — Лулу будет согласна со мной. Разве она не заботилась о тебе всю жизнь?

— Сейчас мне не до разговоров. Я должна быть с ней. — Майя пошла к двери палаты, но остановилась на пороге. — Спасибо тебе, — сказала она Сэму. — Я этого никогда не забуду.

Майя сидела у кровати Лулу. Когда в палату вошли Рипли и Нелл, воцарилась тишина.

— Они хотят продержать ее до завтра, — наконец сказала Майя. — Из-за сотрясения. Она не хотела соглашаться, но пока что слишком слаба, чтобы спорить. Рука... — Ей пришлось сделать паузу, чтобы справиться с голосом. — Перелом. Несколько недель проходит в гипсе, но потом все будет в порядке.

— Майя... — начала Нелл. — Прости нас.

— Не за что. — Майя покачала головой, не сводя глаз с покрытого синяками лица Лулу. — Я успокоилась, подумала и поняла, почему вы это сделали. Хотя и не согласна с вами. Мы составляем круг, а потому должны ценить и уважать друг друга. Но я знаю, какая она упрямая и как умеет настоять на своем.

Веки Лулу затрепетали, и она хрипло сказала:

— Не говори обо мне так, словно меня здесь нет.

— Лежи тихо, — велела Майя. — Я не с тобой разговариваю. — Но все же она приняла протянутую Лулу руку. — Слава богу, наконец-то ты купишь себе новую машину. Твое страшилище наконец приказало долго жить.

— Я буду искать такое же.

— Второго такого нет.

«Но если все-таки есть, я найду его для тебя», — подумала Майя.

— Не придирайся к девочкам и к их парням, — проворчала Лулу. Она открыла один заплывший глаз, но ощутила головокружение и тут же закрыла его снова. — Они сделали то, что я им велела. Потому что уважают старших.

— Я на них не сержусь. Только на тебя. — Майя прижалась губами к руке Лулу. — Поезжайте домой, — сказала она сестрам. — И скажите своим мужьям, что в ближайшем будущем я не собираюсь превращать их в лягушек.

— Мы вернемся утром. — Нелл подошла к кровати и поцеловала Лулу в лоб. — Я люблю тебя.

— Не разводи сырость. Подумаешь, несколько ушибов.

— А жаль, — хрипловато сказала Рипли, подойдя с другой стороны, и тоже поцеловала Лулу в щеку. — Потому что я тоже люблю тебя, хотя ты маленькая и некрасивая.

Лулу слабо хихикнула, вынула руку из ладони Майи и помахала им.

— Чешите отсюда, болтушки.

Когда они ушли, Лулу заерзала на кровати.

— Больно? — спросила Майя.

— Никак не найду удобную позу.

— Сейчас. — Майя встала, провела пальцами по лицу Лулу и ее загипсованной руке, погладила их и что-то пробормотала. Лулу протяжно вздохнула.

— Это лучше лекарств. Паришь в воздухе. Возвращаются старые воспоминания.

Майя с облегчением села.

— Поспи, Лу.

— Ладно. А ты поезжай домой. Нечего сидеть здесь и слушать мой храп.

— Уеду, когда ты уснешь.

Лулу уснула, но Майя продолжала нести вахту.

Эта вахта длилась до самого утра. Пока Лулу не проснулась.

— Не следовало приезжать так рано.

— Заку нужно пригнать патрульную машину. — Нелл помогала Майе накрывать на стол и восхищалась красивым старинным фарфором. — В это время года его могут вызвать в любой момент. А я хотела повидать Лулу.

— Заставить ее провести пару дней в спальне для гостей удалось только с помощью уговоров и угроз. Можно подумать, что ее тут держат в тюрьме.

— Лулу любит свой дом, — сказала Нелл.

— Она вернется туда, когда окрепнет.

Нелл погладила Майю по голове.

— Как ты себя чувствуешь?

— Нормально. — Долгая ночная вахта позволила ей собраться с мыслями. И составить план.

— Я решила приехать пораньше, чтобы помочь тебе. Но теперь вижу, что этого не требуется.

Нелл обвела глазами столовую. Цветы и свечи уже стояли на своих местах. В открытые окна врывались лучи летнего солнца.

— Можешь проверить, как жарится фрикасе. — Майя обняла Нелл за плечи и повела ее на кухню. Этот дружеский жест стер остатки возникшего между ними напряжения.

— Судя по запаху, все замечательно. — Пока Нелл снимала крышку, Майя налила два стакана чая со льдом. — Просто идеально.

— Все, кроме погоды. — Не находя себе места, Майя подошла к задней двери, отодвинула экран и сделала глубокий вдох. — На закате пойдет дождь.

А жаль. Мы не сможем выпить кофе в саду. За последние три дня мои ипомеи вымахали на целый фут. Дождь может повредить цветки...

Она повернулась и увидела взгляд Нелл.

— Что?

— Майя... Скажи, что тебя тревожит. Я не могу видеть тебя такой грустной.

— Серьезно? Я вовсе не грустная. — Она вышла наружу и посмотрела на небо. — Лично я предпочла бы не дождь, а грозу. Этим летом гроз почти не было. Складывается впечатление, что они накапливают силы и ждут подходящего момента. Мне хочется стоять на скалах и следить за молниями.

Она положила ладонь на руку Нелл.

— Я не грустная. Просто неспокойная. То, что случилось с Лулу, потрясло меня до глубины души. Что-то внутри меня ждет и понемногу накаляется. Я знаю, что должна делать. И сделаю, хотя не вижу того, что приближается. Очень обидно знать, но не видеть этого.

— Может быть, ты не туда смотришь... Майя, я знаю, что происходит между тобой и Сэмом. Чувствую это даже на расстоянии в десять футов. Когда я влюбилась в Зака и не знала, что делать, ты мне помогла. Я хотела бы сделать то же самое для тебя.

— Ты сильно влияешь на меня.

— До какого-то момента. А потом ты переступаешь черту и уходишь в себя. После возвращения Сэма это стало происходить чаще.

— Это значит, что он нарушает мое равновесие.

— Ты любишь его?

— Часть моей души любила его с самого рождения. Но я с этим покончила. У меня не было выбора.

— И в этом вся беда, не так ли? Ты не знаешь, открыть ли ему душу или продолжать держать ее закрытой.

— Однажды я сделала ошибку, и он ушел. Я не могу позволить себе повторить эту ошибку. Даже если он останется на острове.

— Ты не веришь, что он останется.

— Дело не в вере, а в учете всех возможностей. Допустим, я снова открою ему душу. Что случится, если он уедет? Я не могу так рисковать. Речь идет не только обо мне, но обо всех нас. Сама знаешь, любовь — дело непростое. Это не цветок, который можно сорвать, повинуясь капризу.

— Да, любовь — дело непростое. По-твоему, можно управлять ею, придавать ей нужную форму и направление? Если ты считаешь, что должна делать это, то ошибаешься.

— Я больше не хочу любить его. — Ее голос, всегда такой ровный и уверенный, дрогнул. — Не хочу. Я покончила с мечтами. И не желаю, чтобы они возвращались. Потому что боюсь расстаться с ними еще раз.

Нелл молча обняла Майю и привлекла ее к себе.

— Я — уже не та девочка, которая от любви теряла голову и рассудок.

— И он тоже. Теперь имеют значение только те чувства, которые ты испытываешь в данный момент.

— Мои чувства обострены не хуже, чем мое внутреннее зрение. Я сделаю все, что потребуется. — Майя вздохнула. — Я не привыкла плакаться людям в жилетку.

— И зря. Иногда это единственное, что помогает справиться с трудностями

— Может быть, ты и права. — Майя закрыла глаза, представив себе Нелл и развивавшуюся в ней жизнь. — Я вижу тебя, сестренка, — пробормотала она. — Вижу, как ты сидишь в старой деревянной качалке. В комнате горят свечи. Ты держишь на руках младенца с волосами мягкими, как пух, и яркими, как солнечный свет. Когда я вижу это, во мне воскресают надежда и смелость.

Она обернулась и поцеловала Нелл в лоб.

— Твой ребенок будет в безопасности. Это я знаю. — И тут хлопнула входная дверь.

— Наверняка Рипли, — улыбнулась Майя. — Только она не удосуживается стучать и не противится соблазну хлопнуть дверью... Я отнесу Лулу поднос. А по дороге подумаю, стоит ли подать аперитивы в сад, пока не испортилась погода.

Когда Майя пошла здороваться с гостями, Нелл подумала, что все складывается как обычно. Началось с того, что она хотела утешить Майю, а кончилось тем, что Майя утешила ее.

— И тут этот шут гороховый говорит: «Нет, офицер, я не крал морозилку. Только передвинул ее». — Рипли ткнула вилкой во фрикасе. — А когда я сказала, что это не объясняет, почему от него пахнет пивом, а на песке валяются три пустые банки из-под «Будвайзера», он ответил, что кто-нибудь мог пить пиво, пока он спал. Думаю, тот же человек налил ему спящему пива в рот, потому что на часах было три пополудни, а малый изрядно осоловел.

— И что ты предприняла? — спросил ее Зак.

— Оштрафовала за распитие спиртных напитков в общественном месте. Но обвинение в краже морозилки сняла, потому что парни, у которых он ее упер, не хотели поднимать шум. В конце концов, ведь именно они притащили морозилку с пивом в общественное место.

— Только представить себе! — Сэм покачал головой. — Пить пиво на пляже...

— Закон есть закон, — неумолимо ответила Рипли.

— Согласен. Принести на пляж сразу шесть банок — это перебор.

— Зато я помню, что кто-то притащил на пляж бутылку лучшего отцовского скотча. — Зак улыбнулся. — Помню, что он щедро поделился ею с приятелями. И даже помню, в честь кого мы пили.

— Говори только про себя. — Рипли махнула вилкой. — С меня было достаточно одного глотка этого пойла. Вкус был мерзкий. Не говоря о запахе.

— Что взять с девчонки! — фыркнул брат.

— Болтай что хочешь, но когда мы вернулись домой, влетело не мне, а кому-то другому.

— Чистая правда. Мне было восемнадцать, — улыбнулся Зак, — а мама все еще порола меня ремнем.

— В тот раз она выпорола и меня. — Это воспоминание заставило Сэма поморщиться. — Иисусе, эта женщина приводила меня в ужас. Что бы ты ни сделал, она знала об этом в ту же минуту. А если не знала, то догадывалась. Просто смотрела тебе в лицо, и ты начинал во всем признаваться.

— Я буду так же обходиться со своими детьми. Драть беспощадно, — сказала Рипли и самодовольно покосилась на Мака, который положил ладонь на ее руку.

И тут Майю осенило.

— Ты беременна!

— Ну да. — Рипли подняла бокал с минеральной. — Нелл — не единственная, кого можно обрюхатить.

— Рипли! — Нелл вскочила, вприпрыжку обежала

стол и обняла подругу за шею. — Какая радость! И когда ты хотела сообщить нам об этом?

— Сегодня. Репетировала всю вторую половину дня.

— Вот это да! — Широко улыбаясь и нетвердо держась на ногах, Зак подошел к Рипли и дернул ее за волосы. — Я стану дядей!

— Сначала тебе придется пару месяцев поучиться быть папочкой.

Пока все обменивались шутками и поздравлениями, Майя встала и провела ладонями по предплечьям и стопам Рипли. Вверх и вниз. А потом просто крепко обняла и прижала ее к себе.

У Рипли перехватило горло, и она уткнулась лицом в волосы Майи.

— Там два, — прошептала Майя.

— Два? — У Рипли отвисла челюсть. — Два? — отстранившись, выдавила она. — Ты хочешь сказать... — Она запнулась и посмотрела на свой плоский живот. — Мать честная...

— Два чего? — Пока Сэм наполнял бокалы, собираясь произнести тост, Мак улыбался жене. Но вдруг улыбка медленно сползла с его лица, сменившись растерянностью. — Два? Двойня? Там близнецы? Ох... Мне нужно сесть.

— *Тебе* нужно сесть?

— Верно. Нам всем нужно сесть, — сказал Мак, усаживая Рипли к себе на колени. — Два в одном. Вот это да.

— С ними все будет в порядке. Я вижу. — Майя наклонилась и поцеловала Мака в обе щеки. — Идите в столовую и устраивайтесь. Я принесу кофе. А для матерей — чай. Рипли, тебе придется ограничить потребление кофеина.

— Что-то не так, — сказал Сэм, когда Майя ушла на кухню. — Что-то большее, чем история с Лулу.

— Она расстроилась из-за детей. — Рипли прижимала руку к животу, пытаясь представить себе двойню.

— Не только. Я помогу ей с кофе.

Когда Сэм вошел на кухню, Майя стояла у открытой задней двери и следила за теплым летним дождем, поливавшим ее сад.

— Я хочу помочь.

— Это нетрудно.

— Речь не о кофе. — Логан шагнул к ней. — Я хочу помочь тебе.

— Ты и так мне помогаешь. — Она взяла его руку и крепко сжала. — Вчера ты рисковал жизнью ради того, кого я люблю. Ты доверил мне судьбу Лулу и свою собственную, чтобы помочь ей.

— Я сделал единственное, что можно было сделать.

— Единственную вещь, которую мог сделать только ты, Сэм. Только ты.

— Давай отложим этот разговор. Я хочу помочь справиться с тем, что тревожит тебя сейчас.

— Это невозможно. Во всяком случае, в данный момент. Это моя битва, а сейчас на кону стоит больше, чем обычно. Все, что имеет для меня значение, сегодня вечером находится в этом доме. А то, что там, снаружи, хочет войти. Ты чувствуешь? — прошептала она. — За пределами моего круга. Давит, ворочается. И ждет.

— Да. Я не хочу, чтобы ты оставалась здесь одна.

Майя хотела уйти, но Сэм крепко взял ее за плечи и развернул к себе.

— Можешь относиться ко мне как угодно, но ты слишком умна, чтобы отказываться от силы, которую я могу добавить к твоей. Ты уверена, что порознь мы могли бы спасти Лулу?

— Нет. — Она перевела дух. — Нет, не уверена.

— Если ты не хочешь быть со мной, я могу лечь в комнате для гостей или на каком-нибудь проклятом диване. Твоя драконша защитит тебя. Ее не остановит даже сломанная рука. Я не буду пытаться залезть к тебе в постель.

— Знаю. Дай подумать. Сначала нам нужно обсудить другие вещи.

«Пусть думает что угодно, — решил он, когда Майя начала варить кофе. — Я останусь с ней даже в том случае, если мне придется спать в машине».

Она поставила на стол кофе и сливочный торт. А потом сделала то, чего Нелл не видела за все время их знакомства.

Задернула шторы, отгородившись от ночи.

— Он следит за нами, — спокойно сказала Майя, зажигая свечи. — Или пытается следить. Мой жест означает презрение. Легкий шлепок. Легкий, — продолжила она, сев и подняв чашку, — но тешащий мое самолюбие. Я перед ним в долгу за вред, причиненный Лулу. Он получит свое. Причем сторицей. Должна сказать, время он выбрал не самое лучшее, — добавила она. — Мы должны отпраздновать новость Рипли и Мака. И отпразднуем.

«Королева, — подумал Сэм. — Королева-воительница, обращающаяся к своим солдатам». Логан не знал, нравится ли она ему в таком обличье. Но когда он сконцентрировался на Майе, у него похолодело под ложечкой.

— Куда ты поехала, Майя? Куда поехала после того, как оставила остров?

Судя по выражению лица, он застал ее врасплох. Благодаря этому Сэм сумел проникнуть в брешь и узнать еще кое-что. То, что заставило его вскочить на ноги.

— Ремингтон? Ты уезжала, чтобы встретиться с Ремингтоном?

— Да. — Она пила кофе и собиралась с мыслями. Тем временем вокруг звучали ахи и охи.

— Прекрасно. Просто прекрасно! — взорвалась Рипли. Майя смерила ее холодным взглядом. — Ты же сама твердила мне, что нужно действовать осторожно, держать себя в руках и готовиться к таким вещам заранее!

— Все верно. Я так и сделала. Это не было проявлением беспечности или глупости.

— Значит, по-твоему, я беспечная и глупая?

Майя изящно пожала плечами.

— Предпочитаю пользоваться словом «безрассудная». Риск такой встречи был рассчитан заранее и признан оправданным.

— Вчера вечером ты полила нас керосином за то, что мы промолчали про Лулу, а сама что сделала?

— Это тут ни при чем, — отмахнулась Майя. — Я позвала вас именно для того, чтобы все рассказать. Добровольно.

— Ты не должна была ехать одна. — Голос Нелл звучал негромко, но внушительно. — Ты *не имела права* ехать одна.

— Не согласна. Чувство, которое питает к тебе Ремингтон, не позволило бы ему вступить в беседу. А вспыльчивость Рипли наверняка привела бы к стычке. Из нас троих я единственная, кто мог иметь с ним дело. И этот разговор требовался мне больше, чем вам.

— Нас четверо, — напомнил собравшимся Сэм.

— Нет, разрази меня гром, шестеро! — поднявшись на ноги, рявкнул Зак. — Ты все время забываешь об этом. — Он повернулся к Майе. — Проклятие, мне нет дела до того, что ты умеешь выпускать молнии из кончиков пальцев. Нас шестеро, и все!

— Зак...

— Помолчи! — бросил он Нелл, заставив ее вытаращить глаза. — По-твоему, если двое из присутствующих здесь не умеют вызывать ветер, доставать луну с неба, или как там это называется, то они должны сидеть сложа руки? Я тоже все поставил на кон. В конце концов, именно я — шериф Трех Сестер.

— Я тоже происхожу от них, — сказал Мак, заставив Майю задумчиво посмотреть на него. — У меня нет того, что есть у тебя, но я потратил на изучение этого дара значительную часть своей жизни. Отвергать нашу помощь — это больше чем оскорбление. Это ошибка.

— Или еще один способ показать, что тебе никто не нужен.

Майя заставила себя посмотреть на Сэма.

— Я не хотела. Если так вышло, мне жаль. Очень жаль, — повторила она, протянув руки ко всем по очереди. — Я бы не поехала к нему, если бы не была уверена, что справлюсь с этим делом. В то время и в тех условиях.

— Ты никогда не ошибаешься, верно? — бросил Сэм.

— Иногда ошибалась. — Кофе показался Майе горьким, и она отодвинула чашку. — Но тут не ошиблась. Он не смог причинить мне вред. — Она отогнала воспоминание о когтях и ледяном копье. — Ремингтона используют, а его ненависть и безумие — сильное оружие. Был шанс, что я сумею договориться с ним и с его помощью закрыть этот источник энергии. В каком-то смысле он — фонтан, — сказала она, взглядом попросив Мака подтвердить это. — Если завинтить кран, струя иссякнет.

— Это всего лишь гипотеза.

— К свиньям гипотезы. Что произошло? — требовательно спросила Рипли.

— Он слишком далеко зашел. Верит лживым обещаниям. Ремингтон обрек себя на проклятие. Но жгучее желание причинить другим боль и несчастье — это его слабость. Такая цель порочна изначально. В конце концов, зло уничтожит себя. Однако я думаю, что мы можем и должны ускорить этот процесс. А после вчерашнего просто обязаны. Я не могу подвергать риску Лулу. Но поскольку он не может добраться до меня, то вновь примется за нее.

— Думаю, тут ты права, — вставил Мак. — Любовь к ней можно считать твоей слабостью. Ахиллесовой пятой.

— Тогда мы должны действовать быстрее. Потому что это не слабость, а другой вид оружия.

— Упреждающий удар? — догадался Сэм.

— Можно сказать и так, — кивнула Майя. — Лучший способ защиты — нападение. Я давно думала над этим. И теперь не сомневаюсь, что его мощь возрастает с каждым часом. Вчера вечером он был намного сильнее, чем раньше. Зачем ждать сентября? Чтобы он накопил еще больше энергии? С тобой, Рипли и Нелл мы представляем четыре стихии. У нас есть новая жизнь, новый круг внутри старого. Трое детей древней крови ждут своего рождения. Это могущественная магия. Ритуал изгнания по всей форме.

— В легенде говорится еще кое о чем, — сказал Сэм. — Тебе предстоит сделать выбор.

— Я помню. Помню все. Помню про риск и жертвы. Но в отличие от их круга наш круг не разорван.

В отличие от них наша сила не уменьшилась. — В ее голосе послышалась сталь. — Вред, причиненный Лулу, только усилил мое желание покончить с ним во что бы то ни стало. Когда придет время, я сыграю свою роль. Ритуал изгнания поможет отвлечь его... и, возможно, уничтожить окончательно. Правда, Мак?

— Для этого вам понадобится полная луна. — Мак нахмурился и стал что-то высчитывать. — У вас не так много времени.

Майя гневно и холодно улыбнулась.

— У нас были для этого три сотни лет.

19

— Чего ты не сказала остальным?

— Я сказала все, что должна была. — Майя сидела за туалетным столиком и расчесывала волосы. Она знала, что Сэм не уедет ни за что, и поэтому не спорила.

Спорить без толку — только даром тратить энергию. Майя решила приберечь ее для более подходящего случая.

— Если бы ты знала, что ритуал изгнания может повернуть прилив вспять, то воспользовалась бы им раньше.

— Тебя здесь раньше не было.

— Я нахожусь здесь с мая. Ты когда-нибудь перестанешь меня попрекать?

— Ты прав. — Она отложила щетку, встала, открыла балконную дверь и прислушалась к шуму дождя. — Я повторяюсь. Это раздражает. Тем более что я тебя давно простила.

— Простила? Майя...

Дождь был теплым и ласковым. А Майе хотелось грозы.

— Я несколько раз заглядывала в прошлое и пыталась непредвзято представить себе двух молодых людей. Девочка была увлечена мальчиком, четко представляла себе их будущую совместную жизнь и не видела, что он не готов к этому. Нельзя сказать, что она была невнимательна или близорука... — Майя говорила искренне. — Просто ей не было дано это понять. Девочка была уверена, что мальчик любит ее так же, как она его, хочет того же, что и она. Она была виновата в случившемся не меньше, чем он.

— Нет, меньше.

— Ладно. Может быть, меньше. Потому что она была предельно честна, а он — нет. Но девочка тоже была не без греха. У нее была слишком крепкая хватка. Теперь я думаю, что она была готова к семейной жизни не больше, чем он. Ей просто хотелось этого. Она была очень одинока в своем доме на скалах и тосковала по любви.

— Майя...

— Не надо прерывать мою покаянную речь. У меня нет привычки обвинять родителей в собственных ошибках и неудачах, это банально и пошло. К тридцати годам женщина успевает наделать кучу собственных ошибок. И пережить несколько триумфов.

Во время своего отъезда она думала и об этом. Долго и упорно.

— Поэтому не будем осуждать бедную девочку за ее старые ошибки. У нее было время, чтобы совершить множество новых.

Она вернулась к туалетному столику, рассеянно взяла кобальтовый флакончик, опустила в него пальцы и намазала кремом руки.

— Родители никогда не любили меня. Это было

грустно и больно. Но хуже всего было то, что они плевать хотели на мою любовь к ним. Что я должна была делать с любовью, которая горела внутри? Слава богу, рядом была Лулу. Но мне хотелось отдавать. И ты тоже был рядом. Бедный грустный Сэм. Я вылила на тебя столько любви, что ты чуть не захлебнулся.

— Я хотел любить тебя. Нуждался в этом. И в тебе.

— Но не так, чтобы жить в маленьком коттедже со мной, тремя детьми и верной собакой. — Майя говорила легко, хотя отказ от этого привлекательного образа дался ей дорогой ценой. — Я не могу осуждать тебя за это. Тебя можно осуждать только за то, как ты порвал со мной. Так резко, так внезапно... Но что с тебя взять? Ты был очень молод.

— Я буду жалеть об этом до конца своей жизни. Тогда мне казалось, что я смогу спастись только одним способом: причинив тебе боль.

— Юность часто бывает жестока.

— Да, я был жесток. Говорил, что порываю с тобой и с этим островом. Что не хочу чувствовать себя в ловушке. Что не вернусь назад. Никогда. Ты смотрела на меня, и по твоему лицу текли слезы. Ты редко плакала. Это напугало меня, и я стал еще более жестоким. Мне очень жаль.

— Верю. Мне хочется думать, что, в конце концов, эта часть нашей жизни забудется. Останется в прошлом.

— Я должен рассказать тебе, почему так долго тянул с возвращением.

Майя на мгновение закрыла глаза.

— Это тоже прошлое.

— Нет. Тебе следует знать, что мое решение никогда не возвращаться сюда было осознанным. Первые годы меня подстегивало желание подышать другим воздухом. Когда меня одолевали мысли о тебе, я их прогонял. Так продолжалось до тех пор, пока я не попал в ту пещеру на западном побережье Ирландии.

Логан подошел к туалетному столику, взял щетку и стал крутить ее в руках.

— Ко мне тут же вернулись прежние чувства. Радость и страх. Но я больше не был мальчиком, и эти чувства не были чувствами подростка.

Он положил щетку и посмотрел на Майю.

— И я понял, что вернусь. Это было пять лет назад.

Потрясенной Майе пришлось собрать все свои силы, чтобы справиться со своими мыслями и голосом.

— Ты выбирал время.

— Я не мог вернуться к тебе и на этот остров таким, каким уехал. Сыном Таддеуса Логана. Мальчишкой Логанов. Это висело на моей шее как цепь, и я должен был порвать ее. Мне нужно было кем-то стать. Ради себя. И ради тебя... Нет, дай мне закончить, — сказал он, когда Майя открыла рот. — Ты всегда хорошо представляла себе будущее, определяла цели, ставила вопросы и находила ответы. А теперь и у меня появились собственные цели. Эта гостиница — не просто часть моего наследства.

— Понимаю.

— Может быть. — Сэм кивнул. — Может быть, действительно понимаешь. Она всегда была моей. Наполовину символ, наполовину страсть. Мне нужно было доказать, что я возвращаюсь на остров не только по праву имени и рождения. За последние пять лет я много раз начинал сборы, но меня всегда что-то останавливало. Я долго думал, что именно. То ли мои собственные поступки, то ли рука судьбы. Ясно одно: тогда было еще рано.

— Тебя связывало с островом не только имя и право рождения. Просто раньше ты этого не понимал.

— Вот мы и вернулись к настоящему.

— Теперь уже я должна подумать, что мною руководит. То ли мой собственный разум, то ли судьба... Ты ложись, а я проведаю Лулу, потом поднимусь на башню и вернусь.

Овладевшее Сэмом разочарование заставило его стиснуть кулаки.

— Я хочу доказать, что достоин твоего доверия и любви. Хочу, чтобы ты жила со мной, зная, что я больше никогда не причиню тебе боли — во всяком случае, нарочно. Но ты не даешь мне такой возможности.

— Обещаю тебе, что после полнолуния и ритуала все изменится. Я не хочу, чтобы между нами оставались недомолвки. Мы не можем себе этого позволить. — Она пошла к двери.

— Это не все. — Сэм успел поймать ее за руку. — Есть еще кое-что.

— Большего обещать не могу. — Майе хотелось отстраниться, пока Сэм не заглянул к ней в душу и не увидел, что там творится. «Всему свое время», — поборов это желание, подумала она и спокойно встретила его взгляд. — Ты хочешь, чтобы я доверяла тебе. Если так, то ты должен доверять мне.

— Буду доверять, если ты дашь слово не подвергать себя опасности и ничего не предпринимать без ведома своего круга и меня.

— Когда дойдет до дела, мне понадобится круг. В который входишь и ты.

— Хорошо. — Что ж, и на том спасибо. Пока. — Можно воспользоваться твоей библиотекой?

— Да, конечно.

Не сомневаясь, что Лулу спит мертвым сном, Майя

поднялась на смотровую площадку башни и остановилась под дождем. Отсюда были хорошо видны все ее владения. И тьма, скопившаяся за их пределами. Она дышала холодом на ее тепло, и в воздухе клубился пар.

Майя рассеянно подняла руку к небесам, позволила энергии войти в себя и, как копье, метнула молнию в сгусток пара.

Потом она повернулась и ушла в башню, где начертила круг и зажгла свечи и курения. Майе требовалось видение, но она не хотела, чтобы что-то просочилось за пределы круга. То, что было в ее уме и сердце, могли использовать против нее и тех, кого она любила.

Она заварила нужные травы, выпила из чаши, опустилась на колени в центре пентаграммы, очистила разум и открыла третий глаз.

Над островом бушевала гроза, приближение которой она ощущала. Но яростные порывы ветра не могли разогнать окутавшую землю плотную серую пелену. Волны дробились о скалы, а Майя плыла над ними сквозь дождь, удары молний и туман, который становился все гуще и поднимался все выше.

Ее круг собрался на поляне в центре острова. Все — и она в том числе — стояли, держась за руки. Туман лизал края кольца, но двигаться дальше не осмеливался.

«Спасение, — думала Майя, стоя на коленях в своей башне. — Спасение и сила».

Она ощущала рокот, доносившийся снизу и сверху. И биение собственного сердца. Здесь и там, на поляне.

Они по очереди воззвали к своим стихиям — земле, воздуху, воде и огню. Пришла могучая сила, поднялась вверх и распространилась в стороны. Пелена разорвалась, но затем ее полотнища соединились снова. Из тумана вышел волк с ее отметиной.

Когда он прыгнул, Майя оказалась на своих скалах одна. Она увидела горящие красные глаза, услышала свой крик — крик отчаяния и триумфа, — обхватила волка руками и вместе с ним упала с утеса.

В полете она увидела луну, полную и белую. Ее лучи пробились сквозь тучи и вместе с лучами звезд озарили остров.

В глазах Майи, стоявшей на коленях в башне, мелькали видения, сердце безудержно колотилось.

— Ты больше ничего не можешь мне показать? Неужели такова плата за дар? Мать моей души, неужели ты позволишь страдать невинным? Неужели все кончится кровопролитием?

Она сползла на пол, скорчилась на холодных камнях и в первый и в последний раз в жизни прокляла свой дар.

— Она что-то скрывает. — Сэм расхаживал по кухне дома, в котором он вырос. — Я знаю.

— Может быть. — Мак рылся в документах, разложенных на кухонном столе. До прихода Сэма эти документы были его единственными сотрапезниками. — Вчера вечером меня что-то кольнуло, но не могу сказать, что именно. Я снова просмотрел все свои материалы о Трех Сестрах: острове, женщинах и их потомстве. Перечитал дневник своей прапрабабки. У меня такое чувство, словно я что-то пропустил. Какой-то аспект. Какое слово вчера использовала Майя? Ах да. Интерпретация.

Сэм поставил на стол принесенную с собой сумку.

— Можешь пополнить свою коллекцию. До тех

пор, пока Майя не поймет, что я позаимствовал эти документы из ее библиотеки.

— Я собирался ознакомиться с ними. — Мак осторожно и бережно достал из сумки старинную книгу в потертом кожаном переплете. — Майя дала мне «добро».

— Мы воспользуемся этим, когда она станет ругать меня за воровство. Мне нужно потолковать с Заком. — Сэм побренчал лежавшей в карманах мелочью и вновь начал расхаживать по кухне. — Тодды жили на острове с незапамятных времен и всегда держали руку на его пульсе. Если я сумею придумать правильные вопросы, то смогу получить правильные ответы.

— До полнолуния еще неделя с лишним.

— Завтракай, профессор. — Сэм посмотрел на часы. — Мне пора на работу. Если что-нибудь найдешь, сообщи.

Мак, уже углубившийся в первую книгу, только промычал в ответ.

Повинуясь внутреннему голосу, Сэм пошел не к машине, а к пещере на берегу.

Его всегда тянуло туда. Еще до Майи. Даже в младенчестве он убегал от матери и няни и пробирался туда. Хотя бы для того, чтобы уснуть там. Он хорошо помнил, как его — в то время трехлетнего — приходила искать полиция. Отец Зака пробудил его ото сна, в котором Сэм спал в объятиях рыжеволосой и сероглазой красавицы.

Она пела ему по-гэльски балладу о красивом морском котике, который полюбил ведьму, а потом бросил ее и уплыл в море.

Он понял слова, и язык этой песни стал его собственным.

Став старше, он играл в этой пещере с друзьями, превращая ее то в крепость, то в подводную лодку, то в воровской притон. Но по-прежнему часто приходил сюда один, тайком выбираясь из дома после отбоя, чтобы растянуться на полу, зажечь костер с помощью мысли и последить за игрой теней на стенах.

Когда он вырос, женщина стала являться ему в снах не так часто и не так ясно. Но зато у него появилась Майя. Два образа слились в его сознании, и наконец осталась только одна Майя.

Войдя в пещеру, Сэм ощутил ее запах. Нет, поправился он, запах их обеих. Нежный цветочный аромат женщины, которая ему пела, и более пряный и густой аромат женщины, которую он любил.

В тот вечер, когда женщина вынесла из пещеры шкуру, Майя назвала ее матерью. Она обращалась к призраку с такой любовью и уважением, словно видела его много раз.

Наверно, так оно и было. Хотя Майя никогда не рассказывала об этом. Даже тогда, когда рассказывала ему все.

Логан нагнулся и стал изучать гладкий пол, на котором видел спавшего мужчину.

— У тебя было мое лицо, — вслух сказал он. — А у нее — лицо Майи. Когда-то я позволил себе поверить, будто это означает, что нам не суждено быть вместе. Это был один из многих предлогов оставить остров. Ты уплыл. И я уплыл тоже. Но я вернулся.

Потом Сэм сделал шаг в сторону и начал перечитывать слова, которые давным-давно вырезал в камне. Он залез под рубашку и достал цепочку, которую носил на шее. Что-то попало ему под ногу и со звоном откатилось к стене.

Логан нагнулся и поднял кольцо, парное тому, которое он носил на цепочке.

Меньшее кольцо сильно потемнело, но он чувствовал окружавшую его резьбу. Те же самые крошечные кельтские узлы, которые украшали кольцо, когда-то найденное им в пещере на западном побережье Ирландии. Тот же самый узор, который Майя выжгла под его клятвой, вырезанной в камне.

Он бережно сжал пальцы и пробормотал полузабытое заклинание домохозяек. Когда он раскрыл ладонь, колечко блеснуло серебром.

Сэм долго изучал его, а потом повесил на цепочку рядом со своим кольцом, которое было ему парой.

Сидя в своем кабинете, Майя распечатала заказы по электронной почте, отложила их в сторону для заполнения, а потом деловито занялась канцелярской работой, накопившейся за ее недолгое отсутствие. Она использовала завал как законный предлог для того, чтобы пораньше уйти из дома. Впрочем, насколько она успела заметить, Сэм не горел желанием ее останавливать.

К девяти часам она добилась значительных успехов и прервалась, чтобы совершить телефонный звонок. Ей нужно было при первой же возможности встретиться со своим адвокатом и внести изменения в завещание.

Майя твердила себе, что это не фатализм, а простая практичность.

Она достала из папки документы, которые привезла с собой. Ее договор о партнерстве с Нелл в фирме по устройству банкетов был в полном порядке, но если что-то произойдет, она оставит свою долю Рипли.

Майя знала, что Нелл оценит это по достоинству.

Согласно последнему варианту завещания весь магазин должен был достаться Лулу, но Майя решила изменить свою волю и выделить долю Нелл. Она не сомневалась, что Лулу это одобрит.

Кроме того, она собиралась основать небольшой доверительный фонд для детей ее сестер, включая документ о передаче права собственности на желтый коттедж. Это она просто обязана была сделать.

Библиотеку она завещает Маку; тот сумеет ею распорядиться. А Заку — коллекцию и часы прадеда.

Именно такие вещи оставляют братьям.

Дом она оставит Сэму. Она знала, что Сэм сумеет сохранить его и позаботиться о саде. И о сердце острова.

Майя положила документы в нижний ящик письменного стола и заперла его. Вряд ли они понадобятся в ближайшее время, но аккуратность не помешает.

Она взяла бланки и пошла вниз оформлять заказы. Жизнь продолжалась.

— Тут что-то не так.

— Да, — подтвердила Рипли. — На пляже слишком много народу, и половина из них — идиоты.

— Я серьезно, Рипли. Я действительно волнуюсь за Майю. До полнолуния осталось всего два дня.

— Я знаю, какое сегодня число. Посмотри вон на того малого, который лежит на полотенце с Микки-Маусом. Жарится как рыба на сковородке. Держу пари, он откуда-нибудь из Индианы и никогда не видел моря. Подожди минутку.

Она прошла по песку и толкнула ярко-розового парня носком ботинка. Нелл ждала, переминаясь с ноги на ногу, пока Рипли читала ему лекцию, показывала на небо, нагибалась и тыкала пальцем в его плечо, словно проверяя степень его готовности.

Когда она вернулась, парень достал солнцезащитный крем и начал мазаться.

— Мое лучшее достижение за последнюю неделю... Так что там с Майей?

— Она слишком спокойна. Вчера вечером была на заседании книжного клуба. А сейчас проводит инвентаризацию. Через несколько дней нам предстоит совершить самое большое колдовство в моей жизни а она только поглаживает меня по головке и говорит что все будет хорошо.

— У нее всегда была вместо крови холодная вода Эка невидаль.

— Рипли...

— Ладно, ладно. — Рипли фыркнула и пошла вдоль мола, заканчивая обход. — Я тоже волнуюсь Довольна? А Мак волнуется за нас обоих. Он закопался в своих исследованиях и часами делает выписки Он думает, что Майя чего-то недоговаривает.

— Я тоже.

— Значит, нас трое. Проклятие, но я не знаю, что нам с этим делать.

— Мы с Заком думали над этим. Мы могли бы надавить на нее. Общими усилиями.

— Как? С помощью убеждения? Брось. Эту женщину кувалдой не расколешь. Тем-то она мне и нравится. К сожалению.

— Есть другой способ. Я думаю, мы с тобой могли бы... ну, если бы мы наладили связь, то могли бы пробить щит, который она выставила, и увидеть, о чем она думает.

— Ты говоришь о вторжении в сознание без согласия его владельца?

— Да... Хорошо, забудь мои слова. Это грубо, нечестно и низко.

— Да. Именно поэтому твоя идея мне по душе Я могу выкроить часок... — Она посмотрела на часы. — Прямо сейчас. Твой дом ближе.

Двадцать минут спустя Рипли лежала на полу гостиной Нелл, тяжело дыша и обливаясь потом.

— Вот это да... Остается только руками развести.

— С таким же успехом можно ковырять бетонную стену зубочисткой. — Нелл вытерла предплечьем вспотевший лоб. — Я не думала, что это будет так трудно.

— Майя догадывалась, что мы можем сделать такую попытку, и подготовилась заранее. Проклятие, она знает свое дело. Выходит, ей действительно есть что скрывать. — Рипли вытерла влажные ладони о слаксы. — Теперь я действительно начала волноваться. Нужно привлечь Сэма.

— Нельзя. Возможно, то, что она защищает, имеет отношение к нему. Это будет нечестно. Рипли, она любит его.

Рипли смотрела в потолок и барабанила пальцами по животу.

— Если таков ее выбор...

— Она еще не сделала выбор. Или притворяется, что не сделала. Она любит его, но, насколько я знаю, это не делает ее счастливой.

— С ней всегда было непросто. Знаешь, что я думаю? Я думаю, что она собирается сделать этот выбор во время ритуала изгнания. Убить одним махом двух зайцев. Нелл, она уже приняла решение. Она ничего не делает по наитию.

— Рипли, она сказала, что нашим детям ничто не будет грозить.

— Верно.

— Но про себя не сказала ни слова.

Сэм ослабил галстук и начал следить за Маком, который обходил коттедж с одной из своих карманных штучек. При этом Мак то и дело петлял, нагибался и что-то бормотал себе под нос.

— Настоящий цирк, правда? — Рипли, стоявшая рядом с Сэмом, присела на корточки. — Такую проверку он дважды в день проводит у нас и у Лулу.

— К чему все это, Рип? — Сэм прибежал в коттедж в перерыве между двумя совещаниями. Зак и Нелл должны были прибыть с минуты на минуту. — Почему мы что-то делаем без Майи?

— Спроси об этом Мака. Я знаю только часть. — Когда Мак подошел к ним, она наклонила голову набок. — О'кей, доктор Бук, что скажете?

— Ты хорошо охраняешь это место, — сказал Мак Сэму. — Отличная работа.

— Спасибо, док. Но все-таки, что здесь происходит?

— Давай дождемся остальных. У меня в машине есть кое-что. Как скоро Майя ждет твоего возвращения?

— Думаете, я у нее на коротком поводке? — Заметив, что остальные лукаво переглянулись, Сэм стиснул зубы. — Сейчас она собирается домой. Лулу добилась своего с помощью упрямства и переселилась к себе. Мне не нравится надолго оставлять Майю одну.

— Мы скоро отпустим тебя играть в кукольный домик... — начала Рипли, но осеклась, увидев, что Сэм позеленел от злости. — Полегче, полегче. Ты забыл, что мы в одной команде?

— Тут жарко. — Сэм повернулся и ушел в дом.

— Переживает, — заметила Рипли, когда он отошел на порядочное расстояние.

— Все переживают. А вот и Нелл с Заком. Давайте начнем.

Через десять минут маленький коттедж Сэма был перевернут вверх дном. Нелл, наверняка догадывавшаяся о состоянии его холодильника, привезла с собой булочки и чай со льдом и сумела устроить видимость вечеринки несмотря на то, что Мак занял весь стол своими заметками и книгами.

— Нелл, ради бога, сядь! — Зак подтолкнул ее к стулу. — Дай ребенку отдохнуть хотя бы пять минут.

— А у меня двое. — Рипли взгромоздилась на кухонную стойку и схватила булочку. — Начну я. Вчера мы с Нелл решили немного пошпионить...

— Это не было шпионством.

— Было бы, — возразила Рипли, — если бы нам удалось что-нибудь выведать. Но мы не сумели этого сделать. Майя закрылась намертво. Заперлась, как банковский сейф.

— По-твоему, это новость? — спросил Сэм.

— В ее ханжеском мозгу есть нечто такое, что она скрывает от всех нас, — продолжила Рипли. — Это было ужасно досадно. Мало того, это заставило нас занервничать.

— В тот вечер, когда мы собрались, — сказал Мак Сэму, — Майя сказала, что знает все аспекты и интерпретации. Это заставило меня задуматься. С виду все очень просто. Задача Майи — назовем ее так — связана с любовью. С любовью без границ. Можно толковать это двояко: она должна либо полюбить всей душой, либо добровольно отказаться от привязанности, которая ее сковывает. Извини... — добавил он.

— Мы об этом уже говорили.

— Да, но то, что кажется простым, редко бывает таковым. Первая сестра, являющаяся прототипом Майи, заманила любимого в ловушку. Забрав шкуру котика, привязала его к земле и себе. Они жили вместе и создали семью. Но его любовь к ней была результатом магии, а не доброй воли. Найдя свою шкуру, он вернулся в прежнее состояние и бросил ее.

— Он не мог остаться, — вставил Сэм.

— Не спорю. Это можно интерпретировать следующим образом: Майе требуется *найти* любовь без границ. То есть без предварительных условий. И без магии. Ту, которая придет к ней сама по себе.

— Я люблю ее. И уже сказал об этом.

— Она должна поверить тебе. — Зак положил ладонь на плечо Сэма. — И либо принять эту любовь, либо отпустить тебя.

— Но это не единственная интерпретация. Вот послушай... — Мак взял одну из старых книг и раскрыл ее на странице, заложенной закладкой. — Это история острова, написанная в начале восемнадцатого века. Тут есть ссылки на документы, которых я никогда не видел. Может быть, в библиотеке Майи они и есть, но ты их не принес.

— Майя не стала бы держать их там. — Взгляд Сэма стал тревожным. — Возможно, они хранятся в башне.

— Я хотел бы на них взглянуть, но для наших целей достаточно и ссылок. Здесь легенда об острове излагается немного по-другому, — продолжил Мак. — Я прочитаю только самое главное.

Он поправил очки и скользнул взглядом по пожелтевшей странице.

— «Магией он был создан, магия же его спасет или погубит. Его жизнь или смерть зависят от выбора, который круг сделает трижды. Кровь от их крови, плоть от их плоти. Три живых должны будут встретиться с тьмой, каждая по очереди. Воздух должна будет найти смелость. Отвернуться от того, что уничтожило ее, или выстоять в борьбе с ним». Ты сделала и то и другое, — сказал Мак Нелл. — «Когда она поймет себя и отдаст себя тому, что любит, разорванный круг сомкнется. Земля должна будет найти справедливость без меча и копья. Защитить собственную сущность и всех, кого она любит, не пролив ни капли крови, кроме своей собственной».

Рипли повернула руку ладонью вверх и посмотрела на пересекавший ее тонкий шрам.

— Думаю, с этим мы справились.

— У тебя был выбор, — повернувшись к ней, сказал Мак. — И он оказался труднее, чем мы думали. «И когда ее справедливость умерится состраданием, разорванный круг сомкнется. Огонь должна будет заглянуть в свое сердце, открыть его и оставить обнаженным. Понять любовь без границ и отдать жизнь за то, что ей дорого. Когда ее сердце станет свободным, разорванный круг сомкнется. Сила Трех соединится и выдержит. Поднимутся четыре стихии и покончат с Тьмой».

— Отдать жизнь? Принести себя в жертву? — Сэм подался вперед. — Она должна пожертвовать своей жизнью?

— Подожди. — Зак положил руки на плечи Сэма. — Мак, он прав?

— Это можно интерпретировать так, что каждая из них должна пожертвовать своей жизнью ради других. Ради нас. Ради смелости, ради справедливости, ради любви. Книга была в библиотеке Майи, поэтому можно предположить, что Майя ее читала. Отсюда возникает вопрос: не об этом ли она думает?

— Да. — Нелл побледнела и посмотрела на Рипли. — Мы все об этом думаем.

Рипли кивнула.

— Она принесла бы себя в жертву, если бы считала, что другого выхода нет. Но Майя так не считает. — Она неловко слезла со стойки. — Майя противопоставит свою силу кому угодно и чему угодно.

— Этого недостаточно. — Сэм стиснул кулаки, словно это могло помочь ему справиться с гневом и страхом. — Совсем недостаточно. Я не собираюсь стоять в стороне и смотреть, как она приносит себя в жертву ради нескольких квадратных миль суши. Мы должны положить этому конец.

— Попробуй. — Раздосадованная Рипли сорвала с себя бейсболку. — Нельзя остановить то, что было запущено несколько веков назад. Я попробовала, и оно проехало прямо по мне.

— Но твоя жизнь не стояла на кону, верно?

Если бы Рипли видела только его гнев, она бы огрызнулась. Но она видела и его страх.

— Давай вместе подумаем, как ее выручить.

— Договорились. — Сэм сжал ее плечи, а потом опустил руки. — Спорить с ней не имеет смысла. Мы ее не переубедим. Если мы утащим ее с острова, это ничего не изменит. Последний шаг должен быть сделан, и лучше всего сделать его здесь. Его *должны* сделать здесь. Все мы.

— В центре силы, — подтвердил Мак. — В ее центре. В ее круге. Здесь, где ее воля чище и крепче всего. Но это заставляет меня сделать один неприятный вывод. То, с чем ей придется столкнуться, тоже будет обладать максимальной силой.

— Теперь нас больше, — напомнила Нелл. Она протянула руку мужу, а другую положила на свой живот. — Мы связаны, и наша энергия огромна.

— Есть и другие источники силы, — кивнул Сэм. У него возникла идея. — Мы используем их. Все до единого.

Когда Сэм вошел в дом на скалах, его разум был ясным и холодным. Майя была не единственной, кто умел закрываться.

Она сидела в саду и спокойно пила вино. На ее вытянутой руке сидела бабочка.

— Просто картинка. — Сэм поцеловал ее в макушку и сел напротив. — Как прошел день?

Майя немного помолчала, посмотрела ему в лицо и пригубила вино. Стальная воля помогла ей справиться с внутренней тоской.

— С пользой. А у тебя?

— Тоже. Какой-то парнишка просунул голову между прутьями балконной решетки. Чувствовал он себя неплохо, но его мамаша подняла крик и потребовала распилить решетку. Поскольку допустить порчу антикварного изделия было нельзя, я хотел освободить его с помощью заклинания. Но экономка меня опередила. Смазала малышу голову детским шампунем и выдернула его, как пробку из бутылки.

Он улыбнулся и в награду получил бокал Майи. Но ее взгляд был пристальным и осторожным.

— Могу себе представить, какое удовольствие он получил от этой процедуры... Сэм, я заметила, что из моей библиотеки пропали некоторые книги.

— Да? — Логан протянул палец, и бабочка изящно перелетела к нему. — Ты сказала, что я могу пользоваться библиотекой.

— Где книги?

Сэм вернул ей бокал и бабочку.

— Какое-то время я читал их, надеясь найти новый угол зрения на эту проблему.

— Ох... — У нее возник холодок под ложечкой. — И?..

— Ученый из меня никудышный, — пожав плечами, ответил он. — Я сказал об этом Маку, и он попросил дать книги ему взаймы. Я не думал, что ты станешь возражать.

— Я предпочитаю, чтобы книги оставались в доме.

— Хорошо, я верну их. Знаешь, сидеть здесь с тобой очень... приятно. Стоит мне посмотреть на тебя, как сердце сжимается. Я люблю тебя, Майя.

Она опустила ресницы.

— Нужно что-то приготовить на обед.

Когда Майя поднялась, Логан взял ее за руку.

— Я помогу. — Когда Сэм встал, их пальцы переплелись. — Не стоит брать на себя всю работу.

«Не прикасайся ко мне, — подумала она. — Только не сейчас. Потом».

— Лучше я сама...

— Придется потесниться, — ответил он. — Я никуда не уйду.

20

У него что-то было на уме. Майя в этом не сомневалась. Он был слишком любезен, внимателен и заботлив. Если бы она не знала Сэма как облупленного, то решила бы, что он просто подлизывается.

Как ни странно, Майя предпочитала видеть его в дурном настроении. По крайней мере, тогда она знала, чего от него ждать.

Но времени залезать в его сознание у нее не было. Тем более что он мог сделать то же самое. Впрочем, даже будь у нее время, она не имела права тратить свою энергию понапрасну. Она копила силу так же, как другие копят «голубые фишки»[1].

Майя старалась быть решительной, уверенной в себе и готовой ко всему. Если ее одолевали сомнения, она гнала их прочь.

В день полнолуния она проснулась на рассвете.

---

[1] Акции компании, хорошо известной в стране благодаря своему качеству, надежности и способности работать с прибылью как в хорошие, так и в неблагоприятные времена.

Майе до боли хотелось прижаться к теплому плечу Сэма, почувствовать прикосновение рук, иногда обнимавших ее во сне. После ночи в коттедже между ними ничего не было. Просто иногда они спали рядом друг с другом в самом невинном смысле того слова.

Он не задавал ей никаких вопросов и не пытался соблазнить. Собственное терпимое отношение к такому оскорблению заставляло Майю злиться на саму себя.

Именно она много раз тянулась к нему по ночам, когда разум засыпал, а тело ныло от желания.

Но в это утро, самое важное в ее жизни, она оставила его досыпать, а сама пошла на свои скалы и взяла огонь у восходящего солнца и силу у накатывавшего на берег моря.

Раскинув руки, Майя впитывала в себя энергию и благодарила стихии за свой дар.

Обернувшись, она увидела, что Сэм стоит на балконе спальни и следит за ней. Их взгляды встретились и переплелись. Между ними вспыхнул свет. Когда ветер разметал ее волосы, Майя пошла к дому, не обращая внимания на туман с черными краями, кравшийся вдоль границ ее мира.

Майя пришла в магазин, чтобы восстановить душевный покой. Недаром она создавала его потом и кровью. Несмотря на сломанную руку, Лулу вернулась за кассу. Остановить ее не могло ничто, поэтому тратить силы на споры не имело смысла.

Следовало признать, что работа, а также визиты друзей и соседей сильно улучшали Лулу настроение. «Пусть она лучше работает, чем ворчит», — решила Майя.

Торговля шла необычно бойко, поэтому у Майи

не было возможности пообщаться с Лулу и, не показывая виду, позаботиться о ней. Казалось, каждый второй житель острова сегодня нашел повод зайти в магазин и поговорить с Майей.

К полудню в кафе было яблоку упасть негде, и Майя не могла пройти мимо, чтобы кто-нибудь не окликнул ее и не перекинулся с ней хотя бы словом.

Чтобы передохнуть, Майя шмыгнула на кухню и достала из холодильника бутылку воды.

— Эстер Бирмингем только что сказала мне, что на этой неделе фирменным блюдом будет мороженое «Бен и Джерри».

— Двое моих любимых мужчин, — ответила Нелл, готовя сандвич с жареным цыпленком и сыром «Бри», подававшийся к фирменному бульону.

— Она ужасно переживала из-за этого.

— Некоторые относятся к мороженому очень серьезно. Почему бы и нам самим его не отведать? Вечером можно было бы сделать сливочное мороженое с орехами и сиропом... ну, после...

— Отлично. Я рада, что вечер тебя не волнует. — Майя подошла и быстро обняла Нелл. — У тебя есть все нужное. А завтра все кончится. Никаких теней.

— Я верю в это. Но немного волнуюсь за тебя.

— Сестренка, я тебя люблю... — На мгновение Майя прижалась щекой к волосам Нелл. — Все, мне пора. Наверху куча дел, а я сегодня только тем и занимаюсь, что болтаю. До вечера.

Когда Майя ушла, Нелл закрыла глаза и помолилась.

Но уйти оказалось не так-то просто. Пока Майя добралась до своего кабинета, достала из запертого ящика документы и спустилась обратно по лестнице, прошел целый час.

— Лулу, на минутку, — сказала она, показав на заднюю дверь.

— Я занята.

— На минутку, — повторила Майя и вошла в служебное помещение.

— У меня нет времени молоть языком и желания получить еще один перелом. — Лулу недовольно поморщилась и затопала в комнату. — У меня покупатели.

— Знаю. Извини, но мне нужно съездить домой.

— Это в разгар рабочего дня? Позволь напомнить, что у меня осталась всего одна рука вместо обычных шести.

— Извини. — У Майи возник комок в горле, и она никак не могла его проглотить. Эта женщина была ей матерью, отцом и подругой. Единственным чем-то постоянным в ее жизни, если не считать дара. И более драгоценным, чем магия.

— Ты что, заболела? — сердито спросила Лулу.

— Нет. Нет, я здорова. Мы можем закрыть магазин. Я не хочу, чтобы ты надрывалась.

— Будь я проклята, если позволю его закрыть! Если хочешь устроить прогул, валяй. Я не инвалид и прекрасно справляюсь со своими обязанностями.

— Знаю.

— На следующей неделе я возьму полдня отгула, а ты останешься охранять форт.

— Договорились. Спасибо. — Майя осторожно обняла ее, боясь потревожить больную руку, а потом не справилась с собой и уткнулась лицом в волосы Лулу. — Спасибо тебе.

— Если бы я знала, что ты так расчувствуешься, то выторговала бы целый отгул... Вали отсюда.

— Я люблю тебя, Лу. Я пошла.

Она повесила сумку на плечо и быстро вышла, не заметив, что по щекам Лулу текут слезы.

Убедившись, что Майя ее не слышит, Лулу пробормотала:

— Благослови тебя Бог, малышка.

— Все в порядке, миссис Фарли?

— В полном.

Сэм кивнул.

— Ценю вашу помощь. Раз так, отдаю дело в ваши надежные руки.

— Сэр... Сэм, — поправилась она. — Ты был интересным и хорошим мальчиком. Но теперь ты вырос и стал еще лучше.

— Я... — На мгновение он лишился дара речи. — Спасибо. Мне нужно заехать домой.

— Желаю хорошо провести вечер.

— Думаю, этот вечер войдет в анналы, — бросил Сэм и вышел из кабинета.

В коттедже нужно было кое-что взять. Инструменты, которые он еще не отвез к Майе. Сэм упаковал свою самую старую атаму[1], ритуальный меч и кувшин с морской солью. Надел темную рубашку и джинсы, решив, что лучше взять черную мантию с собой, чем сидеть в ней за рулем, и обернул в шелк любимый магический жезл.

Все это он положил в резной деревянный ящик, передававшийся в их семье из поколения в поколение.

И надел на шею цепочку с двумя кольцами — скорее как украшение, чем как амулет.

Перед выездом Логан остановился и оглянулся на

---

[1] Ритуальный нож с тупым лезвием, служащий для направления энергии; см. предыдущие части трилогии.

дом и рощу. Его защита сохранится. Он отказывался верить в другой исход.

Миновав границу своих заклинаний и выйдя на улицу, Сэм ощутил внутри кипение собственной энергии.

Удар небывалой силы сбил его с ног и заставил взлететь в воздух. Затем Сэм упал наземь, и в его голове вспыхнули тысячи черных звезд.

— Чтобы установить все это оборудование, понадобится целый час, — жалобно сказала Рипли, когда Мак уложил последний прибор в багажник «Лендровера».

— Не понадобится.

— Ты всегда так говоришь.

— Возможно, оно мне вообще не потребуется, такой возможности я не исключаю. Но нам предстоит пережить одно из величайших паранормальных явлений в истории цивилизации... Ну, вот и все. — Он захлопнул дверцу багажника. — Готова?

— Я всегда готова. Едем...

Мак улыбнулся и вдруг с изумлением увидел, что она закатила глаза и вцепилась руками в горло, пытаясь втянуть в себя воздух.

Нелл следила за тем, как Зак грузил в машину сумку с ее инструментами.

— У нас получится, — сказала она. — Майя готовилась к этому всю свою жизнь.

— И все же подстраховаться не мешает.

— Да. Может быть, идея Сэма не так уж хороша, но она полностью соответствует легенде.

Он взял сумку с мороженым, фруктами, орехами, сиропом и взбитыми сливками.

— Верю. Но меня тревожит то, что Ремингтон потерял сознание. Мне сообщили, что он внезапно вырубился. Так, словно кто-то нажал на кнопку.

— Его используют. Мне даже жаль его. Ивен открыл себя тому, что, несомненно, уничтожит его.

— Это «что-то» хочет уничтожить и тебя, Нелл.

— Нет. — Она прикоснулась к руке Зака. Человек, который когда-то был ее мужем и внушал ей страх, больше не был властен над ней. — Это «что-то» хочет уничтожить всё, но первым делом Майю.

Она повернулась к машине, но вдруг сдавленно вскрикнула и согнулась пополам.

— Нелл! Что с тобой?

— Схватки. О боже, ребенок!

— Держись. Держись! — Испуганный Зак увидел ее искаженное болью лицо и подхватил жену на руки. — Я отвезу тебя в больницу. Все будет хорошо.

— Нет, нет, нет... — Нелл уткнулась лицом в его плечо, борясь с болью и страхом. — Подожди. Просто подожди.

— Ни секунды. — Тодд рывком открыл заднюю дверь, но Нелл вцепилась в него как клещ.

— Это только видимость. Только видимость. Майя сказала, что ребенок будет в безопасности. Она в этом не сомневалась. Это не на самом деле. — Она сосредоточилась и начала искать в себе силу. — Это иллюзия. Оно хочет удержать нас. Помешать нам создать круг. — Нелл судорожно вздохнула, снова посмотрела на Зака, и ее кожа засветилась.

— Все это ложь, — твердо сказала она. — Скорее к Майе.

* * *

Майя поднялась на свои скалы, надев мантию, белую, как начавшая восходить луна, и ощущая давление тьмы, острое и холодное, словно лезвие бритвы.

Она спокойно следила за туманом, клубившимся над морем и начавшим фут за футом надвигаться на остров.

Как бы яростно она ни защищала свое сознание, он нашел ее слабое место. Битва, которая состоится сегодня ночью, будет решающей.

— Воля твердая сильна, пусть исполнится она, — пробормотала Майя, отвернулась и вошла в длинную тень леса, которую отбрасывали лучи закатного солнца.

Вокруг нее сомкнулся туман. Холодный и нашептывающий. Ей захотелось бежать. Майя ощущала щекочущее прикосновение длинных ледяных пальцев.

Послышался низкий и протяжный волчий вой, напоминавший смех. Когда туман пробрался под подол ее мантии, Майя ощутила приближение паники.

Она недовольно фыркнула и прогнала туман с дороги, понимая, что потратила на это часть тщательно собранной энергии.

Пульс Майи участился. Она пошла к поляне. К сердцу острова, где им предстояло сомкнуть круг.

«Нам придется нелегко», — подумала она, но тут же отогнала от себя эту мысль и представила себе сестер — темноволосую и светловолосую — в виде узкого луча, скрытого в ее сердце. Не так легко причинить вред тем, кого она любит, и использовать эту любовь для уничтожения.

Она защитит их. И победит.

Первыми прибыли Тодды. Нелл бегом миновала рощу и крепко обняла Майю.

— Ты в порядке!

— Да. — Майя бережно отстранила Нелл. — Что случилось?

— Оно пыталось остановить нас. Майя, оно очень близко.

— Знаю. — Майя взяла Нелл за руки и крепко сжала их. — Ничто не причинит вреда тебе и твоему ребенку. Пора начинать. Солнце почти село.

Она отпустила Нелл, раскрыла ладони, и свечи, расставленные по краям поляны, вспыхнули.

— Ему нужна темнота, — сказала Майя и повернулась к вышедшей на поляну Рипли.

— Этот сукин сын думал, что он может меня напугать. — Она бросила на землю сумку с инструментами; тем временем Мак принес первую охапку своих приборов. — Пора показать этому ублюдку, с кем он имеет дело.

— Я тоже мог бы внести свою лепту с помощью оборудования, — сказал Мак.

— Тебе не хватит времени, — ответила ему Майя.

— Хватит, — возразил Сэм, показавшийся из-за деревьев и несший один из мониторов Мака и свой резной ящик.

Майя подошла к Логану и кончиком пальца прикоснулась к уголку его рта.

— У тебя кровь.

— Этот гад ударил меня. — Он вытер кровь тыльной стороной ладони. — За мной должок.

— Раз так, будем драться. — Рипли полезла в сумку и достала свой ритуальный меч.

Впервые за много дней Майя искренне рассмеялась.

— Ты никогда не изменишься, — она оборвала смех, и ее голос перешел на шепот. — Сердце острова свято, светлой магией объято. Тройной круг нас защитит от холода и тьмы. Там, где свет трубит в трубу, встречу я свою судьбу.

С этими словами Майя обошла поляну по кругу. Ее босые ноги находились в нескольких дюймах от клубившегося тумана.

— Там, где три создали круг, нерушима связь подруг.

— Ритуал изгнания начинается не так, — сказал Сэм, но Майя пропустила его слова мимо ушей.

— Закатное солнце, ты меня слышишь? Луна поднимается выше и выше. — Она взяла кувшин и окружила мужей сестер кольцом из морской соли. — Одна — это три, а три — это одна. Кровное родство с нами навсегда. Тьма, давящая на веки, отпусти меня навеки. Воля твердая сильна, пусть исполнится она.

Она подняла руки и вызвала гром.

— Создадим следующий круг. — Майя посмотрела на Сэма. — Я знаю, что делаю.

— Я тоже.

Пока создавался круг, Мак смотрел на свои приборы.

— Из показаний приборов следует, что во время создания внешнего круга в одиночку Майя приняла всю отрицательную энергию на себя. Она оставалась целью даже тогда, когда соединялась с другими.

— Сэм именно об этом и говорил, — отозвался Зак.

— Верно. Она окружила нас морской солью в качестве дополнительной защиты. Рассчитывает, что мы в любом случае останемся внутри кольца.

— Дудки, — буркнул Зак.

— Тоже верно. Наша сила растет. — Мак чувствовал это.

Свет по краям круга замигал и стал золотым. Каждая из сестер концом клинка начертила на земле свой символ. Первый напев прозвучал одновременно с восходом луны.

— Воздух, земля, огонь и вода, от матери к сыну, так было всегда. По праву крови мы взываем к силе ночи.

Нелл подняла руки.

— Я, потомок Воздуха, взываю к Воздуху. Данной мне властью я вызываю ветер. Пусть он поднимется и унесет зло. Я есмь Воздух, а Воздух есмь я. Воля твердая сильна, пусть исполнится она.

Когда свист ветра превратился в рев, подняла руки Рипли.

— Я, потомок Земли, заклинаю Землю. Дрогни под моими ногами. Поглоти тьму, и пусть никто не последует за ней. Я есмь Земля, а Земля есмь я. Воля твердая сильна, пусть исполнится она.

Земля содрогнулась.

— Я, потомок Воды, призываю Воду, — раскинув руки, сказал Сэм. — Пролейся из моря, пролейся с неба. Омой этот остров света и защити его от алчной ночи. Я есмь Вода, а Вода есмь я. Воля твердая сильна, пусть исполнится она.

В ту же секунду начался дождь, и вскинула голову Майя.

— Я, потомок Огня, взываю к Огню. Приди, очистительное пламя, сожги чудовище, ищущее крови, и защити все, что я люблю. Я есмь Огонь, а Огонь есмь я. Воля твердая сильна, пусть исполнится она.

Молния с грохотом ударила из-под земли, прорезала небо и рассыпалась бриллиантовым дождем.

Налетевший шквал вихрем закружился над поляной и двинулся к лесу.

— Мои приборы не могут это измерить! — крикнул Мак, перекрывая раскаты грома. — Они взбесились!

Стоявший рядом Зак достал пистолет.

— Приборы тебе ни к чему. Это воет волк. И он приближается.

Четверо стоявших в круге взялись за руки. Когда

свет луны пронзил тучи, как луч маяка, Майя положила руку Нелл на руку Сэма и оставила их втроем.

— Трое дважды остановили тебя. Теперь очередь за мной. Я бросаю тебе вызов. Выйди из тьмы и сделай свое дело. Моя судьба в моих руках. Кому из нас суждено встретить смерть? Пришел твой последний час. Выйди и дерзни противостоять силе ведьмы!

Майя прошла через огонь, вызванный ею самой, и оказалась за пределами круга.

Из тумана возник черный волк и зарычал, стоя на краю поляны. Когда Майя шагнула вперед, Сэм поднял свой ритуальный меч, бросился вперед и прикрыл ее своим телом. Из кончика меча ударило неистовое синее пламя.

— Нет! — Ее страх вырвался из-под контроля стальной воли, и пламя, окружавшее поляну, заколебалось. — Это не твое!

— Ты — моя. Я отправлюсь вместе с ним в ад прежде, чем он причинит тебе боль. Вернись в круг.

Майя не сводила с него глаз. Когда волк шагнул на поляну, она забыла страх и окуталась силой, хлынувшей из глубины сердца.

— Я не проиграю, — тихо сказала она. — Не могу. — Помня о своей судьбе, она медленно попятилась, глядя в глаза волку, а потом побежала с поляны. Волк погнался за ней.

Все должно было кончиться в месте, которое выбрала она сама. В этом она была уверена. Майя бежала через рощу, и жар ее тела прорезал ледяной туман, окутавший землю и тропу. Преследовавшее ее чудовище алчно рычало. Майя знала каждый поворот этой дорожки, каждый подъем и яму и мчалась сквозь мрачную ночь, как стрела, летящая к близкой цели.

Миновав лес, она побежала к черным и скользким скалам, вздымавшимся над зловонным туманом. Нужно было выиграть время. Собрав силы, Майя метнула назад молнию, услышала крик боли и злобы и ощутила мстительную радость.

Она была вне круга. Одна. Сама по себе. И стояла на тех самых скалах, где та, которая была Огнем, сделала свой последний выбор. Позади было ревущее море, внизу — беспощадные камни.

«Попалась, — раздался шепот в ее мозгу. — Если будешь стоять на месте, я разорву тебя в клочья. Беги, спасайся!»

Майя, задохнувшаяся от бега и того, что происходило внутри, сделала шаг назад. Ветер трепал мокрый подол ее мантии, скользкие камни под ногами дрожали и покачивались.

Остров был затянут туманом и задыхался под его тяжестью. Но этого она и ждала. Майя подняла голову и увидела яркий круг на краю поселка, откуда струился свет тысячи свеч. Этого она не ожидала. Ни света, ни силы, которая била из круга и входила в нее, как любовь.

Майя крепко закутала круг, защитила его собственной силой и начала следить за волком, медленно поднимавшимся на скалы.

«Иди сюда, — подумала она. — Да, ближе, ближе. Я ждала этого всю свою жизнь».

Волк оскалил клыки и поднялся на задние лапы, став похожим на человека.

«Бойся меня. Я — твоя смерть. Сейчас я причиню тебе боль».

Черная молния сорвалась с неба и ударила в скалу у самых ее ног. Майя слегка отпрянула и увидела ликование, блеснувшее в красных зрачках.

— Думаешь, со мной покончено? — тихо спросила она и метнула в волка струю огня.

Именно это и увидел Сэм, выбежав из рощи. Майя

стояла на краю утеса. Ее белая мантия сияла как серебро, волосы развевал ветер, а над ней нависала черная тень не то зверя, не то человека. Вокруг бушевало пламя, в воздух валил густой дым. Копья света, падавшие с грозового неба, напоминали огненный дождь.

Он гневно вскрикнул, взмахнул мечом, сверкавшим как молния, и начал взбираться на скалы.

«Пора!» — подумала Майя и резко повернулась.

— Этой ночью я ликую и делаю свой выбор. Он выбирает меня, а я — его. — Она протянула руки и обнажила свое сердце. — Никакая сила не может погасить этот свет. Мое сердце принадлежит ему, а его сердце — мне. Такова наша общая судьба. Я отдаю свою жизнь за то, чтобы жили они! — крикнула Майя. Ее голос громом отдался в лесу, из которого выбежали еще четверо. — За тех, кого я люблю и кто мне дорог! Мои слова кладут конец трехвековой борьбе! Пусть их слышат все! Я выбираю любовь. — Когда Сэм оказался рядом, она сжала его руку. — Я выбираю жизнь.

Волк вздрогнул и превратился в человека с множеством лиц, мелькавших и сливавшихся друг с другом. Но на всех этих лицах горела ее метка.

— Ты спасла этот остров, но не себя. — Его зловонное дыхание коснулось лица Майи. — Ты уйдешь со мной.

Он прыгнул вперед, но тут воздух прорезал меч Сэма, блеснувший, как вода.

— Это ее метка. А вот моя! — Фигура, разрубленная пополам, рассыпалась и превратилась в языки тумана, ползшие по камням как змеи.

— Сэм! — крикнула Майя, когда туман с шипением и свистом стал карабкаться к ее ногам. В ней горело ровное белое пламя. — Закончить должна я!

— Так заканчивай, — ответил ей Сэм.

Она отбросила все щиты, отперла все замки. Пульсировавшая в ней сила вырвалась на свободу. Майя стояла под бушевавшим небом, объятая пламенем.

— Всей своей настоящей и будущей силой заклинаю тьму обернуться против самой себя. С помощью смелости, справедливости и любви я заканчиваю то, что начала моя кровь. Дрожи, ибо сейчас ты узнаешь силу моего праведного огня.

Майя протянула руку, и в ее пальцах возник огненный шар.

— Твою судьбу сковали три сестры. Воля всех троих сильна, пусть исполнится она.

«За Лулу, — подумала она. — И за остальных невинных».

Майя бросила шар в языки тумана. Они зашипели, закорчились, вспыхнули, перевалились через край обрыва и с воем рухнули в море.

— Ступай в ад, — прозвучал рядом голос Сэма. — Умирай во тьме. Вечно гори там с меткой моей любимой. Безбрежное море раздавило твою силу.

— Воля общая сильна... — обернувшись к нему, начала Майя.

— Пусть исполнится она. — Сэм сделал шаг назад и увлек ее с собой. — Не стой на краю.

— Да ты что? Отсюда открывается такой чудесный вид! — Она звонко рассмеялась и запрокинула лицо к небу. Облака пронзал яркий свет звезд. По спокойному черному морю величаво плыл белый корабль луны. — Боже, какое чудо! Ты хочешь меня о чем-то спросить, — сказала она. — Подожди минутку, ладно? Сначала мне нужно перемолвиться парой слов с Рипли и Нелл.

— Валяй.

Она спустилась с утеса и упала в объятия сестер.

Когда все собрались на кухне, Майя и Сэм вышли в сад.

— Наверно, тебе трудно понять, почему я не поделилась с вами своими планами. Это было не высокомерие, а...

Когда Сэм обнял Майю и крепко прижал к себе, у нее перехватило дыхание.

— Необходимость, — с трудом выдавила она.

— Помолчи минутку. Майя... — Он зарылся лицом в ее волосы и что-то забормотал по-гэльски. Потом резко отстранился и встряхнул ее. — Необходимость? Так я тебе и поверил! Неужели было необходимо надрывать мне душу? Знаешь, что я испытал, когда ты стояла на краю утеса, а эта тварь надвигалась на тебя?

— Да. — Она взяла его лицо в ладони. — Да, Сэм. Это было единственное средство. Единственное, в котором я была уверена. Единственное, которое позволяло покончить с ним без вреда для других.

— Ответь мне на один вопрос. И при этом смотри мне в глаза. Ты хотела принести себя в жертву?

— Нет. — Глаза Сэма прищурились, но она не отвела взгляд. — Рискнуть жизнью и принести ее в жертву — разные вещи. Рисковала ли я? Да, рисковала. Но рисковала осознанно, потому что я практичная женщина со здоровым вкусом к жизни. Рисковала ради единственной матери, которую я знала. Ради этого острова и его жителей. Ради них, — промолвила она, показав на дом. — Ради детей, которых они родят. Ради тебя. Ради нас. Но я собиралась жить. И, как видишь, выжила.

— Ты собиралась выйти из круга. Собиралась подняться на скалы. Одна.

— Так было предназначено судьбой. Я готовилась к этому всеми способами, учитывала любую возможность. И все же упустила то, чего не упустил ты. Когда я посмотрела со скал и увидела тот круг света... Сэм... — Она прижалась к нему, сгорая от любви. — Когда я ощутила лившиеся из него силу, любовь и веру, это оказало мне огромную помощь. Кто знает, что случилось бы без этого? Ты попросил помощи у тех, о ком я не подумала.

— Островитяне спаяны друг с другом. Достаточно поделиться с одним, чтобы...

— Чтобы об этом узнали все, — закончила она. — Сегодня вечером они собрались в роще у коттеджа. И обратили ко мне умы и сердца.

Майя прижала руки к груди, где все еще звучала песня.

— Сильная магия. Ты должен понять, — слегка отстранившись, продолжила она. — Я ничего не могла сказать. Ни тебе, ни остальным. Не могла позволить себе открыться, ибо то, что было у меня на уме и в сердце, мог прочитать враг, с которым нам предстояло сразиться. Я должна была ждать, пока все не встанет на свои места.

— Майя, я все понимаю. Но это была не твоя борьба, а наша общая.

— Я не была в этом уверена. Хотела верить, но не могла, пока ты не вышел из круга и не прикрыл меня собой. И то чувство, которое ты испытывал ко мне... говорил, что испытываешь... побледнело по сравнению с тем, что вырвалось у тебя в тот миг. Я знала, что ты пойдешь за мной. Была уверена, что мы покончим с ним вместе. Я должна сказать тебе...

Майя покачала головой и отошла на несколько шагов в сторону, чтобы ей ничто не мешало.

— Когда-то я очень любила тебя. Но эта любовь вращалась вокруг моих собственных нужд и желаний. Когда ты уехал, я заперла эту любовь на замок. Иначе мне было не выжить. А потом ты вернулся.

Она повернулась к Сэму.

— Мне было больно смотреть на тебя. Повторяю, я практичная женщина и не люблю боли. Но я смирилась с этим. Я желала тебя, но не должна была выпускать на свободу запертую любовь. Так я думала. — Она пригладила ему волосы. — Так хотела. Вот только замок не выдержал, и любовь вырвалась наружу. Она стала другой, но я этого не понимала, потому что не хотела понимать. Потому что любовь по-прежнему причиняла боль. Когда ты говорил мне о любви, эти слова вонзались мне в сердце как нож.

— Майя...

— Пожалуйста, дай мне закончить. Помнишь тот вечер, когда мы сидели в саду и я держала на ладони нарядную бабочку? Перед твоим приходом я пыталась определиться. Раз и навсегда. Как следует подумать и приготовиться. Ты сел, улыбнулся, и у меня сжалось сердце. Так, словно оно ждало именно этого момента, этого взгляда. Когда ты сказал, что любишь меня, я не ощутила боли. Ни капли. И знаешь, что я почувствовала после этого?

— Нет. — Он провел по ее щеке тыльной стороной ладони. — Расскажи.

— Счастье. Счастье до глубины души. Сэм... — Она гладила его предплечья, наслаждаясь этим прикосновением. — То, что я чувствовала тогда и буду чувствовать до конца жизни, уже не было любовью девочки. Та любовь отцвела, а эта родилась заново. В ней нет места эгоизму и фантазиям. Если ты уедешь...

— Я не...

— Если ты снова уедешь, мое чувство к тебе не изменится. Я не стану запирать его. Я должна была понять это и не испытывать ни тени сомнения. Я буду лелеять его и то, что у нас было. Я знаю, что ты любишь меня, и мне этого достаточно.

— Думаешь, теперь я смогу от тебя уехать?

— Дело в другом. — Майя сделала шаг назад и закружилась на месте под мелодию, звучавшую в сердце. — Я люблю тебя так, что могу отпустить. Не волнуясь, не переживая, без тени сомнения в душе. Люблю так, чтобы жить с тобой. Без сожалений и условий.

— Встань здесь, ладно? Вот здесь. — Сэм показал пальцем перед собой.

Майя кивнула и подошла к нему.

— Здесь?

— Посмотри сюда. — Логан поднял цепочку с двумя кольцами на уровень ее глаз.

— Что это? Они прекрасны. — Майя протянула к кольцам руку и затаила дыхание, когда из них заструились тепло и свет. — Их кольца, — прошептала она. — Ее и его.

— Его кольцо я нашел в пещере, о которой тебе рассказывал. В Ирландии. А ее — здесь. Всего несколько дней назад. В нашей пещере. Ты видишь, что вырезано на них снаружи и внутри?

Майя провела кончиком пальца по кельтским символам. А когда прочитала гэльскую надпись, сделанную на внутренней поверхности, у нее гулко забилось сердце.

Логан снял с шеи цепочку, положил на ладонь меньшее кольцо и протянул ей.

— Это твое.

Вся сила, которая еще оставалась в ней, замерла. Как будто Майя затаила миллион вздохов.

— Почему ты отдаешь его мне?

— Потому что он не смог сдержать обещание. А я смогу. Я хочу дать тебе клятву. И получить взамен твою. Сейчас. Тогда, когда мы поженимся. Каждый день после этого. И повторять ее каждый раз, когда будут рождаться наши дети.

Майя смотрела на него широко открытыми глазами.

— Дети...

— Я видел сон, — начал Сэм и кончиком пальца стер первую слезу, побежавшую по ее щеке. — Самое начало весны. Ты работаешь в саду. Листья только что распустились, солнце нежное и желтое. Я подхожу к тебе. Ты разгибаешься. Ты такая красивая... Намного красивее, чем сейчас. Ты ждешь ребенка. Нашего ребенка. Я кладу ладонь на твой живот и чувствую, как он толкается. Чувствую, что созданная нами жизнь... рвется наружу. Ей не терпится родиться. Мне и в голову не приходило...

Логан взял в ладони ее лицо.

— Тогда мне и в голову не приходило, что этот сон вещий. Что он может сбыться. Майя, давай жить вместе. И принимать все, что нам принесет жизнь.

— Да. — Майя прижалась губами к его щеке. — Да. — И к другой. — Я согласна на все. — Когда их губы встретились, она засмеялась.

Сэм закружил ее в воздухе, а потом взял за правую руку.

— Это не тот палец, — сказала Майя.

— Ты не сможешь носить его на левой руке, пока мы не поженимся. Давай соблюдать традиции. Правда, я думаю, что это ненадолго. У людей, которые любили друг друга всю свою жизнь, срок помолвки должен быть очень коротким...

Он раскрыл ладонь. Там, куда упала ее слеза, лежал кусочек света. Сэм улыбнулся, подбросил его вверх, и на них посыпались звезды, напоминавшие вспышки пламени.

— Это символ, — сказал он, поймав одну из искорок. — Обещание. Я подарю тебе звезды. — Сэм повернул руку и протянул ей кольцо с бриллиантом. Прозрачным, как вода, и ярким, как огонь.

— Я беру их. И тебя, Сэм. — Майя протянула руку и ощутила дрожь, когда кольцо скользнуло ей на палец и засияло на нем тысячами огоньков. — Ах, какую магию мы теперь сотворим!

— Начнем прямо сейчас, — Сэм засмеялся, поднял ее в воздух и начал танцевать.

А их звезды продолжали ярко мерцать на фоне ночного неба.

Литературно-художественное издание

Нора Робертс

ЛИК ОГНЯ

Ответственный редактор *В. Краснощекова*
Художественный редактор *Е. Савченко*
Технический редактор *Н. Носова*
Компьютерная верстка *В. Фирстов*
Корректор *М. Ионова*

ООО «Издательство «Эксмо»
27299, Москва, ул. Клары Цеткин, д. 18/5. Тел. 411-68-86, 956-39-21.
Home page: **www.eksmo.ru** E-mail: **info@eksmo.ru**

Подписано в печать 18.05.2009.
Формат 80×100 1/32. Гарнитура «Таймс». Печать офсетная.
Бумага писч. Усл. печ. л. 17,76.
Тираж 8 000 экз. Заказ 7846

Отпечатано с электронных носителей издательства.
ОАО "Тверской полиграфический комбинат". 170024, г. Тверь, пр-т Ленина, 5.
Телефон: (4822) 44-52-03, 44-50-34, Телефон/факс: (4822)44-42-15
Home page - www.tverpk.ru Электронная почта (E-mail) - sales@tverpk.ru